전 국민 한마음 공동체 구축

희망 대한민국

멘토링
프로젝트

전 국민 한마음 공동체 구축

희망 대한민국

멘토링
프로젝트

류재석 지음

이담
Books

이 책의 머리말(Preface)

멘토링은 두 사람이 하나 되어 희망을 만들고, 직장과 사회와 국가의 멘토링 시스템은 전 국민 경쟁력을 강화하고 한마음 공동체를 구축하는 기초가 될 것이다.

유대인의 잔닥제도(B.C. 1440년경)가 하나님의 선택받은 자녀들을 전인적으로 개발함으로써 오늘날 세계 일등민족으로 인정받게 되었다.

그리스 이타카 왕국의 멘토제도는 트로이 전쟁(B.C. 1250경) 후에도 이타카 나라를 재건하는 핵심전략이 되었고 그의 후손들, 즉 소크라테스를 정점으로 대대로 이어오는 헬라 문화권의 철학은 오늘날 서양철학의 기초를 다지는 계기가 되었다. 아울러 이씨 조선의 왕사제도는 왕자를 제대로 양육함으로써 세계에 유례없이 단일 성씨로 500년의 역사를 지속할 수 있었던 것이다.

최근 미국에서도 하버드대학교, 예일대학교 교수를 중심으로 멘토링 시스템의 필요성이 제기되었고 맥킨지 컨설팅은 2000년 스위스 다보스 포럼에서 '멘토링은 21C 인재개발 전략에서 놀라운 힘을 발휘하고 있다'고 격찬했다.

그리고 기업을 대표해서 GE, HP 등이 앞장서서 도입했고 특히 개인적으로 잭 웰치의 종합 멘토링, 워런 버핏과 빌 게이츠의 자본주의 4.0의 모델 멘토링이 현대사회에서 인재개발의 최적의 프로그램으로 각광받고 있는 것이다.

필자는 14년에 걸친 멘토링 전문연구와 현장 임상컨설팅을 통하여 인격을 핵심 프로그램으로 한 멘토링 인격왕국을 개인·조직·사회·국가 그리고 세계 속에 시스템으로 구축하는 데 전력을 기울일 것이다.

멘토링은 둘이서 하나 되어 오늘의 행복과 내일의 희망을 건설하는 인간, 나눔 그리고 행복을 추구하는 인간개발 프로그램이다.

금번 저서의 국가에 희망을 주는 멘토링 프로젝트는 지적 편중인 개인에게 인성, 생산성 편중인 조직에 인간성, 이기주의 편중인 사회에 이타주의, 물질가치 편중인 국가에 정신가치 프로그램을 보완하여 균형인간, 균형조직, 균형사회, 균형국가를 이루고자 하는 국가희망 프로젝트이다.

아울러 멘토링의 희망 비전은 개인, 조직, 사회, 국가에 인격을 바탕으로 하는 인격왕국을 건설하여 먼저 넓은 인격으로 윤리 리더십을 회복하고 국격을 높여 선진국 대열에 진입하여 세계평화에 기여하고 인류에게 공헌하는 데 있다.

이 책의 목적(Purpose)

이 책의 저술에 관한 직접적인 의도는 자본주의 3.0시대에서 4.0시대로 변환의 시점에서 멘토링의 인간, 나눔, 행복으로 구성된 비전 실현에 염두를 두었다.

1) 물적 가치관의 위기 현상 초래

(1) 경제계: 자본주의 3.0의 개인탐욕으로 기업과 국가의 위기를 초래하고 있다.

(2) 교육계: 지적 편중의 인간성 상실로 인한 윤리 리더십의 위기를 초래하고 있다.

(3) 정치계: 정권 쟁취의 목적으로 정치공학으로 접근 개인사욕으로 위기에 처했다.

2) 오늘날 인간상실의 원인 규명

(1) 산업혁명 이후 소품종 대량생산으로 인간이 기계부속품으로 밀리다.

(2) 해방 후 좌·우파 이데올로기(이념) 우선으로 인간 도외시가 원인이다.

(3) 그동안 빈민의 굴레 속에서 호구지책의 우선으로 인간대접이 밀렸다.

(4) 오늘날 지적 중심의 평준화 교육으로 인간 개인의 전인성이 결여되었다.

3) 이 책의 집필 목적

목적 1: 개인의 따뜻한 인성개발에 목적을 두었다.

인성Plan으로 둘이서 하나 되어 知性과 人性의 균형인간으로 인격적으로 존경받는 리더로 개발하는 데 목적을 두었다.

목적2: 조직의 한마음 협력개발에 목적을 두었다.

협력Plan으로 둘이서 하나 되어 인간성과 생산성의 균형경영으로 직원행복, 직장행복, 고객행복에 목적을 두었다.

목적 3: 사회의 두리 동행개발에 목적을 두었다.

동행Plan으로 둘이서 하나 되어 이기주의와 이타주의의 균형주의로 아름다운 동행을 이루는 데 목적을 두었다.

목적 4: 국가의 전인교육개발에 목적을 두었다.

교육Plan으로 둘이서 하나 되어 물질가치와 정신가치의 균형가치로 고품격 삶의 가치를 추구하는 데 목적을 두었다.

목적 5: 온 국민 경쟁력 강화에 목적을 두었다.

멘토링 인격개발 프로그램을 통하여 내적으로 인재 경쟁력 강화와 외적으로 國格을 높여 대한민국이 선진국 문턱을 넘는 계기로 삼고 나아가 인류에 공헌하고자 함에 목적을 두었다.

이 책의 사명(Mission)

1) 멘토링 포트폴리오 인생 Life

헤르만 헤세는 "인생이란 자기를 찾아 떠나는 여행이라고 했다." 그러나 오늘날 우리에게는 인생이 무엇인지 어떻게 성인이 되어 가야 하는지, 인생을 어떻게 살아야 하는지를 구체적으로 가르쳐 주는 책은 이 세상에 없다. 그러나 우리의 삶이 중요하고 자신의 세상을 위하여 그 중요한 인생을 바르게 살아야 하며, 인생은 연습하고 실습할 만큼 여분의 시간이 없다는 것은 누구나 다 알고 있는 사실이다.

이런 삶 속에서 멘토를 가진 사람은 멘토를 갖지 못한 사람에 비하여 엄청난 유익을 갖는다. 멘토링은 1대1로 연결하여 ① 단시간 내, ② 화학적 변화(A Person – A leader)로, ③ 인격적인 리더로 개발해내는, 즉, 인격을 접목한 인재개발 포트폴리오 프로그램이다. 맥킨지 컨설팅 그룹은 2000년 스위스 다보스 포럼에서 21C 인재개발 전략에서 "멘토링은 놀라운 힘을 발휘하고 있다"고 격찬한 바 있다.

2) 필자의 개인 멘토링 사명 Mission

멘토링(Mentoring)은 필자에게 25년(1975~2000) 만에 놀라운 힘, 기도의 응답으로 하나님이 주신 선물(Gift)이다. 그러므로 한국사회에서 멘토링이라는 광석을 다이아몬드라는 보석으로 가공할 사명(Mission)이 주어진 것이다.

(1) 필자에게 기도의 놀라운 힘

"너는 내게 부르짖으라. 내가 네게 응답하겠고 네가 알지 못하는 크고 은밀한 일을 네게 보이리라(렘 33:3)." "네가 자기 일에 능숙한 사람을 보았느냐. 이러한 사람은 왕 앞에 설 것이요, 천한 자 앞에 서지 아니하리라(잠 22:19)."

(2) 필자의 멘토링 사명의식

① 열정의식: 멘토링의 열정으로 이 나라와 교회를 가슴에 품고 하나님께 영광을 돌리는 멘토링, 조직개발에 기여하는 멘토링, 인재개발에 기여하는 멘토링으로 사명을 완수하고자 한다.

성구: "그런즉 너희가 먹든지 마시든지 무엇을 하든지 다 하나님의 영광을 위하여 하라. 유대인에게나 헬라인에게나 하나님의 교회에나 거치는 자가 되지 말고 나와 같이 모든 일에 모든 사람을 기쁘게 하여 자신의 유익을 구하지 아니하고 많은 사람의 유익을 구하여 그들로 구원을 받게 하라(고전 10:31~33)."

② 전문의식: 교육에 전문 프로그램, 컨설팅에 전문 프로그램, 전문교재와 단행본 책자 출간으로 사명을 완수하고자 한다.

③ 윤리의식: 인격을 적용한 지·정·의(知情意)로 균형인간 개발, 선한 멘토링 비즈니스 개발, 그리고 윤리의식 개발로 사명을 완수하고자 한다.

3) 멘토링의 가치관

(1) 멘토링 Mission 사명

국가 멘토링의 사명은 남북 간을 비롯한 사회 각계각층에서 이데올로기(Ideology)를 지양하고 인간 중심으로 인격 프로그램을 적용하여 정신적·물질적 가치를 나누고 한마음 공동체로서 행복을 실현하고자 함이다.

인간(Human): ① 인간, ② 나눔, ③ 행복

(2) 멘토링 Value 핵심가치

인격(Personality): 멘토링의 핵심가치는 인격을 주제로 ① 지적 가치, ② 정서가치, ③ 의지가치를 균형 있게 개발하는 프로그램이다.

(3) 멘토링 Vision **비전**

리더(Leader): 국가 멘토링의 비전은 개인·조직·사회·국가의 전 영역에 멘토링 프로그램으로 인격왕국을 건설하여 각 영역에서 인격적으로 존경받는 리더를 개발하는 데 비전을 두었다.

인격리더 역할 1: 넓은 인격개발로 윤리 리더십을 회복한다.

인격리더 역할 2: 국가품격을 높여 선진국 대열에 진입한다.

인격리더 역할 3: 세계평화와 인류 공헌에 기여하고자 한다.

4) 멘토링 "놀라운 힘"의 의미

(1) **인격바탕에 놀라운 힘을 발휘한다.**

멘토링의 핵심내용으로 인격 프로그램을 바탕으로 인재개발에 놀라운 힘을 발휘한다.

(2) **다수 멘토에 놀라운 힘을 발휘한다**

멘토링은 한 사람의 철학으로 여러 사람의 멘토가 한 사람에게 적성이나 전문분야별로 조언해줌으로써 놀라운 힘을 발휘한다.

(3) **단기간 내에 놀라운 힘을 발휘한다**

멘토링은 1대1로 멘토가 자신의 최대한의 핵심역량을 제공해줌으로써 단기간 내 놀라운 힘을 발휘한다.

(4) **화학적 변화로 놀라운 힘을 발휘한다**

멘토링은 1대1 관계에서 한 사람의 보통사람(a Person)을 한 사람의 리더(a Leader)로의 화학적 변화에 놀라운 힘을 발휘한다.

(5) 존경받는 리더 개발에 놀라운 힘을 발휘한다

멘토링은 인간을 기술자, 과학자, 경영자, 교육자, 성직자로 만드는 것이 아니라 인격적으로 존경받는 리더로 개발하는 데 놀라운 힘을 발휘한다.

이 책의 내용(Contents)

희망 대한민국 멘토링 프로젝트는 인격프로그램을 바탕으로 개인에게 인성, 조직에 협력, 사회에 동행, 국가에 교육 멘토링 프로그램을 적용하여 둘이서 하나가 되어 미래 희망을 만들고 각 분야별로 멘토링 시스템을 구축하는 데 목적을 둔다.

Agd 1. 개인에게 희망/인성 Plus 멘토링

개인 멘토링은 오늘날 지적 편중된 상태에서 멘토링 인성 프로그램을 보완하여 균형인간으로 업그레이드하는 데 있다. 인성 멘토링의 특징은 기술(Technic)적인 스타에 인간성(Humanity)을 포함한 진정한 균형적인 인간스타를 배출하는 활동이다.

Theme 1. 인성 멘토링의 개념
Theme 2. 인성이란 무엇인가?
Theme 3. 인성 멘토 모범 사례
Theme 4. 인성 멘토 개발 10-Skill

Agd 2. 조직에 희망/협력 Plus 멘토링

조직 멘토링은 오늘날 생산성이 편중된 상태에서 멘토링 인간성 협력 프로그램을 보완하여 균형경영조직으로 업그레이드하는 데 있다. 협력 멘토링의 특징은 아버지와 같은 상사와 어머니와 같은 멘토가 협력하여 가정의 행복을 직장에서 실행하고 한마음 조직문화를 구축하는 활동이다.

Theme 1. 협력 멘토링 개념

Theme 2. 조직문화란 무엇인가?

Theme 3. 한마음 조직별 문화 구축 방법

Theme 4. 인간존중 한마음 멘토링 전략

Agd 3. 사회에 희망/동행 Plus 멘토링

사회 멘토링은 오늘날 이기주의에 편중된 상태에서 멘토링 이타주의 동행 프로그램을 보완하여 균형사회로 업그레이드하는 데 있다. 동행 멘토링의 특징은 멘토/멘제 상호 간 평등한 인격으로 신뢰와 존경하는 동행하여 행복한 복지사회를 건설하는 활동이다.

Theme 1. 동행 멘토링 개념정리

Theme 2. 자본주의 시대 환경대응

Theme 3. 두리 동행 멘토링 대응전략

Theme 4. 두리 동행 멘토링 프로젝트

Agd 4. 국가에 희망/교육 Plus 멘토링

국가 멘토링은 오늘날 물질가치가 편중된 상태에서 멘토링 정신가치 개발 교육 프로그램을 보완해 균형국가로 업그레이드하는 데 있다. 교육 멘토링의 특징은 배우고자 하는 사람이 지식 앞에 서는 것이 아니고, 멘토교사의 인격 앞에 서는 것, 즉 전인적 인격개발 교육 활동이다.

Theme 1. 교육 멘토링 개념

Theme 2. 인격이란 무엇인가?

Theme 3. 교육이란 무엇인가?

Theme 4. 현대사회 적용 멘토링 프로젝트

Agd 5. 인격에 희망/멘토지원단

개인·조직·사회·국가 멘토링 프로젝트를 성공적으로 수행하기 위하여 소수

정예로 인격프로그램을 적용, 멘토를 양성하여 멘토지원단을 구성한다. 멘토지원단의 특징은 멘토의 자부심으로 보람의식, 책임의식, 목표의식으로 멘토링 활동의 성공률을 높이는 것이다.

Theme 1. 멘토지원단의 개념

Theme 2. 멘토단원 3가지 정신

Theme 3. 멘토단원 체계적 관리

Theme 4. 멘토조합 성공 모델

이 책의 감사(Thanks)

멘토링코리아 설립 당시(1998. 2. 1) Bobb Biehl 박사(美 멘토링전문가)와 William Gray 교수(加 브리티시대학)로부터 전화, 이메일, 책자 등의 귀중한 자료를 제공받은 것에 대하여 두 분에게 진심으로 감사를 드린다.

초창기부터 한국적인 정서에 맞는 올바른 이론 정립과 생산성 확보에 필수적인 실행 프로그램을 개발하는 데 전문연구원으로 동참한 민홍기 박사, 김영회 박사, 최창호 박사, 최명국 박사, 탁충실 위원 그리고 최근에 합류한 김순환 박사, 이제빈 박사, 한광훈 박사, 김해영 박사, 조병용 박사, 김동철 박사, 김성일 군목, 조주영 박사, 안만수 박사, 김호정 원장, 전종현 위원, 박화현 위원, 문일상 위원에게 감사를 드린다.

멘토링 자격증을 취득하고 전문업체로 멘토링 보급에 파트너십을 하고 있는 이용철 원장(한국멘토링코칭센터), 나병선 대표(멘토링코리아컨설팅), 홍은경 소장(핸즈코리아), 이영남 대표(SMI KOREA)와 신정범 목사(청소년멘토링원장), 이순길 목사(멘토링교회개발원장) 등 현장에서 멘토링 보급에 앞장서고 있는 70명 멘토링 지도사에게 감사를 드린다.

멘토링 불모지 한국에서 정부기관 도입에 앞장선 노동부 정원호 서기관, 농림수산부 신경순 사무관, 지식경제부 김영화 서기관, 행정안전부 이정래 서기관, 그리고 교육과학기술부 임용우 팀장, 한국장학재단 이경숙 이사장님, 아세아연합신학연구원 공보길 원장님께 감사를 드린다.

멘토링은 필자에게 하나님이 25년 만에 기도의 응답으로 주신 선물(Gift)이다. 이에 감사하는 마음으로 멘토링에 열정을 가지고 다이아몬드와 같은 고품질의 프로그램으로 개발하여 ① 하나님께 영광, ② 조직개발에 기여, 그리고 ③ 많은 사람에게 유익을 주어(고전 10:31~33) 하나님의 은혜에 보답하고자 한다.

필자의 멘토로서 8년간 필자에게 청교도 삶을 각인시킨(1980~1988) 故 김용기 장로님(가나안농군학교 설립자)과 대를 이어 멘토링 관계를 이어오고 있는 김평일 가나안농군학교 교장께 감사를 드린다.

이번 책은 그동안 필자의 기도 응원군인 서현교회 김경원 목사님과 성도님들, 그리고 필자의 에너지 근원이 된 아내 임금자를 포함한 가족 류환 류현, 한현숙, 류경헌, 류나안, 안성훈, 류지영, 안서연 모두에게 감사를 드린다.

마지막으로 어려운 여건 속에서도 기꺼이 출판을 맡아 수고한 한국학술정보㈜ 강태우 팀장을 비롯한 출판사 임직원들께 심심한 감사를 드린다.

2012. 3. 5.

류재석

개인에 희망/인성 Plus 멘토링

인성(Humanity) 멘토링이란 개인 간 연결과 헤어짐이 자연스러운 전통적 멘토링(Typical Mentoring＝TY－M)으로서 오늘날 지(知)적으로 편중된 상태에서 인간성(Humanity)을 균형 있게 업그레이드해줌으로써 인격 바탕 위에 상호 간 핵심역량을 발휘하는 프로그램이다.

주관자: 자기개발에 의욕을 가진 사람이 개인적 또는 가정에서 멘토를 찾아 멘토링 관계를 맺는다. 인성개발 Plan은 멘토/멘제가 자연스럽게 관계를 맺어 지성적·인성적으로 둘이서 하나 되어 오늘의 행복과 내일의 희망을 만들어 가는 프로그램이다.

Theme

Theme 1

인성 멘토링의 개념

1장 인성 멘토링 개념

1. 인성멘토링 목적

인성 멘토링은 오늘날 지적으로 편중된 상태에서 멘토링 인성 프로그램을 보완하여 균형인간으로 업그레이드하는 데 있다. 인성 멘토링의 특징은 기술(Tehnic)적인 스타에 인간성(Humanity)을 포함한 진정한 균형적인 인간스타를 배출하는 것이다.

2. 인성 멘토링 활동 지침

(1) 균형인간이란 차가운 머리와 따뜻한 가슴의 조화를 이룬다.

(2) 균형 이룬 인간스타는 기술에 따뜻한 인성을 더한 사람이다.

(3) 균형인간이란 된 사람, 든 사람, 난사람을 종합한 윤리적인 인재를 말한다.

(4) 멘토링은 기술자를 만드는 것이 아니라 기술자를 인간으로 만든다.

(5) 성경에서 균형 인재는 재덕(才德)이 겸전한 자(출 18:21)이다.

3. 지적 편중 부작용

(1) 지적 편중이 예술과 인성을 약화시킨다.

(2) 자기 우월의식에 심취한다.

(3) 타인에 대한 비판의식이 생긴다.

(4) 자기중심으로 소통부재 원인이 된다.

(5) 인간성 상실과 윤리 리더십이 약화된다.

4. 균형인간=지식분야+감성분야+윤리분야

5. 진단도구: 인성멘토 리더십 예비 진단도구

6. 실행 프로젝트

명칭: 인간성 균형스타 탄생 멘토링 프로젝트

7. 성공조건

(1) 지적분야인 전문지식, 업무, 기술, 노하우에 밝아라.

(2) 감성분야인 마음을 넓혀 포용력과 타인 배려심을 길러라.

(3) 건강분야인 정신적 건강과 육체적 건강을 챙겨라.

(4) 관계분야인 가정, 직장, 사회 활동에서 인간관계 폭을 넓혀라.

(5) 윤리분야인 의지, 절제, 계획, 선악, 판단력 등 윤리 리더십을 확립하라.

2장 인성 멘토링 휴먼 스토리

1. 명사 명언: 아인슈타인

인간이 경험할 수 있는 최고의 아름다움은 생명의 신비로움이다. 진정한 예술과 과학은 바로 이 신비로움 안에 있다.

과학과 예술은 이성과 감성에서 각각 흘러나오지만, 그 처음을 찾아가면 생명의 노래가 넘치는 인간의 근원에 도달하게 된다. 그러나 인간은 잠재능력의 10%밖에 사용하지 않는다.

2. 예화사례: 선다싱과 나그네

선다싱(중세기독교 신비주의자)과 그 친구 한 명이 히말라야 산맥을 넘어 티베트로 전도여행을 떠났다. 산중턱을 넘다가 혹한과 폭설 속에서 눈 속에 묻힌 나그네를 발견하였다. "난 이 나그네를 업고 갈 거야. 그렇지 않으면 이 나그네는 죽는단 말일세." 친구는 반대의견을 표시하고 혼자 산등성이를 넘어갔다.

얼마 후 나그네를 업고 느릿한 걸음으로 산등성이를 넘은 선다싱은 깜짝 놀랐다. 먼저 간 친구가 동사했기 때문이었다. 선다싱과 나그네는 서로의 열기 때문에 동사를 면했던 것이다!

3. 명상시간: 멘토링 리더십

(1) 한 아이에게 영향을 끼치는 것은 한 사람의 인생에 영향을 끼치는 것이다.
(2) 한 부모에게 영향을 끼치는 것은 한 가족에 영향을 끼치는 것이다.
(3) 한 기업의 대표에게 영향을 끼치는 것은 전체 기업에 영향을 끼치는 것이다.
(4) 한 목회자에게 영향을 끼치는 것은 한 교회에 영향을 끼치는 것이다.
(5) 한 국가 지도자에게 영향을 끼치는 것은 그를 지도자로 여기는 모든 국민에게 영향을 끼치는 것이다.

4. 활동지침: 멘토 테크닉(Technic)

멘토링 활동에서 반드시 알아야 할 기본적인 멘토 기술이다.

(1) 멘제를 선정할 때는 최대한 신중하라.

(2) 멘제의 모든 것을 속속들이 연구하라.

(3) '완벽'이 아니라 '최고'를 기대하라.

(4) 멘제는 멘토의 칭찬을 먹고 산다.

(5) 세심한 스폰서가 되어 권력을 나누어 주라.

3장 인성 멘토 찾기 힌트 10

1. 어떤 분야에 멘토가 필요한가?

인간관계에서 도움이 필요한가, 직업적인 문제 전반에 걸쳐 도움이 필요한가, 경영이나 마케팅 기술 같은 특정분야에서 도움이 필요한가? 나는 인간관계 분야에 중요한 멘토가 두 명 있고, 사업적인 문제를 해결하는 데 도움을 얻는 멘토가 한 명 있다. 멘토는 결코 한 명일 수 없다.

2. 이뤄야 할 꿈에 맞는 멘토의 명단을 작성하라

꿈의 목록을 작성하고 가장 중요한 꿈부터 시작해 당신이 가장 존경하고, 통찰력, 지혜와 충고를 줄 수 있는 사람들의 명단을 작성하라. 선호도순으로 이름을 적어라. 다시 말해, 각 목록의 꼭대기에는 이 세상에서 단 한 명만 고르라고 했을 때 선택할 사람의 이름을 적어야 한다. 그 사람이 당신에게 단 1분도 내주지 않을 거라고 생각한다고 해도 그 사람의 이름을 맨 꼭대기에 적어라.

3. 멘토와의 관계를 적어라

시장, 친구, 아는 사람, 친구의 친구, 전혀 모르는 사람 등등 작성한 목록 옆에 멘토와 당신과의 관계를 적어라.

4. 멘토에 대한 모든 것을 적어라

개인적인 경험을 통해 직접 알게 되었든 누군가를 통해서 알게 되었든, 그 사람에 대해 알고 있는 전부를 적어라.

5. 멘토에 대해 할 수 있는 모든 조사를 하라

그들이 좋아하는 것, 싫어하는 것, 열정을 보이는 것은 무엇인가? 일을 할 때나 안 할 때 시간은 어떻게 보내는가? 그들은 무엇을 통해 동기를 부여받는가?

6. 멘토를 잘 모른다면 누가 그들과 친한지 조사하라

당신이 멘토와 직접적인 안면이 없다면, 멘토와 친한 사람을 찾아보자. 당신이 아는 사람이 있을 수도 있다. 만약 그렇다면 멘토와 당신의 공통점으로 아는 그 사람부터 만나 보라. 설령 아는 삶이 없더라도 멘토와 처음 만날 때, 멘토가 친한 사람의 이름을 언급하면서 대화를 풀어 나가라.

7. 만나기 전에 미리 준비하라

잘 모르는 사람과 개별적으로 만나거나 전화나 편지로 접촉할 계획이라면 만나기 전에 제안이나 부탁하는 말을 준비할 필요가 있다. 우선, 서로 공통적으로 아는 사람이 있다면 그 사람에 대한 이야기로 시작한다.

두 번째는 상대를 존경하게 된 이유를 이야기해야 한다. 그다음에는 간단하게 왜 이런 것들이 당신에게 중요한지, 또 어떻게 그의 통찰력이나 지혜를 당신 삶의 일부로 받아들이고 싶은지 설명하라. 마지막으로, 그가 일주일에 한 번씩이나 한 달에 한 번씩 짧게라도(점심이나 아침시간, 커피를 마시거나 간단한 운동을 같이 할 수 있는 정도의 시간) 시간을 내줄 수 있는지 물어 보라. 그 시간에 당신은 특정한 영역에서 당신에게 도움이 될 만한 것을 물어볼 수 있다.

8. 이제 연락해보자

개별적으로 만나는 것보다 나은 것은 없다. 당신이 선택한 잠재적인 멘토에 따라 이 전략은 가능한 것일 수도 있고 그렇지 않을 수도 있다. 직접 만날 수 없다면 차선책으로 전화를 이용하라. 개인적으로 만날 수 없거나 전화로도 접촉할 수 없을 때에는 편지를 이용하라.

어떤 방식으로 접촉하든지 간단하고 적절하게 하라. 만나볼 가치가 있는 멘토라면(퇴직한 상태가 아니라면) 이미 바쁜 스케줄이 있다. 그 사람이 앞으로 당신과 만나는 데 너무나 많은 시간을 할애해야 한다고 생각한다면, 당신의 제안을 일언지하에 거절하거나 당신을 피할 것이다.

9. 멘토를 만난 후

처음 접촉할 뒤에는 그 잠재적인 멘토가 해준 구체적인 말이나 행동에 대해 언급함으로써 간단하게 감사를 전하라.

10. 다음 사람으로 넘어가라

당신이 처음으로 선택한 사람이 부탁을 거절했다면 확실히 그 이유를 밝혀내야 한다. 그다음에는 당신이 작성한 목록의 두 번째 사람에게 이와 똑같은 과정을 반복한다.

4장 인성 멘토 리더십 예비진단 도구

(1) 인성멘토 활동기간에 현재 자기의 인격지수를 진단하여 상호 간 고품격의 인격개발로 업그레이드하고자 하는 것이 목적이다.

(2) 절대평가로 타인과 비교할 필요 없이 자기의 삶의 현장에서의 습관과 행동을 그대로 표시하면 된다.

(3) 다음 각 설문이 당신의 경우에 얼마나 해당되는지 아래 점수를 기록하되 설문 한 개당 5점, 4점, 2점, 1점, 0점으로 한다.

주제	번호	진단설문도구	점수
마음 지수	1	나는 타인을 위해 넓게 포용력을 발휘하는 편이다.	
	2	나는 이웃을 위해 구체적으로 헌신 봉사한 사례가 있다.	
	3	나는 다른 사람과 다툼이 있을 때 먼저 화해를 청한다.	
	4	나는 타인을 책망하기보다는 칭찬을 더 많이 해주는 편이다.	
지식 지수	5	내가 소지한 자격증이나 노하우를 활용하고 있다.	
	6	내가 취득한 기술이나 정보를 제대로 활용하고 있다.	
	7	나의 IT(정보기술-컴퓨터 인터넷 등) 실력은 수준급이다.	
	8	나의 외국어 실력은 외국인과 의사소통을 잘하는 정도이다.	
건강 지수	9	나는 정기적으로 건강을 위해 운동을 한다.	
	10	나는 건강에 유의하면서 음식을 가려 섭취한다.	
	11	나는 정신 수양을 위해 명상의 시간을 갖는다.	
	12	나는 스트레스를 받으면 바로 풀려고 노력한다.	
관계 지수	13	나는 직장에서 구성원과 인간관계가 좋은 편이다	
	14	나는 가정에서 식구들과 대화를 잘하는 편이다.	
	15	나는 사회에서 학회나 전문인 모임에서 교제를 넓히고 있다.	
	16	나는 사회 건전 단체나 봉사 기관에 참석하고 있다.	
관리 지수	17	나는 윤리의식에서 선(善)과 악(惡)을 판단하여 행동한다.	
	18	나는 혈기(血氣), 식욕(食慾), 성욕(性慾) 등 절제력이 있다.	
	19	나는 생애 목표로 시간(時間)과 자금 계획을 세우고 있다.	
	20	나는 승진 등 리더십 개발을 위한 계획을 갖고 있다.	
합계		탁월(81~10), 우수(61~80), 보통(41~60), 부족(21~40), 미달(01~20)	

Theme 2

인성이란 무엇인가?

1장 인간이란?

인간이란 무엇인가에 대한 질문은 인류가 탄생하면서부터 시작된 질문이 아닐까 생각된다. 수많은 학자들이 인간이란 무엇인가에 대한 답을 내놓았으나 그중에 정답이 있다고는 생각하지 않는다. 인간이란 무엇인가라는 질문에 정답이 없다고 생각하기 때문이다.

인간의 사전적 정의를 살펴보면 인간을 언어를 가지고 사고할 줄 알고 사회를 이루며 사는 지구상의 고등동물로 보고 있다. 그러나 이렇게 단순한 말들로 인간을 정의할 수 없다고 생각한다. 그래서 인간이란 무엇인가에 대한 견해로 철학, 과학, 기독교 등 크게 세 가지 관점에서 살펴봤다.

1. 철학적인 견해

인간을 철학적으로 정의해 보면 인간은 이성적인 사고를 가진 존재자이다. 인간을 다른 것들과 구별하는 것은 그가 이성적 존재라는 사실이다. 즉, 인간은 근본적으로 본성으로서 이성적인 힘을 지니고, 또한 유일하다는 관점에서 이해되어야만 한다. 인간이 동물과 다른 점이 바로 이러한 점들 때문이 아닐까?

아리스토텔레스는 인간의 올바른 정의를 위해서는 논리적인 분류가 필연적임을 인식하고 인간을 합리적인 동물로 분류했다. 즉, 아리스토텔레스에 의하면 추상과정을 통해 보편개념을 만들어 낼 수 있으며 이들 보편개념으로부터 추론 규칙을 좇아 삼단논법에 의거해 결론을 도출해 낼 수 있는 능력이 있는 유일한 동물이 인간이다.

2. 과학적인 견해

인간을 생물학적으로 정의를 내려 보면 인간은 동물의 한 종(種)으로 분류학적으로 사피엔스(species Sapiens), 호모(genus Homo), 호미니드(family Hominid), 호미노이드(superfamily Hominoid), 앤스로포이드(suborder Anthropoid), 영장류(order Primate)에 속한다.

인간은 생물학적으로 동물과 다르지 않다. 이러한 의견에 반론을 제기하는 사람들이 많을 것이다. 인간만이 가지고 있는 특성이 있지 않느냐 하는 것인데 이러한 것들도 생물학적으로 설명이 가능하다. 도구를 사용한다거나 말을 하거나 즐거움을 위해 성행위를 하는 것 등의 특징도 사실 다른 동물에게서도 나타나는 특징들이다. 인간이 보다 높은 사고를 하는 것은 사실이지만 단순하게 뇌가 다른 동물보다 발달했기에 가능한 것일 뿐 인간도 결국은 생물학적으로 동물일 수밖에 없는 것이다.

3. 기독교적인 견해

기독교에서 인간은 하나님에 의해 창조된 존재이다. 내재적 존재이고 초월적 존재인 하나님은 인간을 그의 형상대로 창조하였고, 인간으로 하여금 모든 만물을 다스리게 하였다. 따라서 인간의 운명은 하나님과의 관계에 의해 좌우되며, 또 하나님의 전능만이 인간을 죄의 상태에서 구원할 수 있다고 믿었다.

이런 기독교 인간관을 요약하면 다음과 같다. 첫째, 인간은 피조물이다. 인간은 전지전능한 하나님에 의해서 창조되었다. 그러므로 인간은 유한한 존재이며, 그의 가능성의 역사적 실현은 제한성을 가지고 있다. 둘째, 인간은 신의 형상을 가지고 창조되었다. 신의 형상을 지닌 인간은 상상력에 의해 자기를 초월하고, 재(再)창조적 활동도 할 수 있다. 인간이 이룩한 역사와 문화의 창조도 바로 이러한 능력을 부여받았기 때문이다. 셋째, 인간은 죄인이다. 그의 본성에 숙명적인 결함이 있는 인간은 하나님이 주신 자유의지의 관계를 끊어 버린 것이다. 이러한 인간은 하나님의 자비와 용서와 사랑에 의해서 구원과 영생(永生)이 가능하다는 것이다.

4. 멘토링 인간개발 6단계

Step	Part	Contents
1단계	지성	좁은 인격을 넓은 인격으로 개발하는 단계
2단계	Intelligence	인간성과 윤리 리더십을 회복하는 단계
3단계	인성	타인배려 섬김 리더십을 개발하는 단계
4단계	Humanity	인격적으로 존경받는 리더로 개발 단계
5단계	의지	국격을 높여 선진국 대열에 진입하는 단계
6단계	Canation	세계평화와 인류에 공헌하는 단계

2장 멘토링 인성의 의미

1. 멘토링 인성의 의미

일반적으로 인성이란 말을 사용할 때 우리는 보통 인간 또는 사람됨이라는 뜻으로 해석한다. 즉, 개성과 인격, 도덕성을 포괄하는 개념으로 사용되고 있으며 인성교육의 중요성을 내포하고 있다.

즉, 인성개발은 선천적 성격보다는 교육이나 학습에 의해서 완성될 수 있는 후천적 인격의 의미가 내포된 도덕지향적 윤리, 도덕적 지식, 도덕적 감정, 도덕적 행동과 인지적·정의적·행동적 차원을 모두 포괄하고 있는 통합적인 개념이다.

인성개발은 인간의 지, 정, 의, 체를 긍정적으로 변화시켜 인간의 가치를 극대화하는 활동으로 개개인의 인격 완성과 자아실현을 통해 보다 나은 미래사회에서 더불어 살아가는 사회를 건설하는 데 있음을 알 수 있다.

한편으로 이 장에서는 인성을 보다 넓은 이론으로, 그리고 인격은 지(知), 정(情), 의(意)의 도식적인 실행프로그램으로 소개한다. 멘토링 프로그램의 개념은 인간을 주제로 인격프로그램을 적용하여 인격적으로 존경받는 리더로 세우는 일을 목적으로 한다.

(1) 주제: 멘토링의 주제는 인간으로 그 특성과 인격을 개발 대상으로 한다.
(2) 내용: 인격을 실행프로그램으로 개발하여 현장에 적용한다.
(3) 목적: 멘토링 활동을 통하여 인격적으로 존경받는 리더로 세운다.

2. 멘토링 인성 영역

멘토링 인성 Plus란? 지·정·의(知·情·意)로 구성된 인격을 함양시키기 위한 멘토링을 말하는 것으로서 먼저 마음의 바탕을 감싸주고 된(Be Done) 사람으로 성장할 수 있도록 지도해 주는 것을 말한다. 마음의 바탕을 감싸준다는 것은 인격의 구성요소인 지·정·의를 균형 있게 개발하는 것이고, 된 사람으로 성장하도록 도움을 준다는 것은 인간으로서 바람직하고 보편 타당한 가치를 추구하며 그 가치를 완성할 수 있도록 멘토링하는 것이다.

이러한 인성 Plus 개발에 대한 관심은 시대의 변화 때문이다. 사람이 사람답지 못하고 인간이 해서는 안 되는 일들이 벌어지는 것은 오늘의 시대에 생겨난 교육의 잘못된 흐름인 것이다.

이뿐만 아니라 잘못된 인재교육은 사업에서까지도 이용되고 있다. 매출을 올리기 위한 방법으로부터 시작하여 회사를 운영하는 데 필요한 인재개발, 그리고 공공의 이익을 위해서 하는 인재개발, 교회 양적 성장을 유도하는 인재개발 등 다양한 곳에서 인재개발이라는 이름으로 조직마다 자기들의 유익을 구한다.

멘토링 인성개발의 효과에 대하여 미국 인재개발협회(A.S.T.D. 2003 발표자료)

는 "멘토링은 각 기업체에서 지식경영과 자율학습이라는 두 마리 토끼를 잡았다" 라고 호평했다.

멘토링 인성개발 적용방법은 먼저 교육이라는 이벤트성을 지양한다. 그리고 인력(Man Power) 개발이라는 투자개념에서 최소 365일, 즉 1년을 개발기간으로 설정하고 프로젝트(Project) 개념으로 체계적으로 진행한다.

3장 멘토링 인성 문제점

1. 오늘날 인성의 문제점

19C 산업혁명 이후 과학문명의 급격한 발달과 아울러 다품종 소량생산 체제를 기반으로 거대한 산업사회의 발전은 인류가 오랜 세월 동안 유지해온 기존 생활양식의 변화를 초래하였다. 이러한 거대한 산업사회 체제는 인류의 물질적 생활은 풍성하게 해주었으나, 그 이면에 인간을 물질적 가치에 종속되게 하는 결과를 낳았다. 즉, 인간성을 토대로 한 인간적 가치보다도 인간을 수단화, 예속화, 노예화하게 되면서 현대사회의 비극적인 상황이 초래되었다. 그리고 오늘날 자본주의 경제구조에 의한 물질 만능주의와 권력정치에 의한 대중화, 몰(沒)인간화 경향은 더욱 가속화되는 추세에 있다.

1) 마르틴 부버(Martin Buber, 1878.2.8~1965.6.13)
그는 『너와 나』란 저서에서 오늘날 많은 사람들이 한 사람을 I & It(비인격 – 물건 취급)으로 대하는데, I & You(인격 – 사람 취급)로 대하여야 할 것을 강조했다.

2) 로버트 루트번스타인(Robert Root – Bernstein, 『생각의 탄생』 저자)
한국교육 현실에 관한 대담에서 "교육 수준이 높아지면 예술교육이 줄어들고, 인성 개발에 나쁜 영향을 미친다"라고 혹평했다.

3) 김영길 한동대학교 총장

인간에게는 지식이 더할수록 인성도 더 필요하다. 한동대학교 김영길 총장은 금년 카이스트 영재급 네 명의 대학생들의 자살 사태 대안으로 '멘토시스템 도입의 필요성'을 주장했다.

4) 이금만 한신대학교 교수

최근 신학교육개선 공동연구 협의회 설문 조사에 따르면 "인격 형성 교육은 이들 신학교 전체 커리큘럼의 6.4%에 불과했다. 반면 신학 형성 교육은 85%였다"라고 말하고 이에 대해 이금만 교수는 "신학교의 인격 형성 교육이 아주 미흡하다"며 "그나마 인격 형성을 위한 일부 교과목마저도 이론 중심이거나 학점이수에 급급한 경우가 많다"고 지적했다.

2. 오늘날 교육계의 문제점

오늘날 심각한 문제는 미래에 우리 사회를 이끌어갈 학생들의 학교교육도 예외가 아니라는 것이다. 과학문명과 기술의 발달로 학생들이 누리고 경험하는 최첨단 기술적 진보에 대한 가치는 높이 평가되고 있다. 그러나 그러한 발전이 있게끔 한 인간 자체에 대한 가치와 절대성에 대한 인식은 과학의 발달과 반비례하여 점점 축소되어 가고 있다.

또한 우리나라의 현 고등학교 교육현실은 긴박한 입시에만 치중할 수밖에 없는 상황이어서 그나마 주어진 인성교육의 기회조차 제대로 활용되지 못하고 있는 실정이다. 이러한 급속한 변화의 시대에 문학이 사회적 모순과 위선, 과학의 발전과 물질만능이 가져온 위기의식, 현대인의 불안과 소외, 인간성 상실 등 현대사회 전반에 걸쳐 비판의 역할을 담당하는 것은 어쩌면 당연한 결과라 하겠다.

교육받은 인간(education human)의 가장 중요한 징표는 윤리적인 존재라는 점인데, 오늘날 교육은 받았으나 윤리적이지 않는 존재가 양산되고 있다. 사회의 비윤리적인 현상은 교육의 비윤리성에 그 뿌리를 두고 있다. 교육 현장의 온갖 비윤리적 현상도 교육이 인성을 잃어버렸기 때문에 나타나는 현상이라 볼 수 있다.

현대교육은 전통적인 가치관이나 관습, 예의범절 등을 깨뜨리고 이를 교육으로부터 제거하는 역할을 수행해왔다. 이성과 합리성에 충실한 교육은 외부로부터 인간에게 주어지는 모든 권위를 '무장해제'시키는 기능을 담당해 왔다. 비합리적인 형식과 제도를 제거하는 데에는 크게 공헌하였지만, 마치 '목욕물을 버리느라 어린아이까지 버리는' 격으로 그 제도와 형식 속에 담겨져 있는 인성까지 버리는 오류를 범해 왔다.

'똑똑한 아이로 키우는 것'이 '좋은 인성을 가진 아이'로 키우는 것보다 훨씬 중요한 교육이 되었다. 정직, 성실, 근면 등의 가치가 사라져가고, 부모 공경과 같은 기본적인 인간 덕목이 사라져 가고 있다. 모든 수직적인 정신적 권위를 제거하고 수평적인 물질적 관계만 추구한 나머지 인간 사회를 지탱해갈 기본적인 가치와 인성이 상실된 것이다.

오늘날의 교육은 더 이상 경건한 인간, 도덕적이고 윤리적인 인간을 기르는 데에 실패하고 있다. 과연 정직한 인간이 똑똑한 인간보다 열등한 것인가? 온갖 부정한 방법으로 치부하는 자가 성공한 자인가? 건조해질 때로 건조해진 오늘날의 무의미하고 몰(沒)가치적인 교육은 이제 '인성'이 회복될 것을 요청하고 있다. 교육에 있어서 경건의 의미를 다시금 깨닫고 윤리적으로 회복되는 것이 시대적 과제라 할 수 있다.

4장 유대인 인성교육 모델

다음의 유대인 전인교육은 마빈 토케이어의 저서 『탈무드』에서 발췌한 것으로 지식 함양 교육, 정서적 함양 교육, 의지 강화 교육의 세 부분으로 살펴보았다.

1. 지식함양교육

1) 조기교육

구약성서에 '세 살 버릇 여든까지 간다. 마땅히 따를 길을 어려서 가르쳐라(잠 22:6)'라는 구절이 있다. 유대인은 그 구절을 교훈으로 삼아 '유대인은 아이가 세 살이 되면 하나님의 말씀을 가르쳐라'라는 교육의식을 갖고 있다. 그들이 말하는 하나님의 말씀은 성경을 생활방식으로 해석하고 정립하는 것뿐 아니라 교육적 차원에서 끌어올리는 것까지를 포함하는 것이며 현재 5세부터 유치원 교육이 이루어지는 것은 다른 나라와 같지만 2·3·4세짜리들을 위한 예비학교 제도가 있다.

2) 말하기 교육

유대인 속담에 '내성적인 어린이는 배우지 못한다'라는 말이 있다. 내성적이어서 사람들 앞에서 발표도 못하고 얌전하게만 있으면 학문을 익히는 데 어려움이 있다는 뜻이다. 유대인의 교육에서 어린이들이 질문을 자주 하는 습관을 들이는 것을 중시하여 유대인 어머니들은 아동들에게 '궁금한 것이 있으면 선생님께 물어 봐야 해'라고 말한다.

3) 머리를 쓰는 교육

유대인의 속담에 '물고기 한 마리를 주면 하루를 살 수 있고, 물고기 잡는 법을 가르치면 평생 살 수 있다'는 말이 있다. 물고기를 지식으로 비유해 볼 때 실용적인 지식을 의미하는 것이며 머리 쓰기 교육으로 두뇌를 발달시켜 창의적이고 실용적인 방법을 찾아낼 수 있도록 평소에 꾸준히 훈련시킨다.

4) 지혜를 얻는 교육

유대인은 역사적으로 수없이 많은 박해를 받았다. 생존을 위협받는 고난을 통해 그들은 위기를 극복할 수 있는 지혜를 최대의 가치로 여기고 탈무드에도 유대인의 유일한 재산은 곧 지혜라는 점을 몇 가지 우화를 들어 설명하고 있으며 '지혜에 뒤지는 자는 모든 일에 뒤진다'는 격언에 따라 지혜를 얻기 위해 끊임없이 노력하고 있으며, 어린이들이 지혜를 갖도록 하는 데 중점을 두고 교육하고 있다.

5) 배우는 즐거움을 반복체험

이스라엘의 초등학교에서는 신입생의 첫날 수업시간에 공부의 달콤함을 가르치는 데 손가락에 벌꿀을 묻혀 알파벳을 쓰며 '지금부터 여러분들이 배우는 것은 모두 이 22자에서 출발하여 그것은 벌꿀처럼 달고 맛있다'고 하면서 배움의 달콤함을 인식시킨다.

6) 권위 있는 아버지 교육

유대인 사회는 부계사회로서 아버지의 권위가 대단히 강하다. 『탈무드』에서 부모가 등장하면 반드시 아버지가 먼저 나오고, 어머니만이 이야기기가 나오는 것은 한 군데밖에 없을 정도다. 히브리어로 아버지라는 말은 교사를 의미하며, 아버지의 권위가 절대적이어서 거역할 수 없다. 심지어 아버지의 의자에는 자녀들이 함부로 앉을 수가 없고 어머니는 아버지를 지도자로 존경하며 최종 결정권을 위임한다. 이런 환경에서 자녀들은 가정에서 아버지의 권위를 인정하고 존경과 신뢰를 보낸다. 교육에서의 아버지의 권위는 아동들을 정신적으로 안정시키며, 성장시키는 요인이 된다.

7) 따르게 하는 교육

『탈무드』에서 '돈을 빌려주는 것은 거절해도 되지만, 책을 빌려주는 것을 거절해서는 안 된다'는 격언이 있다. 유대인의 가정에서 아버지의 전용의자와 책상, 책꽂이가 있어, 배우는 자세를 따르게 한다는 것이다.

8) 평생 교육

유대인 속담에 '현인은 없고 현명하게 공부하는 사람은 있다'는 말을 자주 사용한다. 같은 맥락에서 '사람은 평생 배우도록 만들어 지는 것'이라는 의식이 그들의 기본적인 사고방식이며 신념이기도 하다. 그들은 아무리 지혜가 있는 사람일지라도 배움을 중단하면 안 된다고 생각한다. 배움을 중단하면 그때부터 바로 배운 것을 모두 잊고 만다고 생각해 학문에의 열정을 평생토록 지속하는 것을 대단히 자랑스럽게 여기고 있다.

2. 정서함양 교육

1) 육아법

'오른손으로 벌을 주었으면 왼손으로 껴안아주라.' 유대인의 격언은 벌과 애정을 함께 할 필요가 있음을 표현한 말이다. 또한 유대인은 껴안는 행위를 최고의 애정표현으로 여기며 정서적 안정을 위해 수시로 표현한다. 벌과 상관없이 그들의 육아법에 따라 정감 어리게 그들을 다독이며 정서적 안정을 위해 최선을 다하는 것이다. 예를 들면, 유대인 어머니들은 일터에서 돌아오는 길에 '어린이집'에 맡겨 둔 아이를 찾을 때 먼저 껴안아 준다고 한다. 그들은 수시로 자녀를 껴안고 사랑을 전달하여 정서적 안정을 취할 수 있도록 애정표현을 한다는 것이다.

유대인은 어느 시대에도 부모와 자녀 간에 경계선이 있어야 한다고 생각한다. 어린이는 어린이다워야 보모에 대한 존경심을 가르칠 수 있는 것이다. 유대인의 교육에서 자녀와 부모 간의 경계선은 확실히 지켜진다. 자녀가 어린이일 때 미숙한 어른이 아니라 어른과는 다른 차원에 있다는 것을 확실히 인지시키고 가르쳐야 가정의 질서가 유지된다고 생각한다.

2) 가족의 결속

구약성서에 보면 유대민족의 족보가 나온다. 유대인은 우리 민족과 비슷한 족보가 있고 구약성서에는 특정한 이름이 꼬리를 물고 끊임없이 대를 이어간다.

유대인의 퍼스트 네임(First Name) 중에는 야곱, 아브라함, 사무엘, 다윗, 이사야 등 특징적이고도 공통적인 이름이 많다. 이는 유대인의 전통과 성서에서 딴 이름이 많기 때문이다.

유대인은 할아버지, 할머니, 큰아버지, 큰어머니 등 친족의 이름을 자녀의 이름으로 지어 가족의 결속을 자녀들에게 인식시키고 있다. 유대인은 자녀가 성장하면 이름을 짓게 된 동기를 설명하고 가족 간의 결속력을 다진다. 또 이름을 짓는 동기를 계기로 성서나 이스라엘 전통을 언급하여 민족적 자부심이나 자각심을 고취시킨다.

3) 선행을 통한 사회생활

『탈무드』에서는 선행을 강조한다. '처음의 친구는 재산이다. 그러나 아무리 친해도 가지고 갈 수 없다. 두 번째 친구는 친척인데 그 역시 무덤까지 같이 갈 뿐이다. 최후까지 갈 수 있는 친구는 선행이다. 평소에는 눈에 띄지 않지만 죽음 이후에도 남는 것은 선행뿐이다.'

유대인은 가난한 사람, 힘겨운 사람에게 선행을 베푸는 것을 재산을 모으는 일이나 친척보다 훨씬 중요하게 여겼다. 유대인의 속담에 '세상을 배우고, 일하고, 자선행위로 이루어졌다'는 말이 있다. 제아무리 배우거나 일을 해도 자선을 잊어서는 세상이 성립될 수 없다는 말이다.

그렇기 때문에 그들은 자선을 어린이에게 가르쳐야 할 사회교육이라 생각하는 것이다. 유대인들은 어느 가정에서든지 어린이에게 아주 어릴 때부터 조그만 자선용 저금통을 주고 저금하는 것을 가르친다.

3. 의지 강화 교육

1) 선과 악

탈무드에서는 선(善)이 노아의 방주에 타려고 했는데 '무엇이 건 짝이 있는 것만을 태워라'라고 거부당함으로써 짝이 되는 것을 찾아 악(惡)과 함께 방주에 탔다는 이야기가 있다. 선과 악은 동전의 앞뒤같이 언제나 상반되고 있다. 유대인은 모든 일에 있어 그것이 어느 쪽인가를 판단하고 그것을 전하면서 자녀의 내부에 올바른 가치 기준을 만들어 주고 있다. '꼴도 보기 싫다', '마음에 안 든다'는 식의 개인적인 감정을 노출시키는 것이 아니라 선과 악에 대한 기준을 세워 주는 것이 중요하다고 생각해 자녀의 잘못에 대해 선과 악을 구별하는 것 이외에 다른 것을 들추어 내어서 꾸짖는 것은 마땅치 않다고 생각한다.

2) 덕을 행함

유대인들은 건강을 대단히 중요시 여긴다. 물론 첫 번째로 신체의 건강을 밀하며 이에 버금가는 것이 마음 건강이다. 마음의 건강을 몸에 비유하자면 건강이 좋지 않아 찌뿌드드한 상태에 빠지지 않을 것이다. 다시 말하면 정신적으로 우울하면 기분이 좋지 않고 항상 겁에 질려 어른들의 눈치만 보고, 그 상태를 피하고자 하는 것이다. 이처럼 자녀의 마음을 억압하지 않고 솔직하고 그늘지지 않는 마음을 갖도록 하기 위해서는 부모가 자녀를 대할 때 늘 명쾌한 태도를 취하는 것이다. 부모가 자녀를 명쾌한 태도로 대하는 것을 유태의 격언에서는 다음과 같이 표현하고 있다. '자녀를 협박해서는 안 된다. 벌을 주던지 아니면 용서하든지 둘 중 하나를 선택해야 한다.' 이보다 더 자녀의 마음을 건강하게 만드는 일은 없을 것이다.

3) 내면의 충실

'항아리의 겉을 보지 말고 내용물을 보라'는 격언은 유대인의 사고를 명확하게 표현하고 있다. 우리가 두려워하는 것은 어디까지나 내면이다. 따라서 외양을 지나치게 장식하는 것은 그만큼 내면을 속이는 것과 같다. 이러한 사고방식과 생활태도는 인간에 대해서뿐만 아니라 사물에 대해서도 철저하게 드러난다. 예컨대 물건을 살 때도 겉만 잘 포장하여 소비자를 속이는 상품이어서는 안 된다는 것을 아이들에게 가르친다. 실제 유대인은 겉치레를 경멸하고 내면의 충실에 노력하며 겉으로 드러난 명함이나 직함보다는 남에게 인정받을 수 있는 능력을 기르는 것이 더 중요하다고 생각한다.

4) 규칙적인 생활습관

유대인의 교육에서 시간관리는 공부의 기초에 해당된다. 유대인의 성인식은 13

세에 행해지는 데 축하선물로는 흔히 손목시계를 준다. 시간을 낭비하지 않는 인간이 되라고 자녀들을 가르치고 또 다짐시키는 의미가 담긴 선물이다. '내일은 또 내일의 바람이 분다'는 사고방식은 유대인에게는 통하지 않는다. 오늘 해야 할 일을 오늘이라는 시간 동안에 어떻게 해낼 것인지 계획하는 습관이 들어 있기 때문이다. 유태의 가정에서는 자녀들이 저녁에 아버지가 귀가하기 전까지 샤워를 하고 옷을 갈아입도록 하고 있다. 왜냐하면 아버지가 돌아와 샤워를 끝내면 모든 가족들이 식탁에 둘러앉아 저녁식사를 하기 때문이다. 이처럼 유태의 어린이들은 정해진 일을 정해진 시간에 마칠 수 있도록 철저히 훈련받는다. 유대인들에게 시간은 삶의 전부라고 해도 과언이 아니다. 불교나 기독교에서처럼 윤회나 부활을 믿지 않기 때문에 유대인은 다시 태어난다는 것에 대해 전혀 생각하지 않는다. 그러므로 자신의 짧은 생애를 어떻게 적절히 사용할 것인지에 대해 고려하는 것이다.

5) 공경하는 마음

유대인 격언 중에 '노인은 자신이 두 번 다시 젊어질 수 없음을 알고 있지만 젊은이들은 자신이 늙는다는 것을 잊고 있다'고 하는 말이 있다.

유대인에 있어 문화적 전통은 공기나 물과 같이 중요한 것이다. 구약성경의 가르침이 새삼스럽게 지켜지고 있는 것에서도 그것을 알 수 있다. 유대인의 노인들은 전통의 메신저인 까닭에 결코 경멸당하는 일은 없다. 긴 세월의 경험과 지혜를 다음 세대에 전하고 가르치는 것을 항상 마음에 두고 있다. 또 젊은이들은 노인의 이야기를 경청하고 유태 5천 년의 역사를 배우고 생활방법을 배우려고 노력한다. 히브리어에는 경어는 없지만 공손한 태도로 이야기하는 것이 존경의 표현이 된다. 그러므로 노인에게 난폭한 언동을 하는 사람은 유태의 전통을 경시하는 자라 해서 오히려 경멸당하고 만다. 구약성경 레위기 19장 32절에 '너는 센머리 앞에 일어서고 노인의 얼굴을 공경하여 네 하나님을 경외하라. 나는 여호와니라'라고 적고 있다.

6) 민족의 자부심

『타임』지가 20세기를 마감하면서 현대 100년의 가장 위대한 인물로 선정한 아인슈타인, 미국 증권시장의 큰손 조지 소로스, 미국의 재무대통령이라 불리는 연방준비위원회(FRB) 의장이었던 앨런 그린스펀, 정신분석학자 프로이드, 아들러, 키신저, 도이처, 프루스트, 샤갈, 아서 밀러, 하이네 등, 그리고 미국작가인 노먼 메일러, 소르 벨로, 필립 로스도 빠뜨릴 수 없고 프란츠 카프카, 작곡가 멘델스존도 그냥 넘어갈 수 없다. 이처럼 과학·예술·문화·정치·경제 등의 모든 분야에서 유대인들이 왕성하게 활동하고 있다. 가족들이 모여 이야기를 나눌 때 유태계 유명인사가 한 명 이상 거론될 정도로 전 세계를 무대로 활약하고 있다. 그렇게 이름이 거론될 때면 아이들에게 '이 사람은 유대인이야'라고 꼭 말해 준다. 그러면 아이들은 그 사람에 대해 친근감을 나타냄과 동시에 그가 한 일을 자랑스럽게 여긴다. 유대인들은 오랜 세월 동안 조국이 없이 떠돌아다니던 민족이기 때문에 같은 유대인이라는 사실만으로 서로 도우며 깊은 친밀감을 갖는다. 이처럼 민족의 일체감이 강하기 때문에 아이들도 이야기 속에 등장하는 위인이 유대인이라고 들으면, 마치 그들이 자기 친척인 듯한 기분에 젖는다. 그리고 차츰 세계사 속에 유대인이 이루어 놓은 업적이 얼마나 큰 것인가를 알게 되고 동시에 그 이면에 흐르는 박해의 역사를 생각하면서 '유대인이란 누구인가?'를 깊이 생각하게 된다.

Theme 3

인성멘토 모범 사례

멘토리 활동에서 핵심역할을 하는 인성 멘토는, 먼저 멘토 자신이 항시 인성, 즉 지적인 면, 정적인 면, 그리고 윤리적인 면에서 앞서가는 사람이어야 한다. 그러나 현실에서는 완벽한 멘토를 찾기에는 그리 쉽지 않을 것이다.

그러므로 멘토는 이전에 체계적인 교육프로그램 과정을 이수한 사람이나 한편으로 사회적으로 어느 면에서 전문성과 인간성을 갖춘 사람이 필요하게 된다. 다음은 인성 멘토로서 모델을 영역별로 소개한다.

인성영역	멘토링 활동테마	비 고
운동선수	1. 구기 2. 육상 3. 빙상 4. 발레	
연예인	1. 드라마 탤런트 2. 영화배우 3. 개그맨 4. MC 방송인	
음악인	1. 성악 2. 기악 3. 뮤지컬	
기술인(도제)	1. 국가장인 2. 일반기술	
마이스터(자격)	1. 국가자격 2. 민간자격	
지적 재산권자	1. 특허권 2. 저작권	
전문업체	1. 여성가족부 – 위민넷 – 전문여성개발 2. Wiset 멘토링 – 여성과학자개발	

1장 인성 멘토 활동적합성 리더십

1. 인성 멘토 현장 적합성(Compatibility) 여부 테스트

소재 1 - 자질 테스트

소재 2 - 역할 테스트

소재 3 - 자생력 테스트

설문만점: 1개당(매우 좋다) 2.0 - 1.5 - 1.0 - 0.5 - 0.0(매우 좋지 않다)

참고점수: 설문내용을 이해할 수 없을 때는 1점으로 계산한다.

현재득점: 설문 10개 합계점수

목표점수: 20점 만점 - 현재 득점

목표관리: 목표점수 업그레이드는 미팅활동에서 다루고 계속 3개월 만에 재점
검한다.

상호협조: 멘토와 멘제는 미팅할 때 상호 간 공개리에 목표점수를 관리하면서
돕는다.

소재 1. 인성 멘토 자질 테스트

번호	1. 자질(Self Quality)개발 소재	점수
1	나는 계속 배우려는 열망과 능력이 있다.	
2	나는 사람들에게 영향력을 가지고 있다.	
3	나는 전체적인 틀을 본다.	
4	나는 책임을 질 줄 안다.	
5	나는 다른 사람을 잘 이해한다.	
6	나는 긍정적인 변화를 유도한다.	
7	나는 교양생활이 모범적이다.	
8	나는 다음에 무슨 일을 해야 할지를 잘 파악한다.	
9	나는 다른 사람을 인재개발하는 능력이 있다.	
10	나는 다른 사람들에게 지도자로 인정받고 있다.	
	소 계	

소재 2. 인성 멘토 역할 테스트

	역할	2. 역할(Role) 개발소재	점수
1	교육	나는 멘제에 대하여 가르치기를 아주 좋아한다.	
2		나에게는 멘제에게 가르칠 수 있는 핵심 역량이 있다.	
3	상담	나는 멘제와 상담 시 내 의견보다는 먼저 경청을 잘한다.	
4		나는 평상시 멘제의 개인적인 건의에 관심을 갖고 해결에 노력한다.	
5	코치	나는 멘제와 평소 업무를 떠나 어울리기를 좋아한다	
6		나는 휴일이나 업무시간 외에 야외나 외식 등 친교 활동을 한다.	
7	후원	나는 멘제에게 칭찬 70% / 책망 30% 비율을 제대로 지킨다.	
8		나는 멘제를 우리 조직이나 기타 조직에 추천한 적이 있다.	
9	조정	나는 멘제로부터 문제해결 요청을 받을 때 최단 시간에 해결한다.	
10		나는 멘제의 업무, 보직, 부서배치 등에서 조정 요청에 해결해준다.	
		소 계	

소재 3. 성 멘토 자생력 테스트

번호	구분	3. 자생력(Selfscored) 개발소재	점수
1	소명의식	멘제와 직장 체험을 나누고 궁금해하는 점을 설명해 준 적이 있다.	
2		내가 속해 있는 회사에 만족하며 다른 이에게도 권할 의향이 있다.	
3		조직의 구성원이 된 것에 감사하고 있으며, 멘토가 된 것도 나에게 주어진 사명이라고 생각한다.	
4	사명의식	자신의 가족을 멘제에게 소개하고 식사를 함께한 적이 있다.	
5		멘제의 애경사에 관심을 갖고 참석한다.	
6		멘제에게 힘겨운 일이 생겼을 때, 나는 그가 찾아올 수 있는 평안한 사람이라고 생각한다.	
7		멘제가 관심을 보이는 자선단체나 봉사활동에 대해 조언을 해줄 수 있을 정도의 지식을 갖고 있다.	
8	창의의식	멘제가 최근에 했던 고민을 알고 있다.	
9		멘제에게 학회 출판자료나 전문서적 구입을 권한다.	
10		가끔 조직 밖으로 나가서 그들과 함께 유익한 문화생활을 한다.	
		소 계	

2장 인성 멘토 장래성 개발 리더십

1. 멘토링 활동에서 장래성(Futurity) 준비 여부 테스트

소재 4 - 가정영역 설계테스트

소재 5 - 직업영역 설계테스트

소재 6 - 경제영역 설계테스트

설문만점: 1개당(매우 좋다) 2.0 - 1.5 - 1.0 - 0.5 - 0.0(매우 좋지 않다)

참고점수: 설문내용을 이해할 수 없을 때는 1점으로 계산한다.

현재득점: 설문 10개 합계 점수

목표점수: 20점 만점 - 현재 득점

목표관리: 목표점수 업그레이드는 미팅활동에서 다루고 계속 3개월 만에 재점
검한다.

상호협조: 멘토와 멘제는 미팅할 때 상호 간 공개리에 목표점수를 관리하면서
돕는다.

소재 4. 가정영역 테스트

번호	4. 가정영역 소재	점수
1	본인결혼 설계	
2	가족 간 여가선용 설계	
3	가장의 리더십 설계	
4	가정의 종교관계 설계	
5	자녀출산 설계	
6	자녀교육 설계	
7	자녀결혼 설계	
8	부부취미 활동 설계	
9	부부사회 활동 설계	
10	노후 대책 설계	
	소 계	

소재 5. 직업영역 테스트

번호	5. 직업영역 소재	점수
1	직장인 사명 설계	
2	업무 목표 설계	
3	업무 전문성 설계	
4	승진 설계	
5	경력 개발 설계	
6	직업관련 자격 취득 설계	
7	40대 위기 대책 설계	
8	개인 생산성 향상 설계	
9	개인 리더십 개발설계	
10	정년 은퇴 설계	
	소 계	

소재 6. 경제영역 테스트

번호	6. 경제영역 소재	점수
1	결혼 준비 재테크 설계	
2	신혼생활 재산 재테크 설계	
3	신혼생활 집장만 재테크 설계	
4	부부간 부업 설계	
5	맞벌이 설계	
6	가족 형성기 재테크 설계	
7	가족 성장기 재테크 설계	
8	가족 성숙기 재테크 설계	
9	사회봉사 재테크 설계	
10	은퇴기 재테크 설계	
	소 계	

3장 인성개발 멘토링 기관 소개

1. 한국여성과학기술인 지원센터(여성과학자 멘토링 모델, http://www.wiset.re.kr/mentoring/)

1) Wiset 멘토링은?

이화여자대학교 과학분야 교수를 중심으로 과학전공 여중고생과 여성과학인을 위한 멘토링 지원센터이다. 주요 멘토링 영역은 진학, 취업, 경력관리를 위한 유기적이고 전 생애적인 멘토링을 수행한다.

2) Wiset 멘토링이 하는 일

(1) 진학센터

이공계학과 정보와 이공계유망직종을 알아볼 수 있으며 유학준비와 연수 준비를 위한 정보가 제공된다. 또한 지역 Wiset 사업단으로 연결하여 전국의 다양한 행사와 프로그램에 참여할 수 있다.

(2) 취업센터

최근 이공계 여성 채용 관련 공지가 발 빠르게 업데이트되고 있으며, 취업서류를 전문컨설턴트가 지도해준다. 취업으로부터 창업까지 유용한 최신 정보탐색과 전략, 실전 노하우를 도와준다.

(3) 경력관리 센터

재직 중이거나 재취업을 준비 중인 이공계 여성들에게 면재면 경력 상담 2회를 실시한다. 또한 이직준비 체크포인트, 역량강화를 위한 효과적 프레젠테이션 작성, 시간관리 노하우를 제공한다.

3) Wiset 멘토링 특징

(1) 멘토링의 기간과 목적, 운영 시스템을 체계화한 공식 멘토링(Formal Mentoring) 이다.
(2) 여성과학 기술인 육성 및 지원을 위한 특화 멘토링이다.
(3) 멘토 – 멘제 간, 멘토 – 멘토 간, 멘제 – 멘제 간 다양한 네트워크로 지원한다.
(4) 1대1 멘토링 외에, 멘토그룹과 멘제그룹 간 동료멘토링(Peer – Mentoring) 등 다양한 형태로 지원한다.
(5) 온라인, 오프라인 및 모바일 병행으로 지원한다.

2. 여성가족부: 위민넷 멘토제도(여성 전문인 멘토링 모델, http://www.women.go.kr)

정부기관으로서는 최초로 여성가족부에서 2003년부터 추진하고 있는 인터넷상 멘토제도는 여성전문가를 멘토로 매년 300쌍 이상이 참여하여 성공리에 이어오고 있다. 온라인상에서 여성들이 삶의 지혜와 용기를 나눌 수 있는 새로운 만남의 시스템을 '사이버 멘토링'이라 한다.

이제 막 자신의 꿈이 무엇인지 고민하는 여고생과 여대생 그리고 자신의 성공을 위해 한발짝 앞으로 나가려고 하는 여성들의 실질적인 조언이 필요할 때 주변에 상담해 줄 사람이 없는 경우가 많다.

또한 바쁜 일상생활에서 사람 한 번 만나는 일이 돈 들고, 시간이 드는 어려운 일이지만, 사이버라는 제3공간은 여자들에게 새로운 집짓기와 만남을 가능하게 하고 있다.

멘토란?	멘제란?
멘토링 관계에서	멘토링 관계에서
역할모델, 상담자, 교사	멘토로부터
후임자 역할을 하는	다양한 조언을 듣고
선배여성	그들의 경험으로부터
도움을 주는	다양한 지식과 지혜를
사람이다	배우는 사람이다.

4장 인성멘토 모범 사례

멘토링은 인류 역사 이래로 인간의 관계지향 본능에 의해서 오늘에 이르기까지 사회 구석구석에서 리더 개발이라는 목적하에 자연스럽게 이루어져 왔다. 이와 같이 두 사람의 개인적인 차원에서 만남과 헤어지는 것이 자연스러운 형태를 전통적 멘토링(Typical Mentoring)이라고 한다.

이 책에는 여성, 드라마, 저명인사, 성경인물 등 다양한 분야별로 각 인성 멘토 모범사례를 요약해서 소개했다.

NO	분야	멘제	인성멘토	Story
1	World Star	박태환	노민상 감독	
2	골프	박세리	박준철 부친	
3	음악	신현수	김남윤 교수	
4	대통령	링컨	그레이엄 교사	
5	CEO	이멜트 현 회장	잭 웰치 전 회장	
6		워런 버핏	빌 게이츠	
7	저명인사	오정현	옥한흠 목사	
8	여성과학	정수연	이혜숙 교수	
9	성경인물	모세	이드로 장인	
10		바울	바나바	
11	드라마	대장금	한 상궁	
12		이순신 장군	류성룡	

1. World Star 박태환/ 멘토 노민상 감독

그는 5살 때 의사의 추천으로 <u>천식</u>을 치료하기 위해 수영을 처음 시작했다. 2008년 8월 10일에는 베이징의 2008년 하계 올림픽에서 아시아 최초로 수영 400m 자유형에서 3분 41초 86의 기록으로 그랜트 해켓, 장린 등을 꺾고 금메달을 획득하였다.

멘토 노민상(53세) 감독은 오늘날까지 12년 동안 박 선수를 위해 보살피고 있으며 현재는 태릉선수촌의 수영 국가대표 감독으로 있다.

2. Golf Star 박세리/ 멘토 박준철

박세리는 1996년 프로로 데뷔하여 LPGA 경기인 2003년에 베어 트로피를 수상하였고 2006년에는 헤더 파 어워드를 수상하고 2007년 6월에는 꿈에도 그리던 LPGA 명예의 전당 입회 자격을 얻어 입회했다. 또 7월에는 KLPGA 명예의 전당에 입회하였다. 2008년 9월 4일 현재는 통산 천만 달러를 돌파하였다.

멘토 아버지 박준철은 박세리 선수를 초등학교 3학년 때 골프에 관한 천재적인 적성을 발견하여 현재까지 매니저처럼 그리고 미래 박 선수재단 운영까지 구상하고 있다.

3. 음악 Star 신현수/ 멘토 김남윤 교수

신현수는 전주에서 초등학교를 다닐 때부터 서울을 오가며 김 교수에게 사사했다. "그동안 출전했던 여러 콩쿠르에서 2~3위를 한 것이 오히려 약이 됐다"라고 말했다. 이어 "어렸을 때부터 선생님으로부터 무대에서의 걸음걸이, 옷차림 등 때문에 혼났는데 언젠가부터 무섭다기보다 포근한 사랑이 느껴졌다"라고 덧붙였다. 신현수는 롱티보콩쿠르에서 우승했다.

멘토 김남윤 교수는 12년 동안 레슨비도 없이 영재성을 살려서 프랑스 롱티보콩쿠르에서 국내파 음악인으로서는 최초로 우승할 수 있도록 뒷받침을 해주었다.

4. 대통령 링컨/ 멘토 그레이엄 초교교사

가장 존경받는 미국 대통령이 된 링컨은 성장과정에서는 참으로 어려운 생활을 했다. 초등학교 교사로서 멘토가 된 그레이엄은 링컨의 미래 지도자로서 기본 생활에 많은 영향을 준 사람이다. 6개월 동안 침식을 제공하고, 토목기술, 웅변기술, 문법학습은 물론 처녀를 소개하여 결혼까지 주선한 너무 고마운 분이다. 천신만고 끝에 대통령이 된 링컨은 그의 취임식 가장 가까운 자리에 멘토 그레이엄을 초대했다.

5. CEO GE그룹 이멜트 회장/ 멘토 잭 웰치 회장

잭 웰치와 제프리 이멜트는 GE그룹 전/후임 CEO로서 오래전부터 공식, 비공식적으로 끈끈한 멘토링관계가 지속되어 왔음을 기록을 통해 알 수 있다. 끈끈한 멘토링 관계란 단순히 업무에만 국한한 것이 아니고 인간관계, 리더십, 의사소통, 경험담 등 삶 전체로 두 사람의 관계가 1년 넘게 1대1로 멘토링이 이루어졌다는 것을 알 수 있다. 그러니까 성공 확률이 높은 것입니다.

6. CEO 빌 게이츠/ 멘토 워런 버핏

필자는 위 두 사람을 21세기 현존하는 인물의 최고 멘토링으로 소개하고 싶다. 25년의 연령차이를 극복하면서 1991년에 동료 멘토링으로 시작하여 상호 신뢰와 존경의 바탕에서 가정방문, 동행여행, 게임놀이, 경영자문 등으로 모범을 보였다. 특히 워런 버핏의 자산 중 80%인 40조 거금을 빌 & 메린다 게이츠 재단에 기부한 것은 멘토링이 아니고서는 상상할 수 없는 쾌거다. 자본주의 꽃으로 전 세계에 감동을 준 CEO 기부천사의 희망 스토리이다.

7. 저명인사 사랑의 교회 오정현/ 멘토 옥한흠 목사
   * 잡음 없는 세대 교체

玉漢欽 원로목사
"사랑의 교회는 후임이 와서 어지간히 잘해도 광이 안 나요. 그 중압감을 이해 못합니다. 저 사람이 마음껏 역량을 펴도록 내가 조금 비켜주자고 판단한 거죠."

吳正賢 담임목사
"간섭하고 말고, 그런 걸 따지는 게 우습죠. 저의 제일 큰 원군이 玉 목사님입니다. 玉 목사님이나 저나 본질에 충실하면서 교회의 유익이 뭔가를 늘 생각합니다."

8. 여성과학자 Wise 멘토링 정수연 학생/ 멘토 이혜숙 교수

"고3 초에 시작했던 교수님과의 멘토링은 제 인생에 가장 큰 영향을 미친 사건 중 하나랍니다. 모니터 앞에 앉아 망설이며 키보드를 두드리던 일이 이렇게 큰 경험을 가져올 줄은 몰랐어요." 지금은 미국 코넬대학교 3학년생인 정수연 양은 WISE 웹사이트에서 이화여자대학교 수학과 이혜숙 교수를 자신의 멘토로 신청하던 때를 회고했다.

9. 성경인 모세/ 멘토 이드로 장인

이드로는 아랍부족의 추장이며 시내반도 미디안의 제사장이며 모세의 장인이다. 모세가 애굽에서 우발적인 살인을 하고 도망치는 도중 양을 보살피고 있던 그의 일곱 딸들을 도운 것이 계기가 되어 그중 십보라와 결혼했다. 그리고 약 40년 동안 장인 이드로의 양 무리를 쳤다. 그는 모세에게 위임권에 관한 조언을 한 멘토로 모세에게 재판제도를 조언해주고 천부장, 백부장, 오십부장, 십부장을 모세 대신 위임 행정을 할 수 있도록 조언해줬다(출 18:19 – 23).

10. 성경인물 바울/ 멘토 바나바

바나바와 바울은 신약성경에 나타난 멘토링의 모델 가운데 뛰어난 모델 중 하나이다. 바나바는 바울을 지원했고, 유대 그리스도인들에게 성공적으로 연결시켜 주었다. 이뿐만 아니라 바나바는 바울을 이방 기독교의 중심에 서도록 길을 만들어준 멘토였다. 바나바의 멘토링으로 바울은 그 후에 멘토로서 디모데, 디도, 아볼로, 브리 스길라와 아굴라 등을 멘토링함으로써 그의 선교사역은 그레데, 아시아의 여러 교회들(행 18:27 – 28)과 계시록에 나오는 일곱 교회들(계 2 – 3장)과 고린 도 교회(행 18:1 – 2), 로마교회(롬 16:3 – 5) 등 세계교회로 뻗어나가게 되었다.

11. 드라마 「대장금」/ 멘토 한 상궁

　MBC 드라마 「대장금」은 주인공 서장금(徐長今, 이영애의 배역)이 폐비 윤씨의 폐위사건 당시 궁중 암투에 휘말려 부모를 잃고 수라간 궁녀로서 궁궐에 들어가 멘토 한 상궁(양미경의 배역)을 만나 어머니처럼 도움을 받으면서 중종의 주치의인 최초 어의녀(御醫女)가 되기까지의 과정을 그리면서, 그 가운데 주인공 장금의 성공과 사랑을 그리고 있다.

12. 드라마 「불멸의 이순신」/ 멘토 류성룡

　KBS 대하드라마 「불멸의 이순신」은 주인공 이순신 장군이 스스로의 힘으로 임진왜란의 신화를 만들어 낸 가장 큰 이유는 바로 멘토인 류성룡의 존재다. 류성룡이 없었더라면 아마 이순신 장군은 자신의 이상과 능력을 발휘하지 못 했을 것이다. 이순신을 발탁한 '서애 류성룡'은 임진왜란을 승리로 이끈 선조시대의 명재상으로 죽어가면서 선조 임금에게 올리는 마지막 상소로 그의 우국을 짐작하게 한다.

Theme 4

인성 멘토 개발 10 - Skill

1장 인성 멘토 개발 5가지 원리

멘토링 프로그램은 왕자 교육이라는 고품질의 인재개발에서부터 출발한다. 한 왕자를 위하여 멘토는 20여 년간 인격을 상징한 **수학**, **철학**, **논리학**을 교재로 사용하여 전인적인 삶이라는 주제로 지혜롭고 현명한 왕으로 성장시켰다. 그러한 인성멘토 개발 5가지 원리를 요약해서 설명한다

원리 1. 한 사람 멘토(Mentor)와 한 사람 멘제(Menger)를 선정한다.

멘토/멘제를 선정하는 것은 특별한 기준이 있어야 한다. 일반적으로 아무나 선정하는 것이 아니라 각 조직마다 멘토링 목표에 맞게 특정한 사람을 멘토와 멘제로 선정한다는 의미가 내포되어 있다.

원리 2. 일정 기간 동안 멘제 중심의 1대1 관계를 맺는다.

멘토링 활동에는 조직마다 멘토와 멘제에게 약정한 기간을 설정해 주어야 한다. 특히 1대1로 연결하고 활동하되 멘제 중심의 활동이 이뤄져야만이 올바른 멘토링이라고 볼 수 있다.

당초 왕자 텔레마쿠스에게 초점을 맞추고 멘토 선생이 20년간 집중적으로 열정을 다하여 현명한 지도자로 성장시켰다는 것에 유의해야 한다. 멘토나 리더가

중심이 된다는 것은 멘토링의 활동에서 본질에 크게 벗어나고 있다는 것을 알아야 한다.

원리 3. 멘토의 역량(Competency)을 최대한 발휘한다.

멘토가 멘제를 위하여 자신의 가장 노하우 격인 역량(남이 따를 수 없는 경쟁력 있는 능력)을 발휘하여 멘제를 업그레이드하는 데 전심전력을 다하여야 한다. 멘토와 멘제가 미팅 시 신변잡기차원의 모임이라면 효과를 거두기에는 어렵다고 본다. 특히 멘토가 제대로 역량을 갖추고 멘제에게 전이(轉移)가 이뤄진다면 자동적으로 지식경영과 학습조직이 이뤄진다고 볼 수 있다.

원리 4. 멘제의 특성과 잠재력을 개발한다.

멘토링 활동이 성공하려면 가장 중요한 포인트가 멘제의 DB를 구축하는 것이다. 개인의 인적사항은 물론이고 상호 간 관계를 더욱 돈독히 하기 위하여, 예를 들면 성격 분석을 통하여 멘토/멘제 상호성격의 차이를 극복하는 데 노력하여야 한다. 잠재력이라는 것은 멘토/멘제의 가치개발에 초점을 두되 당초 멘토가 텔레마쿠스에게 20년 동안 교재로 수학, 철학, 논리학을 가르쳤듯이 오늘날 멘토링의 교육훈련 프로그램의 내용(Contents)은 인격으로서 그 가치를 개발하여 업그레이드하는 데 중점을 두고 있다.

원리 5. 인격을 갖춘 차세대 리더로 세우는 원투원 멘토십이다.

멘토가 멘제를 일정기간 동안 멘토링함에 있어 먼저 자신의 인격, 즉 지·정·의에 대한 역량을 서비스하는 것이다. 멘제가 인격적으로 업그레이드한다는 뜻은 지적 분야만 힘쓸 것이 아니라 정적 분야, 절제력이나 판단력 분야 등 균형을 맞춰 개발한다는 것이다.

여기서 리더라는 뜻은 두 가지 면으로 생각할 수 있다. 첫째는 위대한 지도자로 사회적으로 큰 영향력을 발휘한다는 것이고, 둘째는 조직 적용 멘토링에서 리더라는 개념은 멘토의 도움을 받은 멘제가 일정기간이 지나서 멘제 자신도 도움을 주는 멘토로 생활태도가 바뀌는 재생산(Reproducting)을 의미한다.

2장 Diamond 인재개발 모형도

　멘토 Diamond 인재개발은 다이아몬드형 야구 Base와 같이 멘토링 활동이 이루어지는 것을 의미한다. 다음 도표와 같이 홈~1루 모델단계(Modeling), 1~2루 동기부여단계(Motivating), 2~3루 멘토링단계(Mentoring), 3루~홈 재생산단계(Reproducting) 멘토링으로 표시한다.

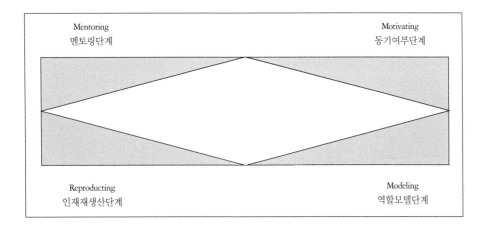

1단계: 역할모델(Modeling)

　사람들은 눈으로 보는 것의 영향을 먼저 받는다. 아이를 기르는 엄마라면 이 점을 느꼈을 것이다. 엄마가 아이에게 아무리 말을 해도 정작 아이가 받아들이는 것은 엄마의 말이 아니라 행동이다. 누군가에게 믿고 존경할 만한 자질이 있다고 생각되면 대부분의 사람들은 자신의 삶에 영향을 미칠 사람으로 그를 찾는다. 그리고 그를 알면 알수록 그에 대해 더 많은 신뢰감을 가지고 그의 영향을 더 많이 받는다. 단, 눈에 보이는 그의 행동이 맘에 들면 말이다.

　모르는 사람을 만나면 처음에는 전혀 영향력을 발휘할 수 없다. 그러나 그가 믿는 누군가가 다리를 놓아주면 잠시 그 사람의 영향력 일부를 "빌릴" 수 있다. 그러면 그는 여러분을 제대로 알기 전까지 여러분을 믿을 만한 사람으로 가정한다. 하지만 시간이 흐를수록 여러분이 어떠한 행동을 보이는지에 따라 그 영향력을 높일 수도 잃을 수도 있다.

흥미롭게도 유명인사의 경우는 그렇지 않을 수도 있다. 많은 사람이 텔레비전이나 영화 등의 대중매체에서만 보았을 뿐 직접 보지 못한 유명인사에게서 큰 영향을 받는다. 그러한 경우 주로 그 유명인사의 실제 삶이 아니라 대중매체를 통한 이미지에 영향을 받는데 그 이미지는 배우나 정치인, 스포츠스타, 연예인의 실제 삶과 다를 수 있다. 그럼에도 많은 사람이 유명인사를 존경한다. 그리고 대중매체 속에서 비춰지는 그들의 행동과 태도를 그대로 믿고 그 영향을 받는다.

여러분은 역할 모델이 될 수 있지만 더 높은 수준의 영향력으로 나아가기 위해서는 각 사람과 협력해야 한다.

Skill 1. 진실하기 Integriting for Menger

2단계: 동기부여(Motivating)

좋은 방향으로든 나쁜 방향으로든 역할 모델이 되기만 해도 강력한 영향력을 발휘할 수 있다. 또 멀리 떨어진 사람에게도 영향을 미칠 수 있다. 하지만 멘제의 삶에 진정한 영향을 미치고 싶다면 가까이 다가가야 한다. 바로 두 번째 단계인 동기 부여로 나아가는 것이다. 감정에 호소할 때 동기를 부여할 수 있다. 이 과정은 다음 두 가지 결과를 낳는다.

① 서로 간에 다리가 놓인다.
② 서로 간에 신뢰가 쌓이고 자신감이 생긴다.

멘제와 함께 있는 동안 자신과 멘제에 대해 좋은 감정을 가질 때 멘제의 영향력도 매우 커진다.

Skill 2. 양육하기 Nurturing for Menger

Skill 3. 믿어주기 Beliving for Menger

Skill 4. 들어주기 Listening for Menge

Skill 5. 이해하기 Understanding for Menger

3단계: 멘토링 활동(Mentoring)

상대방에게 동기를 부여하는 단계에 이르면 그 삶에 좋은 영향력을 줄 수 있다. 그러나 더 강력하고 오래 가는 영향력을 원한다면 다음 단계인 멘토링으로 나아가야 한다.

멘토링이란 멘토가 상대방 멘제의 적성(**Aptitude**)을 찾아 역량(**Competency**)을 발휘할 수 있도록 자신의 삶을 쏟아 돕는 것이다. 이 멘토링의 힘은 매우 강력해서 눈앞에서 멘제의 삶이 변하는 것을 볼 수 있다. 멘토는 정열을 쏟아 멘제의 삶의 장애물을 극복하도록 돕고 인간성(**Humanity**)과 생산성(**Productivity**) 현장에서 성장하고 발전할 수 있는 방법을 제시하면 결국 삶을 바꾸어 놓을 수 있다.

Skill 6. 성장하기 Enlarging for Menger

Skill 7. 항해하기 Navigating for Menger

Skill 8. 관계맺기 Connecting for Menger

Skill 9. 능력 부여 Empowering for Menger

4단계: 멘토로 재생산(Reproducting)

상대방 멘제의 삶에 미칠 수 있는 가장 높은 단계의 영향력은 재생산이다. 재생산이란 멘토가 또 다른 사람 멘제의 삶에 좋은 영향을 미치고, 배운 것에 스스로 터득한 것을 보태어 전달할 수 있도록 돕는 것이다. 이 4단계에 이르는 멘토들은 인내가 필요하지만 누구나 가능성이 있다. 이기심에서 이타심으로 관용을 가져야 하며 시간과 노력이 필요하다.

또 사람에 대한 영향력을 높이려면 개인적인 관심과 애정을 가져야 한다. 여러 사람에게 모범을 보이는 단계를 넘어 더 높은 단계의 영향력으로 나아가기 위해서는 각 멘제들과 일일이 협력해야 하는 것이다.

Skill 10. 재생산하기 Reproducting for Menger

3장 인재개발 10 Skill Workshop

Skill 1. 진실하기 Integriting for Menger

진실성은 집의 기초와도 같다. 기초가 튼튼한 집은 비바람이 몰아쳐도 무너지지 않는다. 반면 기초에 금이 간 상태에서 폭풍우가 몰아치면 그 금이 더욱 깊어져 기초, 그리고 나중에는 집 전체가 무너지고 만다. 이것이 진실성을 잃지 않으려는 작은 잘못부터 고쳐야 하는 이유다.

멘토 자신의 훌륭한 인격을 개발하는 데 전념하라
과거에 여러분은 자신의 인격을 전적으로 책임졌는가? 영향력이 큰 사람이 되려면 그렇게 해야 한다. 어려운 상황에 처했거나 상처를 받은 경험이 있는가? 잠시 잊어 보아라. 이 모든 것을 잠시 잊고 남은 것 중에 확고한 진실성이 없다면 오늘부터 당장 삶의 방식을 바꾸어라.
다음 서약서를 읽고 아래에 서명하라.
인격적인 사람이 되도록 노력하겠습니다. 진실과 신뢰, 정직을 제 삶의 중심에 놓겠습니다. 제가 대접받고 싶은 대로 남을 대접하겠습니다. 삶의 어떤 순간에도 최고 수준의 진실성을 갖고 살겠습니다.

성명:_____   서명:_____   날짜:_____

작은 일부터 하라
다음 주 동안 인격과 관련된 자신의 습관을 유심히 관찰해보라. 다음과 같은 행동을 할 때마다 기록해보라.
- 진실을 모두 말하지 않는다.
- 확실히 약속을 했건 넌지시 비췄건 약속을 지키지 않는다.
- 해야 할 일을 다음으로 미룬다.
- 비밀에 붙여야 할 일을 발설한다.

원하는 일보다 해야 할 일을 먼저하라
이번 주 동안, 해야 하지만 미루어 두었던 일을 하루에 두 개씩 찾아라. 그리고 다른 일보다 그 일을 먼저 하라.

Skill 2. 양육하기 Nurturing for Menger

'양육' 하면 머리에 가장 먼저 무엇이 떠오르는가? 아마도 대개는 아기를 달래는 엄마를 떠올릴 것이다. 엄마는 아기를 돌보고 보호하며 젖을 준다. 또 격려하고 필요를 채워준다. 시간이 남거나 편리할 때만 관심을 기울이는 것이 아니다. 아기를 진심으로 사랑하고 잘 자라기를 바란다. 마찬가지로 멘제를 돕고 영향력을 발휘하려면 사랑과 관심을 가져야 한다. 멘제에게 좋은 영향을 미치고 싶은 멘토는 그를 미워하거나 깔보지 않아야 한다. 오히려 사랑하고 존경한다는 표현을 해야 한다.

집과 회사, 학교, 교회에서 양육하는 분위기를 조성하라
주위 사람에게 사랑과 자존, 안정감을 주겠다는 목표를 가져라. 그러기 위해 멘제의 흠을 말하기보다 장점을 찾아 말해주어라.

특별한 격려를 하라
이번 달에 격려할 사람을 멘제를 비롯해서 두세 명 선택하라. 각 사람에게 짧은 글을 써 보내고 그들과 가까이 지내라. 대가를 바라지 말고 그들에게 시간을 투자하라. 그리고 나서 월말에 그들의 긍정적인 변화가 있었는지 점검하라.

관계를 회복하라
여러분이 과거에 나쁜 영향을 미쳤던 한 사람을 선택하라. 가령 멘제를 포함하여 동료, 가족, 직원 등 누구라도 상관없다. 그 사람을 찾아가서 과거의 행동이나 말에 대해 사과하라. 그리고 나서 그의 장점을 찾아 말해주어라. 다음 몇 주간에 걸쳐 그의 관계를 어떻게 회복할지 고심하라.

Skill 3. 믿어주기 Beliving for Menger

남에 대한 신뢰는 남과 협력할 때 영향력 있는 사람에게 꼭 필요한 자질이다. 그러나 오늘날 많은 사람들이 자신을 믿지 못한다. 그리고 실패할까 두려워한다. 심지어 터널 끝에 빛이 보여도 그것을 자신에게 달려오는 기차로 생각하고 절망하고 만다. 항상 부정적인 측면만 보는 것이다. 하지만 사실은 어려움 때문에 실패하는 것이 아니다. 오히려 자신을 신뢰하지 못해 실패하는 경우가 많다. 조금만 자신감을 가져도 놀라운 일을 해낼 수 있지만 그렇지 않으면 정말 곤란한 상황에 빠지고 만다.

▣ 장점을 찾아라

멘제에게 용기를 주고 싶은가? 그렇다면 그 사람의 장점을 찾아 말해주어라. 미팅할 때마다 그에 대한 신뢰를 표현하라.

　▣ 과거의 성공을 이용하라

멘제에게 곧 어려운 일을 맡겨야 한다면 그가 과거에 거둔 성공을 상기하라. 그리고 나서 그를 만날 때마다 그것들을 검토하라. 만약 이렇게 했는데도 과거의 어떠한 성공도 기억나지 않는다면 시간을 너무 적게 투자한 탓이다. 서로 잘 알기 위해 충분히 시간을 투자하라.

　▣ 실패를 극복할 수 있도록 도움을 주어라

최근 주위에서 실패를 경험한 멘제나 친구, 직원, 가족이 있을 수 있다. 시간을 내어 그와 이야기를 나누어라. 이야기의 전말을 들어 보고 자신감을 심어 주어라. 또 그에 대한 확고한 신뢰를 표현하라.

　▣ 지금 당장 시작하라

조직을 위해 새로운 인력을 영입한 후에는 즉시 멘토링 관계를 형성하라. 가만히 앉아서 그가 성공하기를 기다리기보다는 그의 인격과 능력에 대한 신뢰를 계속해서 표현하라. 그러면 여러분의 기대에 부응하려는 그의 모습을 즐거운 마음으로 지켜볼 수 있게 될 것이다.

Skill 4. 경청하기 Listening for Menger

뛰어난 리더들이 영향력을 발휘하고 성공하기 위해 꼭 필요한 요소로 꼽는 기술이 있다. 과연 무엇인지 알겠는가? 바로 듣는 기술이다. 그런데 듣는 기술의 중요성을 알고 있는 사람은 그리 많지 않다. 사람들이 대화할 때 자주 범하는 실수는 남의 관심을 끌기 위해 필요 이상으로 노력한다는 것이다. 똑똑하고 재치가 넘치며 유머가 넘치는 사람으로 보이고 싶어하는 것이다. 그러나 생산적인 대화를 나누려면 남의 말에 관심을 기울일 수 있어야 한다. 관심을 끌려 하지 말고 관심을 기울여라. 크게 생각하는 사람은 듣기를 독점하고 작게 생각하는 사람은 말하기를 독점한다. 그러므로 멘제의 말을 잘 경청하는 사람은 그와 더 깊고 강한 관계를 맺을 수 있는 것이다.

ⓛ 자신의 듣는 기술을 평가하라

친구에게 다음 질문을 하면서, 멘토는 다음 아홉 가지 질문에서 자신의 듣는 기술을 평가하라. 그리고 '아니오'라는 질문에 대해 친구의 설명을 들어 보아라. 단, 친구가 설명하는 동안 끼어들거나 변명해서는 안 된다.

1. 나는 상대방이 말하는 동안 그 얼굴을 쳐다보는가?
2. 상대방이 말을 마칠 때까지 기다리는가?
3. 상대방의 말을 이해하려고 애쓰는가?
4. 말하는 순간 상대방의 의도를 헤아리는가?
5. 항상 내 감정을 점검하는가?
6. 이야기의 전말을 듣기 전까지 판단을 보류하는가?
7. 상대방이 말할 때 가끔씩 그 말을 정리해주는가?
8. 필요할 때마다 확인을 위한 질문을 하는가?
9. 대화할 때 먼저 들으려고 노력하는가?

ⓛ 개선을 위한 방법

1.
2.
3.

몇 주 동안 위의 방법대로 노력해 보아라.

ⓛ 실제로 듣는 연습을 하라

멘토링 활동 중에 있는 멘제와 이번 중에 만나 한 시간 동안 대화만을 나누어라 그 사람에게 모든 관심을 기울이고 그 시간의 3분의 2를 듣는 데 사용하라.

Skill 5. 이해하기 Understanding for Menger

멘제를 이해하면 그만큼 좋은 대화를 나눌 수 있다. 멘제를 설득할 때 가장 큰 실수는 자신의 생각과 감정을 무리하게 표현하려고만 애쓰는 것이다. 멘제가 정말 원하는 것은 그의 인격을 존중하고 현재 상황을 이해하며 자신의 말을 귀담아 들어 주는 것이다. 멘토가 멘제를 이해해주는 순간 그도 멘토의 관점을 이해하려고 노력하게 된다. 멘제의 생각과 감정, 동기, 주어진 상황에서 행동과 반응을 이해할 수 있을 때 비로소 그에게 좋은 영향을 미칠 수 있는 법이다.

　□ 멘토의 이해 능력 평가하기
다음과 같은 기준으로 멘토인 자신의 이해 능력을 평가하라.
 - 매우 뛰어남: 거의 모든 상황에서 멘제의 감정과 행동을 예측할 수 있다. 이해 능력은 나 자신의 최대 장점
　　중의 하나이다.
 - 뛰어남: 항상 멘제의 행동과 요구에 귀를 기울인다. 이해능력은 내 자산(資産)이다.
 - 보통: 멘제의 생각을 예측할 때도 있지만 그렇지 못할 때도 그만큼 많다. 나의 이해능력은 평범하다.
 - 부족함: 멘제의 감정과 동기를 거의 모르겠다. 분명 이해능력 개선이 필요를 느낀다.

　□ 평가 후 행동 절차
매우 뛰어나는 평가가 나왔으면 남에게 그 비결을 가르쳐 주어라. 뛰어나거나 평범한 평가가 나왔으면 계속해
서 배우고 발전하라. 새로운 사람을 만날 때마다 다음 4가지 질문을 이용해 이해력을 즉시 향상시킬 수 있다.
1. 멘제는 어디서 왔는가?
2. 멘제는 어디로 가기를 원하는가?
3. 현재 멘제가 원하는 것은 무엇인가?
4. 내가 멘제를 어떻게 도울 수 있는가?

　□ 멘토 자신의 이해 능력이 생각보다 못하다면 다음의 말을 마음에 깊이 새겨라.
"사랑하는 사람은 사랑의 세계에서 산다. 반면 미워하는 사람은 미움의 세계에서 산다. 요컨대 당신이 만나는
모든 사람은 당신의 거울이다(Ken Keyes, Jr.)."

Skill 6. 성장하기 Enlarging for Menger

　멘토링 활동에서 멘제에게 성장할 동기를 주면서 수단을 제시하지 않으면 별 소
용이 없다. 멘토는 멘제의 잠재력과 꿈을 현실로 바꿀 기회를 계속적으로 제공해
야 한다. 일단 멘토링을 통해 미친 영향력은 영원히 사라지지 않는다고 말할 수 있
다. "자신에게 맞지 않는 일에 열정을 허비하지 않는 사람은 현명하다. 그러나 자
신이 잘할 수 있는 일을 찾아 그것에 최선을 다하는 사람은 더욱 현명하다(William
Gladstone 英 정치가)." 자신이 잘할 수 있는 역량(Competency)을 알고 있는 사람은
그리 많지 않다. 대부분 사람들은 그 역량을 찾아 성장하고 꿈을 실현하기 위해 도
움을 필요로 한다. 이것이 멘토링이 꼭 필요한 이유이다. 그러므로 멘토는 멘제의
인격과 직업의 성장에 있어 홀로 설 수 있을 때까지 지도해야 한다. 훌륭한 멘토링
은 멘제를 성장으로 이끄는 것이다. 멘토링의 4가지 방법은 멘제를 성장시킨다. 멘
제를 도와 항해하면서 인생의 문제를 해결한다. 멘제와 더 깊은 관계를 맺는다. 그
리고 멘제의 잠재력을 최고도로 발휘할 수 있도록 능력을 부여하는 것이다.

□ 누구를 성장시킬 것인가?

멘토가 성장시킬 후보 멘제를 세 명만 골라 기록하라. 여러분과 인생 철학이 비슷한 사람, 그 잠재력을 여러분이 믿을 수 있는 사람, 여러분이 좋은 영향을 미칠 수 있는 사람, 성장할 준비가 된 사람을 선택하라.

1.

2.

3.

□ 성장 일정

다음 양식을 이용해, 위에서 선택한 세 명을 성장시키기 위한 전략을 개발하라.

후보멘제 1:   멘제 2:   멘제 3:

－이름:

－잠재력:

－열정:

－인격문제:

－최대장점:

－다음 단계:

－현재 필요한 자료:

－성장과 관련된 다음 번 경험:

Skill 7. **항해하기** Navigating for Menger

멘토링 대상의 꿈을 어느 정도 파악했다고 해서 멈추어서는 안 된다. 도착지가 어딘지 알아야 한다. 멘제가 분투하는 목적지를 찾는 데 도움을 주기 위해서는 그에게 정말 중요한 것이 무엇인지, 무슨 생각을 갖고 있는지 알아야 한다. 즉, 다음과 같은 것을 알아야 한다.

■ 멘제가 무엇을 열망하는가?

그가 진정으로 원하는 목적지를 알려면 그의 마음을 움직이는 요인이 무엇인지 알아야 한다. 물론 열정과 동정심도 중요한 요인이다. 그러나 역사 속의 위대한 사람들이 위대한 이유는 그들이 이미 얻은 것 때문이 아니라 앞으로 얻기 위해 삶을 바치는 대상 때문이라고들 한다. 마음의 귀로 들으라. 그러면 멘제가 삶을 바쳐 얻고자 하는 대상을 알 수 있다.

■ 멘제가 무엇을 노래하는가?

사람의 마음을 감동시키는 것은 오랜 시간을 두고 볼 때 많은 열정을 쏟아야 한다. 멘토링에서도 멘제 속의 열정을 찾으면 그가 원하는 목적지에 대한 단서를 얻을 수 있다.

■ 멘제가 무엇을 꿈꾸는가?

"비전과 꿈을 영혼의 자식이라도 되는 양 소중히 여겨라. 그것들은 바로 궁극적인 성공의 청사진이다(Naoleon Hill)." 진정한 꿈을 발견하면 목적지가 들어난다. 멘제가 꿈을 발견하고 목적지를 알 수 있도록 도움을 주어라.

▢ 목적지를 확인하라
멘토가 성장시키기로 결심한 멘제에 관하여 생각해보라. 그의 목적지는 어디인가?
그를 열망하고 노래하고 꿈꾸게 만드는 요인을 찾아 적어 보라.
－열망하게 하는 요인:
－노래하게 하는 요인:
－꿈꾸게 만드는 요인:

▢ 예측하라
멘제에 대한 당신의 경험과 지식을 바탕으로 미래에 그에게 닥칠 어려움을 예상하여 적어 보라.
1.
2.
3.

▢ 미리 계획하라
그러한 미래의 문제를 해결하는 데 여러분은 어떤 도움을 줄 수 있는가? 언제 어떻게 도울 것인지 적어 보라.
1.
2.
3.

Skill 8. **관계맺기** Connecting for Menger

멘토링에서 관계형성은 절대 빠져서는 안 되는 요소이다. 즉, 남에게 좋은 영향을 미치려는 사람에게 반드시 필요하다. 남을 위한 항해란 잠시 함께 여행을 해주면서 삶의 장애물을 극복할 수 있도록 돕는 것이다. 하지만 관계형성이란 상호유익을 위해 멘제를 자신의 여행에 끌어들이는 것이다. 멘제를 여러분의 여행으로 끌어들이기 전에도 이와 비슷한 일이 벌어진다. 즉, 목적지를 확인하고 멘제에게 다가가서 관계를 맺는 것이다. 이 일을 성공적으로 마무리하면 서로의 관계가 더욱 깊어진다. 아울러 멘제를 한 단계 더 발전시킬 수 있다. 기억하라. 한 단계 발전하는 길은 항상 오르막길이므로 멘토의 도움이 꼭 필요하다.

다행히 관계 형성에 전문기술은 필요 없다. 노력하기만 하면 누구와도 관계를 맺을 수 있다. 단, 대화기술, 남의 성장과 변화를 도우려는 열정, 그리고 명확한 목적의식이 요구된다. 특히 어디로 가야 할지 몰라서는 곤란하다.

☐ 멘토/멘제의 현재관계를 측정하라

현재 멘토와 멘제로서 얼마나 강한 관계를 맺고 있는가? 멘제의 삶에 가장 중요한 것은 무엇인가? 무엇으로 상호 공통기반을 형성했는가? 두 사람을 하나로 묶어 줄 경험을 공유했는가? 아직 깊은 관계를 맺지 못했으면 멘토인 자신이 먼저 다가가야 함을 명심하라. 이번 주에 만나 커피를 마시고 식사를 하거나 서로 이야기를 나누기로 약속하라.

☐ 깊은 관계를 맺어라

일상관계에서 가장 중요한 사람과 의미 있는 시간을 가져본 적이 없다면 이번 달 안에 기회를 만들어라. 배우자를 동반해 주말을 함께 보내기로 계획하라. 단, 깊은 관계를 맺고 경험을 공유하기 위해 최선을 다해야 한다는 점을 명심하라.

☐ 상호 간 비전을 이야기하라

멘토와 멘제가 깊은 관계가 형성되었다면 상호 간 희망과 꿈을 말하라. 미래에 대한 비전을 제시하고 그 비전을 향한 여행에 멘제를 초대하라.

Skill 9. 능력 부여 Empowering for Menger

능력을 부여하면 사람을 통해 일할 수 있게 된다. 하지만 능력을 부여한 사람에게만 유익이 있는 것은 아니다. 능력을 부여받은 사람도 개인 및 직업상 발전에서 최고의 수준에 이를 수 있다. 간단히 말해 능력 부여란 개인 및 조직의 성장을 위해 자신의 영향력을 나누어 주는 것이다. 남의 삶에 투자해 최상의 노력을 이끌어 내려는 목적으로 자신의 영향력과 지위, 권력, 기회 등을 나누어 주는 것이다. 또 남의 잠재력을 보고 자신의 자원을 나누어 주며 전적으로 믿어 주는 것이다.

능력부여는 삶을 변화시키고 자신과 멘제 모두에게 유익을 끼친다. 능력을 부여하는 일은 자동차와 같은 물건을 멘제에게 주는 일과 다르다. 차를 주면 내가 걷거나 대중교통을 이용하는 불편을 겪어야 한다. 그러나 능력을 주는 일은 정보를 나누는 일과 비슷하다. 즉, 전혀 손해를 보지 않고도 멘제의 능력을 높여줄 수 있다.

□ 회사, 부서, 가족, 교회, 학교 등의 멘토로서 여러분은 멘제에게 책임을 나누어 주어야 한다. 멘제에게 용기를 주고 싶은가? 그렇다면 그 사람의 장점을 찾아 말해주라. 만날 때마다 그에 대한 신뢰를 표현하라. 공식적으로 책임을 부여하기 전에 다음의 점검표를 이용해 철저한 계획을 세워라.

- 임무를 기술하라:
- 그 책임을 맡길 멘제의 이름을 적어라: _____
- 그 임무에 필요한 지식은 무엇인가?: _____
- 그 멘제에게 그러한 지식이 있는가?: ☐ 그렇다   ☐ 아니다
- 그 임무에 필요한 기술은 무엇인가?: _____
- 그 멘제에게 그런 기술이 있는가?: ☐ 그렇다   ☐ 아니다
- 멘토인 당신이 시범을 보인 적이 있는가?: ☐ 그렇다   ☐ 아니다
- 그 멘제에게 권위와 권한을 주었는가?: ☐ 그렇다   ☐ 아니다
- 그에 대한 신뢰를 공개적으로 표현했는가?: ☐ 그렇다   ☐ 아니다
- 그가 홀로 서게 될 날짜를 정했는가?: ☐ 그렇다   ☐ 아니다

책임을 부여할 때마다 이 과정을 되풀이해 봄으로써 제2의 천성으로 만들라. 능력을 부여받은 사람이 성공을 거둔 다음에도 칭찬과 격려, 공개적인 신뢰로 계속해서 도움을 주라.

Skill 10. 재생산하기 Reproducting for Menger

멘토링이라 멘토와 멘제가 일정기간 동안 달리는 항해라고 볼 수 있다. 이 과정의 마지막 단계에서 멘토는 멘제와 함께 달리는 법을 배운 셈이다. 멘토는 진실성의 모범을 보이는 일이 얼마나 중요한지 알고 있다. 그리고 양육, 남에 대한 신뢰, 귀를 기울이고 이해하는 자세를 통해 동기를 부여할 수 있게 되었다.

또 멘토링을 통해서만 멘제가 진정으로 성장할 수 있다는 점을 알고 있다. 즉, 성장시키고 함께 인생의 어려움을 극복하면서 항해하고 관계를 맺고 권한을 부여해야 한다. 이제 멘토는 뛰어난 주자가 되었다. 아울러 멘제를 멘토링했으면 또 한 명의 뛰어난 주자가 탄생한 것이다. 이제 배턴을 넘길 때이다.

하지만 멘토인 당신도 또 다른 주자에게 배턴을 넘기지 않으면 경기는 끝나고 만다. 즉, 재생산(Reproducting)의 기회를 놓치고 만다는 것이다. 배턴을 받지 못한 그 주자는 뛸 이유를 상실하고 그와 함께 운동력도 사라진다. 그것이 영향력 있는 사람이 되기 위해서 재생산 단계가 매우 중요한 이유이다.

ⓔ 멘토 자신의 리더십 잠재력을 개발하라

멘토 자신의 리더십 잠재력을 끊임없이 개발해야 멘제에게 리더십을 가르칠 수 있다. 성장을 위한 계획을 아직까지 실천하지 않았다면 지금 당장 시작하라. 다음 3달 동안 매주 검토할 교재와 자료와 촉진 Skill을 선택하라. 그러한 습관을 들일 때만이 성장이 가능하다.

ⓕ 리더십 잠재력을 가진 멘제 후보를 개발하라

주위 사람들을 성장시키고 능력을 부여하다 보면 미래의 멘제 후보가 나타난다. 그중 가장 잠재력이 뛰어난 사람을 선택해 특별히 멘제로 선정하여 멘토링하고 더 수준 높은 리더십 기술을 가르쳐라. 단, 멘제 후보가 성장을 원하고 미래의 리더십을 키우는 데 적극적인 사람이어야 한다.

ⓖ 단순한 업무 수행이 아니라 리더가 되는 법을 가르쳐라

선택한 멘제와 최대한 많은 시간을 보내며 리더십의 모범을 보여라. 매주 시간을 내어 교육과 자료 제공, 세미나 참여 등을 통해 멘제의 리더십 잠재력을 끌어내라. 그의 리더십 잠재력을 최고도까지 끌어내기 위해 최대한 도움을 주어라.

ⓗ 재생산하라

멘토는 멘제가 훌륭한 리더가 되면 멘제가 멘토로서 멘토링할 대상을 선택하게 한 다음 그를 놓아주어라. 그리고 멘토인 당신도 또 다른 미래의 리더를 찾아 위의 과정을 반복하라.

다음 도표는 William Gray 교수(加 브리티시대학교)를 통해 멘토와 멘제의 관개 발전에서 멘토링 활동의 순환적인 재생산을 이해할 수 있으리라 생각한다.

◀ 멘토링 재생산 Mentor – Menger 관계 모델(by '78 William Gray 교수)

M m – 멘토표시 P p – 멘제 표시(Protege – 원어)

M → Mp → MP →mP → P

정보 제공형	안내형	상호 협력형	확인형	재생산 달성
양육해 주는 유형		능력을 부여하는 유형		인재 재생산 유형

오늘날의 멘제는 성공을 거두기 위하여 멘토로부터 양육을 받고(Nurturing), 능력을 부여받는 것(Empowerring) 두 가지가 필요하다. 멘토들은 유연성 있는 방식인 '4가지 멘토링 유형'을 사용하는 것을 배움으로써 두 종류의 도움을 줄 수 있다. 인류 역사를 통한 전통적인 멘토링 패러다임은 '멘제에게 지혜를 전수해주고,

조언하고, 안내자였던 사람'으로 멘토를 정의한다. 이러한 사전적 정의는 '멘토가 주인'이라는 사고에서 비롯되었으며, 어떤 분야에 있어서 대부분의 사람들에 대한 지식의 원천일 때만 성립된다. 멘토의 역할은 멘토가 알고 있는 지식으로 멘제를 세우는 것이었다. 그래서 멘제도 그 지식을 잘 알게 되는 것이다. 이러한 것은 종종 멘토의 복제품인 멘제를 만드는 결과가 되기도 하였다.

오늘날 제도적 멘토링(System Mentoring)에서의 멘제는 과거의 멘제보다 훨씬 교육도 잘 받고, 좀더 다양한 삶을 살아왔으며, 직업적 경험도 많다. 그럼에도 불구하고, 그들은 여전히 멘토의 경험으로부터 얻은 실무적 노하우와 지혜로 세움 받기를 필요로 한다. 왜냐하면 이러한 것들은 혼자서나 연수과정을 통해선 적절하게 학습될 수 없기 때문이다.

오늘날의 멘제는 또한 그들의 꿈과 열정을 추구할 다양성, 창의성, 아이디어 및 독창력을 발휘할 능력을 받을 필요가 있다. 이것은 조직이 멘토링 프로그램을 후원하여 멘제들이 혁신적으로 조직에 공헌하도록 함으로써 가능하다. 이와 같은 멘토링 인재개발 기법으로 각 조직은 급변하는 경쟁세계 속에서 정체되거나 진부화되지 않고 인재 재생산을 통하여 인재경쟁력 확보를 할 수 있는 것이다.

직장에 희망/협력 Plus 멘토링

협력 멘토링(Collaboration)은 조직에 적용하는 제도적 멘토 (Systematic Mentoring=SY—M)로서 오늘날 생산성의 편중에서 멘토 시스템으로 상사의 생산성과 멘토의 인간성으로 협력경영을 통하여 직원 행복, 직장행복, 고객행복을 이루는 협력경영 프로그램이다.

주관: 법적 조직(기업, 대학, 학교, 교회, 정부기관 등)을 운영하는 자 (CEO 등)가 구성원을 인재개발 등 특정목표를 갖고 1대1로 멘토와 멘제를 선정·연결하여 멘토링 관계를 갖게 한다.

Theme

Theme 1. 협력 멘토링 개념

Theme 2. 조직문화란 무엇인가?

Theme 3. 한마음 조직별 문화 구축 방법

Theme 4. 인간존중 한마음 멘토링 전략

Theme 1

협력 멘토링 개념

1장 협력 멘토링 개념정리

1. 협력멘토링의 목적

조직 멘토링은 오늘날 생산성에 편중된 상태에서 멘토링 인간성 협력 프로그램을 보완하여 균형경영조직으로 업그레이드하는 데 있다. 협력멘토링의 특징은 아버지와 같은 상사와 어머니와 같은 멘토가 협력하여 가정의 행복을 직장에서 실행하는 것이다.

2. 협력멘토링 준칙

(1) 조직 멘토링은 가정의 엄한 아버지와 따뜻한 어머니를 연상한다.

(2) 아버지 같은 상사는 생산성, 어머니 같은 멘토는 인간성이다.

(3) 상사와 갈등은 따뜻한 멘토의 역할로 소화할 수 있도록 한다.

(4) 멘토와 멘제는 둘이 한마음 Cell로 유기적 조직을 만든다.

(5) 성경에서 일만 스승과 아버지의 역할(고전 4:15)이 본보기다.

3. 생산성 편중 부작용

(1) 심리/업무/세대적 차이에서 오는 갈등에 대한 대안이 부족하다.
(2) 상하 간 대화 단절과 각 부서 간 업무가 단절되고 있다.
(3) 고도성장으로 노사 간 갈등이 깊어지고 강성노조가 탄생한다.
(4) 경영과정의 비윤리(정경유착 등)로 부실 경영이 만연되고 있다.
(5) 경영의 독점의식에서 소통부재로 조직의 갈등이 심각하다.

4. 균형조직=생산성+인간성

5. 진단도구: 인간존중 진단도구

6. 실행 프로젝트

명칭: 한마음 조직문화 협력멘토링 프로젝트

7. 성공조건

(1) 인간성과 생산성의 균형경영을 이룬다.
(2) 부하를 신뢰하고 위임 전결로 Twoway 경영하라.
(3) 내부직원을 먼저 만족시키고 외부고객을 만족시켜라.
(4) 업무보다는 사람을 우선하는 경영을 하라.
(5) 사람머리 숫자보다는 마음을 얻는 마인드십을 발휘하라.

2장 인성 멘토링 휴먼스토리

1. 명사 명언: 김승호 보령회장

"기업은 곧 사람이다. 사람을 가장 우선으로 생각하는 정신이 없으면 그 기업은 이미 기업으로서의 생명을 잃은 것이다. 기업의 생명력은 바로 사람을 존중하고 귀하게 여기는 마음에서 비롯된다. 바로 이러한 인간 존중 정신이 보령제약의 창업 철학이자 존재이유다."

2. 예화사례: 천당과 지옥

어느 여행자가 지옥과 천당을 방문하게 되었다. 지옥은 깡마른 사람들이 서로 다투고 있는 장면이었고 천당은 반대로 윤택한 사람들이 싱글벙글 웃으면서 이야기를 나누는 장면이었다. 궁금하게 여겼던 여행자는 한참 후 식사 시간에서야 그 해답을 찾았다. 양쪽의 공통사항은 풍성한 음식과 그 위에 사람의 팔보다 더 긴 6척의 포크가 놓여 있었다. 지옥 사람들은 그 긴 포크로 자기 입으로 넣으려 하니 음식이 뒤로 쏟아졌고, 천당 사람들은 그 긴 포크로 1대1로 앞에 있는 사람의 입으로 넣고 있었다. 자기만 챙기려는 이기주의와 남을 배려하는 이타주의가 지옥과 천국을 갈라놓았다.

3. 명상시간: 나그네길 Mentor는?

"지치고 곤한 길손에게 주막을 알려 주고 쉬어 가라고 권한다. 지름길을 알려 주는가 하면, 언제 길을 떠나는 것이 안전한지 안내해 준다. 그리고 떠나는 이에게 축복을 던진다. 잘 가시라고……. 길손은 그 한마디에 힘을 얻어 천 리 길도 힘차게 내딛는다."

4. 활동지침: 멘토 스마일(Smile)

멘토의 웃는 얼굴은 멘제를 즐겁게 한다.

(1) 멘제와 첫 번째 언어는 미소다.

(2) 멘토가 되려면 미소부터 익혀라.

(3) 눈이 웃어야 한다.

(4) 멘제도 웃게 하라.

(5) 어려운 대화일수록 미소를 담아라.

Theme 2

조직문화란 무엇인가?

1장 조직문화의 개념

1. 조직문화의 발달

문화(culture)란 개념은 미국에서는 약 100년 전부터 인류학(人類學)에서 많이 연구되기 시작하였으며 그 후 사회학, 경영학 등의 학문 영역으로 전파되어 왔다. 인류학에서는 1940년대와 50년대에 조직과 관련된 전통이나 관행을 다루는 논문들이 발표되기 시작하면서 조직문화의 가능성이 제기되었으며 사회학에서도 비슷한 시기에 공장의 문화를 다루는 논문이 발표된 바 있다. 1970년대에 들어와 경영학의 조직(행동)론 분야에서 조직문화에 관련된 몇 편의 논문들이 발표되었다. 그러나 조직문화에 대한 본격적인 연구는 1980년대에 들어오면서 불붙기 시작하였다.

2. 조직문화의 개념

1) 조직문화란?

(1) 조직과 그의 목표에 관한 일련의 중요한 가설이며 기업의 종업원들이 공유하고 있는 실제(관행)이다. 이는 무엇이 중요한 것인가를 판단하는 가치관과 그것이 실행에 옮겨지는 방법에 관한 신념의 공유된 시스템이다(B. Schneider,

Climate and Culture, 1990).

(2) 조직 내에서 외적인 적응과 내적인 통합의 문제를 극복하기 위해 구성원들
    에 의해 창조, 발전되어 그들의 행동을 이끄는 기본적인 가설, 즉 공유된 가
    치와 신념의 시스템이다(E. H. Schein, Organizational Culture, 1990).

(3) 다른 조직과 차별화되는 조직 내 구성원의 공유된 의미의 시스템이다(S. P.
    Robbins, Organizational Behavior, 1993).

(4) 무엇이 좋고 나쁘며, 옳고 그른 것이 무엇이며, 구성원이 생각하고 행함에
    있어서 적절한 방법이 무엇인가에 관해 규정하는 일련의 구성원 간에 공유
    된 의미이다(T. J Watson, In Search of Management; Culture, chaos and Control
    in Managerial Work, 1994).

(5) 조직 내 구성원 간의 상호작용과 구성원과 공급자, 고객, 기타 조직 외부집
    단들과 상호작용을 통제하는 일련의 공유된 가치관을 말한다(G. R. Jones,
    Organizational Theories, 1995).

(6) 조직의 구성원들을 한데 묶는 사교적 접착제이다(R. Kreitner/A. Kinicki,
    Organizational Behavior, 1998).

2) 조직문화의 개념적 특징

(1) 조직문화는 구성원들 상호 간의 학습과정을 통하여 공유되는(Shared) 가치
    관, 상징물 그리고 이상(ideals)이다. 따라서 조직문화는 구성원들을 인지적
    또는 사회적으로 결집시키는 힘을 갖는다.

(2) 구성원들 간의 결집의 정도에 따라 강한 문화와 약한 문화로 나눌 수 있다.
    응집력이 강하고, 가치관이 통일되어 있으며 집단목표에 대한 구성원들의
    몰입이 강한 경우에는 강한 문화가 발생하며 그렇지 않을 경우에는 약한
    문화가 나타날 수 있다. 그러나 강한 문화가 반드시 더 좋다고 볼 수는 없
    다. 강한 문화의 경우 조직변화 시도에 대하여 그만큼 강력히 저항하는 힘
    으로 작용할 수도 있기 때문이다.

(3) 한 조직의 문화는 공통성이나 상이성(相異性)을 동시에 갖는다. 즉, 조직전체

차원에서 구성원들 간에 공통적 가치관, 신념, 행동거지 등을 발견할 수 있지만 동시에 부서나 본부와 같은 하부조직들도 나름대로의 文化的 특성을 가질 수 있다.

(4) 어느 한 시점에서 특정 조직의 문화는 그 조직이 변화해온 과거의 역사, 현재의 문제를 해결하면서 겪고 있는 고민, 그리고 조직구성원들의 미래에 대한 희망이나 기대가 혼합적으로 존재하게 된다. 미래에 대한 희망과 도전의지로 충만한 조직이 과거의 영광에 안주하고 있는 조직보다 더 발전하리라는 사실은 자명한 이치일 것이다.

(5) 한 조직의 문화적 특성은 구성원들의 가치관, 믿음 등을 직접 조사하여 밝힐 수도 있지만 그들이 공유하는 사물들, 공통의 용어(또는 어휘, 언어), 보편화된 행동이나 감정 등을 분석함으로써 도출할 수도 있다. 보다 구체적으로는 의례, 의식, 신화, 무용담, 전설, 일화, 민담, 상징, 언어, 제스처, 물리적 환경, 인조물 등을 분석함으로써 얻어질 수 있다. 또한 조직의 영웅(전설적 인물)을 살펴보는 것도 한 가지 방법이다.

(6) 문화가 없는 조직은 없다. 어느 조직이든 모종의 조직문화를 갖는다. 문제는 한 시점에서 특정조직이 갖는 문화특성이 그 조직이 처한 상황에 비추어 바람직한가를 가늠하여 보다 바람직한 방향으로 변화시켜 나아가야 한다는 것이다.

3. 조직문화의 중요성

(1) 조직문화는 조직의 공식적, 비공식적 운영과정에 광범위하게 영향을 미칠 수 있기 때문에 중요시된다.

(2) 조직문화는 조직의 전략과정에 영향을 미치기 때문에 중요시된다.

(3) 문화는 경쟁력의 원천(또는 경쟁자원)이 될 수 있다.

(4) 조직문화는 조직의 성과와도 관련이 있는 것으로 보인다.

(5) 우리는 조직문화(특히 기업문화)의 중요성을 역사적 차원에서 살펴볼 수 있다.

4. 조직문화의 기능

조직문화는 기업의 밑바닥에 내재되어 있는 정신적 기반으로서 구성원의 사고와 행동에 방향과 힘을 주는 역할을 한다. 따라서 조직문화는 강하든 약하든 긍정적이든 부정적이든 조직의 전반에 걸쳐 영향을 미치며 그 결과는 장기적으로 기업의 성과를 좌우할 수 있다.

(1) 기업의 문화는 기업 내의 구성원에게 일체감(identity)과 정체성(sense of identity)을 부여한다. 이와 같은 일체감과 정체성은 외부 상황이 급변할 때 조직구성원의 결속력을 강화시켜 주고 일체화된 조직으로 뭉치게 하는 힘이 된다.

(2) 기업의 문화는 개인보다는 조직 전체의 전념도(commitment)를 높이게 한다. 조직의 전념도란 조직구성원이 조직에 대해 갖게 되는 충성심과 조직의 목표를 달성하기 위해 자신의 모든 노력과 능력을 기꺼이 바치고자 하는 마음자세를 의미하는데, 일단 조직에 소속하게 되면 시간이 지남에 따라 동질감을 느끼게 되고 공유의식과 문화의 수용은 집단의 번영 내지는 영속적 활동을 위해 전념하도록 만들어 준다.

(3) 기업의 문화는 기업전체의 안정성을 높여 준다. 강한 조직문화를 보유한 기업은 조직의 전념도가 향상되며 따라서 결근율과 이직률이 줄어들며 구성원의 사기는 증대된다. 이와 같은 조직의 안정적인 상태는 구성원의 단결심과 일체감을 높여 준다.

(4) 조직문화는 구성원에게 상징적인 의미를 부여하여 행동의 지침을 제공한다. 일반적으로 특별한 문제가 없는 경우 평소 해왔던 방식으로 일을 처리하며, 또한 위기상황에 닥쳤을 때에는 공유된 문화가 해야 할 것과 하지 말아야 할 것에 대해 해답을 제공해 준다.

2장 조직문화의 구성요소

1. 샤인의 연구

1) 기본적인 가정(basic assumption)

그 문화권에 소속된 사람들이 당연하다고 믿고 있는 기본적인 믿음에 해당된다. 기본적인 가정은 모든 가시적 문화의 핵심적 부분으로 외부에서 관찰이 불가능할 뿐만 아니라 의식하지 못하는 상태에서 구성원들의 태도와 행동에 영향을 미치게 된다.

2) 가치관(values)

기본적인 믿음이 표출되어 인식의 수준으로 나타난 것으로 구성원의 상황, 행동, 대상 사람들을 판단하기 위해서 사용하는 공유된 평가의 기초가 된다.

3) 인공물과 창조물(artifacts and creators)

가치관이 표출되어 인간이 창출한 인공물들, 기술이나 예술 또는 행동양식을 일컫는다. 이러한 가시적인 수준의 인공물들은 조직에 대한 전체적인 인상과 이미지, 조직의 문화적 특징을 형성하는 역할을 한다.

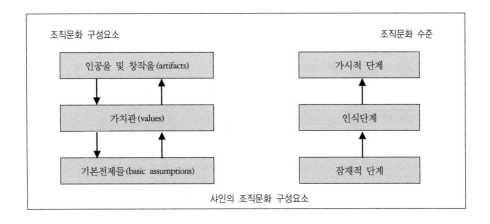

샤인의 조직문화 구성요소

2. 맥킨지(Mckinsey)의 모형: 7 - S모형

7 - S모형은 세계적 전략컨설팅 기업인 맥킨지(Mckinsey)에 의해서 개발된 모형
으로서 조직문화에 영향을 주는 조직내부요소를 일곱 가지 요인으로 분류하고 있
다. 이 모형의 이름이 7 - S모형으로 명명된 이유는 조직문화를 구성하고 있는 일
곱 가지의 요소들이 모두 S자로 시작하기 때문에 조직문화의 7 - S모형으로 일컫는
다. 7 - S모형은 조직문화의 구성요소로서 ① 공유가치, ② 전략, ③ 조직구조, ④
제도, ⑤ 구성원, ⑥ 관리기술, ⑦ 리더십 스타일을 들고 있다. 이처럼 7 - S모형은
조직문화와 조직내부의 구성요소 간의 관계를 체계적으로 설명하며 조직시스템에
대한 통합적인 시각을 제공한다는 점에서 기업체 실무에서 널리 활용되고 있다.

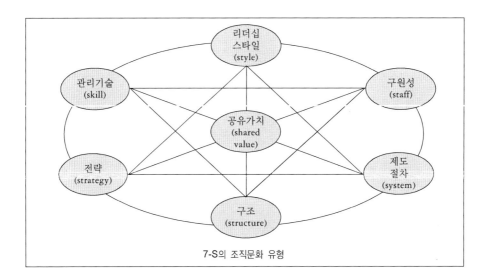

7-S의 조직문화 유형

1) 공유가치(shared value)

기업구성원이 함께 하는 가치관으로서 다른 조직문화의 구성요소에 영향을 주
는 핵심요소이다. 따라서 조직문화형성에 가장 중요한 영향을 미치는 요소이다.

2) 전략(strategy)

기업의 장기적인 계획과 이를 달성하기 위한 자원배분과정을 포함하며 기업의

장기적인 방향과 기본성격을 결정하고 다른 조직문화형성에 영향을 미친다.

3) 조직구조(structure)

기업체의 전략수행에 필요한 틀로서 조직구조와 직무설계 그리고 권한관계와 방침 등 구성원들의 역할과 그들 간의 상호관계를 지배하는 공식요소들을 포함한다.

4) 제도(system)

기업경영의 의사결정과 일상운영의 틀이 되는 보상제도와 인센티브, 경영정보와 의사결정시스템, 경영계획과 목표설정 시스템, 결과측정과 조정·통제 등 경영 각 분야의 관리제도와 절차를 포함한다.

5) 구성원(staff)

기업체의 인력구성과 구성원들의 능력, 전문성, 신념, 욕구와 동기, 지각과 태도, 행동패턴 등을 포함한다.

6) 관리기술(skill)

기업체의 각종 물리적 하드웨어 기술과 이를 작동시키는 소프트웨어 기술 그리고 기업경영에 활용되는 경영기술과 기법 등을 포함한다.

7) 리더십 스타일(style)

구성원을 이끌어 나가는 경영관리자들의 관리스타일로서 이는 구성원의 동기부여와 상호작용 그리고 조직분위기와 나아가서 조직문화에 직접적인 영향을 준다.

3장 조직문화의 유형

1. 딜과 케네디의 문화유형

먼저 딜과 케네디(T. Deal & A. A. Kennedy)는 뚜렷한 신념과 구성원에 의한 공유가치, 일상생활에서의 가치구현 및 이를 뒷받침해주는 제도의 완비에서 강한 문화의 특성을 찾고 있으며 분류의 기준은 ① 기업활동과 관련된 위험의 정도, ② 의사결정 전략의 성공여부에 관한 피드백의 속도라는 두 가지 차원에서 4가지 조직문화로 분류하였다.

위 험 \ 피 드 백	빠 름	늦 음
많 음	거친 남성문화	사운을 거는 문화
적 음	일 잘하고 잘 노는 문화	과정문화

1) 거친 남성문화(the tough guy, macho culture)

이 형태의 조직문화는 높은 위험을 부담하고 그들 행위의 결과를 신속히 알게 되는 개인주의자들의 세계이다. 예를 들어 건설, 화장품, 벤처캐피탈, 영화, 스포츠 산업 등이 속한다.

2) 일 잘하고 잘 노는 문화(work hard/ play hard culture)

이 형태의 조직문화는 팀워크가 제일 중시되므로 통합의례행사를 통한 단결력이 중요하다. 이러한 문화유형에는 백화점, 컴퓨터회사, 방문판매처럼 사원 개개인의 위험이 적고 꾸준한 판매노력이 결과로 나타나는 업종이 어울린다.

3) 사운을 거는 문화(bet your company culture)

이 형태의 조직문화는 투기적 결정을 내리고 그 결과를 수년이 지나야 알 수 있는 업종에 속한 기업의 문화이다. 즉, 높은 위험과 늦은 피드백의 특징을 지니고 이다. 이 문화유형에는 석유탐사회사, 비행기제도회사 등이 속한다.

4) 과정문화(the process culture)

이 형태의 조직문화는 현재 하고 있는 과정이나 절차에 집중하며 일의 결과에 대해서는 정확하게 아는 것이 어려운 조직문화이다. 이러한 문화는 은행, 보험회사, 정부, 공기업체 등과 같은 업종이 속한다.

2. 해리슨의 조직문화유형

해리슨(R. Harrison)은 조직구조의 중요한 두 변수인 공식화와 집권화의 2가지 차원에 의해서 구분하였다. 공식화와 집권화가 모두 높은 관료조직문화, 공식화는 비교적 낮지만 집권화는 높은 권력조직문화, 공식화는 높지만 집권화는 낮은 행렬조직 문화, 그리고 공식화와 집권화가 모두 낮은 핵과 조직문화 등 네 가지 유형으로 구분하였다.

집 권 화 위　　험	높　음	낮　음
높　음	관료조직문화	행렬조직문화
낮　음	권력조직문화	핵화조직문화

1) 관료조직문화(bureaucratic culture)

이 문화유형은 구성원들의 역할이 명백하며 모든 업무절차가 과학적인 방법으로 설정되어 구성원의 공약수준이 낮고 직무소외와의 목적의식이 결여된 이기적 행동경향이 높게 나타나는 것이 일반적인 특징이다.

2) 권력조직문화(power - oriented culture)

이 문화유형은 구성원의 역할과 업무수행절차가 구체화되어 있지 않고 강력한 실권자와 소수의 핵심인물들이 권한을 행사하며 구성원에게 역할을 배정하고 조직을 이끌어 나가며 구성원을 통제한다.

3) 행렬조직문화(matrix culture)

이 문화유형에서는 구성원의 역할과 업무수행이 기업체의 과업을 중심으로 이루어지면 관련된 전문기능인력 팀들이 한 팀이 되어 목적을 달성하는 것이 특징이다.

4) 핵화조직문화(atomized culture)

이 문화유형에서는 구성원들의 역할과 상호관계가 공동목표를 중심으로 자발적인 관심과 협조에 의하여 이루어지는 것이 특징이다.

3. 데니슨의 조직문화유형

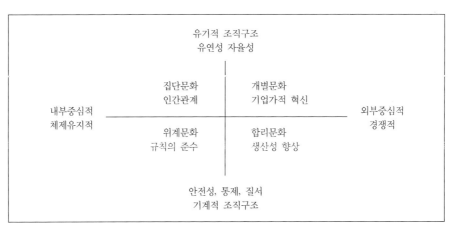

데니슨의 조직문화유형

데니슨(D. R. Denison)은 조직문화 형성에 영향을 주는 요소로 작용하는 기업환경과 이에 대한 기업이 적응행동을 중심으로 기업의 문화유형을 구분하였다. 이처럼 기업환경변화와 기업의 행동경향을 중심으로 조직문화를 분류하면 집단문화와 위계문화, 개발문화와 합리문화의 4가지 유형으로 구분할 수 있다.

1) 집단문화

집단문화란 인간관계에 일차적인 관심을 가지고 있으며 유연성을 강조하고 내부통합에 일차적인 초점을 맞춘다. 성실, 신뢰관계가 핵심적인 가치관이며 일차적인 동기부여요인들은 애사심, 집단의 응집성, 소속구성원으로서의 자격이다.

2) 개별문화

개별문화란 역시 유연성과 변화를 강조하지만 이 문화유형에서 일차적으로 강조하고 있는 시각은 외부환경이며 문화유형의 성향은 성장, 자원획득, 창조성, 외부환경에의 적응 등이다. 가장 주된 동기부여 요인들은 성장, 격려, 창조성, 다양성 등이다.

3) 합리문화

합리문화란 생산성, 성과, 목적달성 등을 강조한다. 이 문화유형이 강조하고 있는 조직의 목적은 세련된 목표를 수행하고 달성하는 데 있다. 지시적이며 목적지향적인 리더는 끊임없이 생산성을 촉구시킨다. 따라서 유효성의 기준은 계획, 생산성, 능률을 들고 있다.

4) 위계문화

위계문화는 조직내부의 능률, 통일성, 조성 그리고 평가를 강조한다. 이 문화유형의 강조점은 내부조직의 논리에 있으며 특히 조직의 안정성을 강조한다. 리더는 보수적이고 행동이 상당히 조심스러우며 기술적으로 전문적인 의제에 대해서는 깊은 관심을 표명한다.

4장 조직문화 운동의 실제

1. 조직문화운동의 목표와 수단

1) 목표

기업문화운동은 경영과 밀접한 관계를 가지면서 다음과 같은 목적으로 운영되고 있는 실정이다.

(1) 기업체질의 개선

기업구조 재편성과 신입사업 추진 시 사원의 의식 변혁, 새로운 기업육성책의 일환으로 활용한다.

(2) 고객의 의식변화에 대응

고객이 원하는 기업이미지를 구축하고 고객취향에 맞는 제품과 용역을 개발하는 전략을 전개한다.

(3) 대외적 이미지 제고

국제무대에 기업의 이름, 브랜드 등을 알리는 효과와 인력시장에 내세움으로써 우수인재 확보에 활용한다.

2) 수단

오늘날 기업들이 사용하고 있는 새로운 기업문화의 구축수단은 바로 기업문화를 구성하고 있는 요소들인데 이는 다음과 같이 세 가지로 대별될 수 있다.

(1) 이념적 요소

기업의 존재목적, 기업이념, 경영방침, 기업헌장 등을 일관성 있게 제정하여 기업 내외에 널리 알림으로써 대외적으로는 기업이미지 제고에, 내부적으로는 구성원들의 일체감 형성에 활용된다.

(2) 감각적 요소

기업의 로고, 브랜드 등 시각적 요소를 바꾸거나 통일시키는데 최근에는 청각, 후각 등 오감을 모두 활용하고 있다. 예를 들면, 사가(社歌)나 로고송(logo song)을 만들거나 사옥이나 제품에서 독특한 향기가 나오게 하기도 한다.

(3) 행동적 요소

이에는 두 가지가 있는데 하나는 조직의 행동이요, 또 하나는 구성원들의 행동이다. 전자는 기업의 사업영역, 전략방침, 사회적 공헌활동 등이고 후자는 사원 행동규범, 사원정신의 재정립 활동을 모두 포함한다.

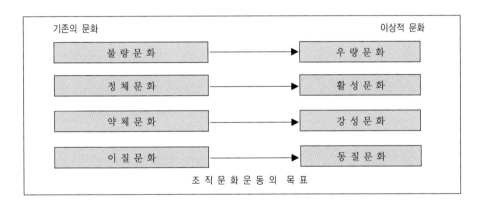

조 직 문 화 운 동 의 목 표

2. 조직문화운동의 추진단계

기업문화운동의 추진절차는 기업의 특성에 따라 다르겠지만 기본적으로 다음의 네 가지 절차를 밟는 것이 일반적이다.

1) 현상 분석

경영비전의 파악, 사원의식 조사, 기업이 대외이미지, 조직운영실태와 내부 커뮤니케이션 파악 등을 통해서 강점과 약점을 분석한다.

2) 이념설정기업이념, 사업영역, 구성원의 비전, 슬로건, 사원의 행동규범 등을 일관성
   있게 설정하는 데 중요한 것은 이러한 이념이 내부 구성원에게 강하게 전달되고
   행동으로 옮기게 해야 한다. 이를 위해 세부 행동지침을 만들어 구체적 행동양식
   으로 몸에 배게 한다.

3) 이미지 작업

기업 내의 유형체에 대한 시각적 통일작업단계로서 상표디자인, 회사의 깃발,
광고물, 점포, 사옥, 사가, 내부장식, 간판, 서류양식 등 다방면에 걸쳐서 통일된
디자인과 색깔을 이용한다.

4) 전략적 홍보

기업문화의 추진결과는 대내외 홍보를 통해서 성과가 나타나는 것이므로 전략
적인 홍보를 병행하여 추진해야 하는데 이 방법으로는 교육, 워크숍, 강연희, 안
내책자, 사내방송, 사무실 디자인, 표어와 슬로건, 사가의 제정·배포 등 여러 방
법이 이용되고 있다.

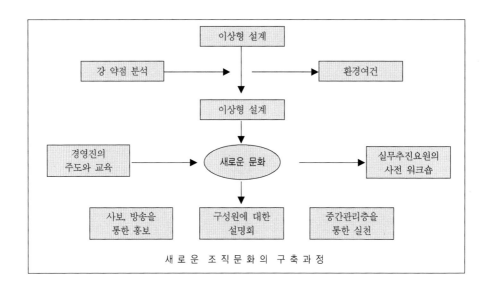

새로운 조직문화의 구축과정

3. 조직문화 운동의 성공조건

앞에서 설명한 대로 기업문화의 창달단계가 계속된다고 자동적으로 성공하는 것은 아니다. 몇 가지 뒷받침되어야 할 요소가 있는데 이를 살펴보자.

① 새로운 기업문화의 도입은 조직분위기 조성에 영향력이 가장 큰 최고경영층의 의지에 달려 있으므로 그들의 이해와 의지표현이 급선무이다.

② TOP에서 결정되었다고 일방적 하향식으로 밀어붙인다고 혁신이 되는 것이 아니다. 현실의 문제점 분석과 이상적 문제의 설계 때부터 구성원들의 참여 분위기와 공감대가 형성되어야 함은 말할 필요도 없다.

③ 일시적인 붐 조성이나 전시행동으로 끝나는 것은 새로운 분위기 정착이라고 말할 수 없다. 계속적인 후속작업, 제도개편, 의식개혁이 뒤따라야 한다.

④ 구호나 슬로건의 타의적인 전개방법보다는 자신의 의식개혁과 단점·약점의 보완으로 시작하여 이상형의 문화 구축의 순서로 밟아가야 더 효율적이다.

이때 몇 가지 유의사항이 있다.

① 변화의 시대는 다양한 인적자원 간의 시너지 효과를 필요로 하는데 거대한 기업문화(mega culture)의 흐름 속에서 다양성이나 자신만의 개성이 몰수되고 모두 획일적 사고와 행동방식에 젖게 된다면 오히려 비효율적인 조직이 될 수 있다. 그러므로 조직의 분위기는 어떤 하나의 방식으로 '획일화'하기보다는 '다양화'될 수 있는 분위기로 나아가는 것이 바람직하다.

② 전체적·장기적 시각으로 보지 않고 단기적 목적추구나 현안 문제해결 수단으로만 기업문화운동을 벌인다면 혼동만 가져올 뿐 근본적인 대책이 되지 못한다. 변화대상인 조직문화 구성요소 간에 상호연계 및 전체적인 체계가 잡히지 않으면 중구난방식의 모자이크 문화만 만들어 놓을 뿐이다.

③ 최고경영층의 의지가 강하더라도 이를 조직 전체에 파급시킬 주역들은 중간관리층이다. 이들의 이해가 부족하다든지, 능력이 부족하다면 커뮤니케이션의 오해가 있어 최고경영층의 의견이 말단에까지 제대로 침투될 리가 없다.

5장 조직문화의 멘토링 가치관

오늘날 조직문화 운동의 일환으로서 멘토링은 하이테크 부작용으로 잃었던 인간성을 회복하고 한마음으로 각 조직에서 멘토와 상사의 협력으로 인간성과 생산성의 균형경영 성과를 도출하는 최적의 프로그램으로 각광받고 있다.

1. 멘토링 Mission 사명

국가 멘토링의 사명은 남북 간을 비롯한 사회 각계각층에서 이데올로기(Ideology)를 지양하고 인간 중심으로 인격 프로그램을 적용하여 정신적·물질적 가치를 나누고 한마음 공동체로서 행복을 실현하고자 함이다.

[인간 Human]
(1) 인간(Human): 인간 중심을 우선하는 프로그램을 진행한다.
(2) 나눔(Sharing): 멘토의 타인배려 정신으로 물질과 재능의 나눔을 실현한다.
(3) 행복(Happiness): 전 구성원의 역량결집으로 조직을 성장시키고 나눔을 통하여 행복한 공동체를 구축한다.

2. 멘토링 Value 핵심가치

[인격 Personality]
멘토링의 핵심가치는 인격을 주제로 ① 지적 가치, ② 정서가치, ③ 의지가치를 균형 있게 개발하는 프로그램이다.

3. 멘토링 Vision 비전

[리더 Leader]
국가 멘토링의 비전은 개인/조직/사회/국가의 전 영역에 멘토링 프로그램으로

인격왕국을 건설하여 각 영역에서 인격적으로 존경받는 리더를 개발하는 데 비전을 두었다.

인격리더 역할 1. 넓은 인격개발로 윤리 리더십을 회복한다.
인격리더 역할 2. 국가 품격을 높여 선진국 대열에 진입한다.
인격리더 역할 3. 세계평화와 인류공헌에 기여하고자 한다.

Theme 3

한마음 조직별 문화 구축 방법

기업, 학교, 대학, 교회, 정부기관 등 조직문화의 주제를 한마음 멘토링으로 설정하고 실천사항으로 엄한 아버지와 같은 상사와 따뜻한 어머니와 같은 멘토와의 협력으로 인간성 바탕 위에 생산성 효과를 얻고자 각 조직 영역에 멘토링 한마음 행복 프로젝트를 진행한다.

오늘날 경영현장에서 더 많은 급여를 직원에게 주는 것보다 더 중요한 것은 직원들의 행복, 즉 삶의 질을 높이는 데 있다. 따라서 직원들에게 최고의 복리후생을 제공하기 위해 노력하고 구체적으로 멘토를 통한 개인 만족감과 상사를 통한 조직의 효율성으로 균형경영이다.

1. 한마음 조직별 멘토링시스템 필요성

한마음 조직별 멘토링시스템 도입을 위해서는 조직별로 특성을 감안해서 적용 프로그램을 선택하는 것이 효과적이다. 기업, 학교, 대학, 교회, 정부기관 등 5가지 조직에 필요한 프로그램을 소개한다.

조직 1. 기업 시스템
현행 집단교육은 갈수록 고비용 저효율이라는 차원에서 문제가 심각하다. 멘토링은 그에 최적의 대안으로 중간지도자인 멘토를 세워 1대1 인재개발 체제로 저비용 고효율뿐만 아니라 핵심인재 개발과 사원역량 조기개발에 혁신적인 프로그램으로 인정받고 있다.

조직 2. 학교 시스템

학력 위주(Hightech)의 학습 풍토는 살벌한 경쟁심을 유도함으로써 사제 간, 학생 간이 모래알 같은 분위기가 되어 전인교육을 지향하는 학교 교육에 치명타를 안겨주고 있다.

멘토링은 멘토와 멘제 간에 1대1 관계로 교사와 교사, 학생과 학생 간 따뜻한 인정(High‒touch)이 우선적으로 베풀어짐으로써 자연스럽게 인성교육의 장(場)이 마련되게 된다.

조직 3. 대학 시스템

대학에서 멘토링의 필요성은 먼저 엘리트 의식의 딱딱한 조직분위기를 형제와 자매와 같은 부드러운 분위기를 유도할 뿐 아니라 지적(知的) 면에도 살벌한 경쟁의식에서 남을 챙겨 주는 포용력을 발휘함으로써 대학분위기를 인간성 바탕 위에 자발적으로 고차원의 학업 성취를 달성하는 데 필요한 제도이다.

조직 4. 교회 시스템

모세가 평신도를 개발하여 중간지도자에게 업무를 위임한 사례와 같이 오늘날 목회 현장에 평신도 멘토제를 도입하여 의사소통이 원활한 목회(Two way)를 지향해야 한다. 아울러 멘토링에서는 예수님이 소수 중심으로 따뜻한 인정을 베푸는 멘토링(High touch) 목회로 전향할 때가 되었다고 본다.

조직 5. 정부기관 시스템

일반적으로 상하 직급 체계가 분명한 공직사회를 경직된 조직이라고 한다. 상하 간에 대화와 소통이 부족하고 부서 간에 업무 협조에 인색한 실정이다. 멘토링은 인간성 경영 프로그램으로 상하 간의 소통 원활과 멘토와 멘제 간의 수평적 연결로 부서 간 화합을 함께 이룰 수 있어 업무능률의 배가 효과를 거둘 수 있다.

2. 조직별 적용 영역

조직별	한마음 영역	멘토링 활동테마
기업 학교 대학 교회 정부기관	상하 간 한마음	1. 신입직원, 신입생, 새 신자 등 정착 2. 상하 간 대화소통 3. 경력개발 촉진
	부서 간 한마음	1. 부서 간 업무능력 2. 지식 나눔 경영
	노사 간 한마음	1. 노사화목관계 2. 노사화목캠프 3. Slump 회복

Step 1. 한마음 교육과정 체험학습

Step 2. 한마음 미팅활동 체험학습

Step 3. 한마음 현장답사 체험학습

Step 4. 한마음 멘토링 4 – Process

Step 1. 한마음 교육과정 체험학습

지난해 한국보건사회연구원이 경제협력개발기구(OECD)와 유럽연합의 '웰빙과 사회진보 측정' 워크숍에서 제안된 '국가행복지수(NIW)'를 바탕으로 각국의 행복 수준을 측정한 결과를 보면, 우리나라는 경제협력개발기구 회원국 30개국 가운데 25위에 머물렀다. 특히 금년 초 조선일보에서 발표한 행복지수 통계자료는 10개 국 중 최하위를 차지하고 국민 7%만이 행복을 느낀다는 자료와 이와 같이 낮은 점수는 돈에 행복의 기준을 둔다는 것이다.

멘토링의 행복지수 대안은 참여자들에게 상호 인격적인 면에서 존경과 한편 멘토링 활동을 성공적으로 수행함으로써 교인 개인의 행복감과 조직의 효율성을 얻기 위함이다.

이를 위하여 멘토링 활동에서 핵심역할을 담당하여 성공 여부를 쥐고 있는 멘 토를 체계 있게 양성하여 책임감과 목표의식을 분명히 하고 역할 촉진을 강화하 기 위한 교육과정이다.

[한마음 멘토양성 교육과정]

- Combi 멘토: 12개월 1대1 멘토링 활동에 기본적으로 지원하는 멘토 학습과정이다.
- Golden 멘토: 멘제를 인재개발차원에서 리더십 개발을 지원하는 학습과정이다.
- Best 멘토: 조직 내 핵심인재 개발 대상으로 지원하는 학습과정이다.
- 전문교육: 멘토양성교육 커리큘럼(Curriculum)
- 특강교육: 행복 Happy – Plus 커리큘럼 Curriculum

1. 전문교육: 멘토양성교육 커리큘럼(Curriculum)

1) 교육목적

멘토링 활동의 성공률을 높이기 위하여 먼저 멘토를 전인적으로 체계 있게 양성하여 직원행복, 직장행복, 고객행복을 목적으로 하고, 특히 멘제의 특성과 눈높이게 맞게 멘토를 개발하는 과정이다.

2) 교육대상

멘토 대상자, 인재개발 위치에 있는 관리자, 등

3) 교육과정

(1) Combi 멘토: 12개월 1대1 멘토링 활동에 기본적으로 지원하는 멘토 학습과정이다.

(2) Gold 멘토: 멘제를 인재개발차원에서 리더십 개발을 지원하는 학습과정이다.

(3) Best 멘토: 조직 내 핵심인재 개발 대상으로 지원하는 핵심인재 멘토 학습과정이다.

Module 인간경영총서 10권	Combi Mentor	Gold Mentor	Best Mentor
1. 인간경영 이해 Story	0.5	2	4
2. 인간경영 스킬 Skill	3.0	8	8
3. 인간경영 리더십 Leadership	1.0	2	8
4. 개인-인간 경영 게임 Game	3.0	4	12
5. 조직-인간 경영 도구 Tool		2	4
6. 인간경영 전략 Strategy			4
7. 인간존중 경영 Humanity			4
8. 생산성과경영 Management			4
9. 인간경영 매뉴얼 Manual			4
10. 인간경영 사례 Case Study	0.5	2	8
합계	8H	20H	60H

4) 교육의 효과

(1) 멘토링 원리와 현장 프로그램에 대한 올바른 이해를 갖는다.

(2) 멘토/멘제 상호 간 관계 촉진 커뮤니케이션이 원활해진다

(3) 멘토/멘제가 미팅 시 소재개발에 아이디어를 갖게 된다.

(4) 멘토십이 개발되어 멘제를 양육하는 데 노하우를 갖게 된다.

(5) 멘토는 리더십이 개발되어 조직의 핵심인재로 인정받게 된다.

2. 특강교육: 행복 Happy-Plus 커리큘럼 Curriculum

(1) 교육목적: 멘토링 활동을 통해 직원행복, 직장행복, 고개행복 방법을 학습과정

(2) 교육대상: 기업, 학교, 교회, 정부기관, 군대, 복지재단 등 임직원, 가족, 고객 등

(3) 교육시간: 04~16H로서 시간 선택이 가능

(4) 교육내용: 멘토링 사례, 행복 Skill-5, 행복Plus, 행복교육, 미팅활동, 현장, 현장답사체험

(5) 교육방법: 수강자를 1대1(멘토/멘제)로 연결하여 특강 교육에 체험학습으로 진행

(6) 교육효과: 멘토링 활동이 가정의 아버지와 같은 상사와 어머니 같은 멘토를 통해 행복한 직장 만드는 방법을 숙지한다.

Hour	주제	Contents	진단Sheet	참고도서
2H	NO-1 행복 사례	1. 스타사례-김연아/오서 2. 역사사례-'상도' 임상옥 3. 경영사례-동양기전	우리 직장 행복지수는 몇 점인가? [진단주제] 1. Humanity 2. Two Way 3. CRM 4. High touch	1. 멘토링 활동촉진기술 2. 멘토링 인간존중경영 3. 내 인생을 변화시킨 멘토
2H 10H	주제-2 행복 Skill	1. 행복 칭찬 Skill 2. 행복 소통 Skill 3. 행복 감성 Skill 4. 행복 창의 Skill 5. 행복 열정 Skill		
2H	주제-3 행복 Plus	1. 멘토링과 행복 Plus 2. 경영모델 Jim Goodnight 3. 성경모델 룻/나오미 4. 우수 멘토 선정하기 5. 현장-장학재단 Korment		
2H	주제-4 행복 체험	1. 행복 교육과정 체험 2. 행복 미팅활동 체험 3. 행복 현장답사 체험		

Step 2. 한마음 미팅활동 체험학습

1. 개인: 인간성 체험활동 주제
2. 조직: 생산성 체험활동 주제

1. 개인: 인간성 체험활동 주제

1) 개인의 콤비 미팅체험방법

멘토와 멘제가 콤비(Combi)로 멘토링 12개월 활동을 개시하는 과정으로 주간, 월간 등으로 미팅주기를 정하여 습관적으로 미팅이 이루어지는 것이다.

2) 미팅 소재개발 방법

멘토/멘제의 미팅 시 소재는 멘토가 별도 프로그램 없이 자신의 내적 핵심역량을 멘제가 미팅 시마다 문답식으로 제공하는 방법과 별도로 행복에 관한 소재를 프로그램으로 준비해서(행복기술-5 등) 활용하는 방법이 있다.

3) 행복기술-5 활동소재

아래에 소개하는 행복기술-5를 세부소재로 한 내용은 멘토링코리아에서 개발한 인격보완 프로그램으로 칭찬, 소통, 감성, 창의, 열정 기술을 개발하는 방법이다

STEP	행복주제		참고도서
1	Pygmalion	칭찬 기술 개발	1. 멘토링 활동촉진 기술
2	Communication	소통 기술 개발	2. 멘토링 인간존중 경영
3	Emotional	감성 기술 개발	
4	Creativity	창의 기술 개발	
5	Passion	열정 기술 개발	

2. 조직: 생산성 체험활동 주제

1) 한마음1: 신규직원정착 멘토링

추진배경	현재 우리 조직사회는 20대 성인 초기에 진정으로 마음을 열고 대화를 나눌 상대를 찾는 것에 꽤나 힘겨워하고 있는 실정이다. 학교를 갓 졸업하고 직장 초년병으로서 호기심과 두려움의 연속이라고 볼 수 있다. 특히, 가정과 학교생활은 유달리 한국적인 학력우위 의식에서 수년간의 자유 분망한 생활이 지속되고 마침내 준비 없이 사회에 첫발을 내딛게 된다. 그러나 직장은 이러한 20대의 특수성을 감안하지 않고 길들이기식의 신규직원 교육이 이어져 순간적인 효과는 있으나 미봉책에 불과하다. 이제는 새로운 틀인 1대1 멘토링 기법으로 고효율 저비용의 효과를 얻고자 한다.
추진기본 사항-5	• 활동목표: 신규직원 정착률 향상 멘토링 • 활동기간: 12개월 • 활동始終: 2012. 7. 1~2013. 6. 30. • 멘제기준: 신입사원사원(또는 신입 6개월 미만인 자 등) • 멘토기준: 선배사원(또는 2~5년차 선배사원)
기대효과	신규직원 멘제에게 멘토를 연결하여 직장생활에서 다양한 정보와 지식을 제공함으로써 성장잠재력을 개발하고 나아가 자기개발의 기회를 제공한다. -회사에서 신규직원 멘제들이 겪는 심리적, 사회적, 정서적 문제에 대한 유경험자 멘토들의 조언과 함께 고민(Slump)을 풀 수 있는 자리를 마련해 준다. -신입사원 멘제들이 형님과 같은 멘토들과 교류기회를 확대하여 동료의식을 고취하고 신속한 적응을 유도하여 정착률을 향상시킨다.

2) 한마음2: 마음회복(Slump)관리 멘토링

추진배경	우리의 조직은 객관적이고 공정한 업무처리를 필요로 하는 집단이기 때문에 결재과정에서 상급자와 의견충돌이 생기거나 간혹 개인의 욕구와 조직의 욕구가 상반되게 나타나기도 한다. 이런 때일수록 개인에게는 부담이 되어 마음에 상처를 입게 되고 조직을 떠나거나 불만의 생애를 내부에서 키우는 형태로 나타난다. 이뿐만 아니라 가정에서 생긴 일 등 외부의 문제들이 근무에 막대한 영향을 끼쳐 특별히 사전에 상담과 조정으로 이러한 Slump사원의 마음회복 관리멘토링이 수시로 필요로 하게 된다. 1) 두 사람 연결내용에 관한 보안을 철저히 유지한다. 2) 1개월에 한 번씩 중요문제는 모니터링한다. 3) 수시로 멘토/멘제 관계에서 이상 유무를 점검한다. 4) 두 사람 간의 중요사항은 경영자까지 결재를 통해 해결한다. 5) 3개월에 한 번씩 쌍별과 그룹평가한다.
추진기본 사항 - 5	• 활동목표: 마음회복관리 멘토링 • 활동기간: 12개월 • 활동始終: 2012. 7. 1~2013. 6. 30. • 멘제기준: Slump사원(Slump ,보직, 연봉, 진급, 가사, 개인진로문제사원) • 멘토기준: 관리자급사원(관리자급 이상에서 우수모범자 선정)
기대효과	1) 조직구성원 간의 끈끈한 우정과 인간관계가 구축된다. 2) 멘제는 배려해주는 멘토와 신뢰와 존경으로 한마음이 된다. 3) 부하직원들의 고민(Slump)을 사전에 해결할 수 있는 기회를 얻는다. 4) 상호 커뮤니케이션이 원활해짐으로써 한마음 공동체가 이뤄진다. 5) 상호 남을 배려하는 마음으로 결국 애사심으로 연결된다.

3) 한마음3: 노사화합촉진 멘토링

추진배경	노사화합 멘토링은 오늘날 경영현장에서 상호대립 관계에 있는 노사관계를 상호공존 관계로 전환하기 위한 노사화합 한마음기법으로 개발한 것이다. 한편 현장에서는 노조 지도자들이 노조원 전체 이익이 아닌데도 전체 이익인 것처럼 강성으로 행동하고 있다. 노조 지도자들이 일반 노조원의 이익을 대변하고 경영진과 이익을 공유할 수 있는 정책을 내놓아야 한다. 경영자와 사원 간, 신입사원과 기존 사원 간, 선배사원과 후배사원 간을 멘토와 멘제로 캠프과정 Workshop에서 1대1로 결연식 행사를 갖고 그 후 12개월간 각 쌍별로 멘토링 활동을 통하여 구성원 간 특별히 노사 간 인간관계를 촉진함으로써 한마음이 되어 조직의 개인의 만족감과 효율성에 기여할 수 있도록 지원해 주는 프로그램이다.
추진기본 사항 - 5	• 활동목표: 노사화합촉진 멘토링 • 활동기간: 12개월 • 활동始終: 2012. 7. 1~2013. 6. 30. • 멘제기준: 신입 및 후배사원, Slump사원(또는 신입 및 일반 및 평사원) • 멘토기준: 선배 및 간부사원 경영임원(또는 모범 및 우수사원)
기대효과	1) 멘토링 활동으로 경영자와 사원 간 협력과 공존관계가 이뤄진다. 2) 멘토/멘제 상호 간 관계촉진 커뮤니케이션이 원활해진다. 3) 멘토링 활동을 통해서 상대방을 배려하는 마음을 갖게 된다. 4) 멘토십이 개발되어 상급자는 부하직원의 양육 노하우를 갖게 된다. 5) 멘토링 활동으로 애사심이 배가되고 생산성 향상으로 이어진다.

4) 한마음4: 지식재능개발 멘토링

추진배경	사람들이 회사를 떠나는 근본적인 이유 중 하나는 바로 '상사와의 관계의 질'에 있다. 갤럽(Gallup)의 연구결과에 의하면, 조직 내에서 직속상사의 관계는 구성원의 직무 만족과 생산성을 결정하는 핵심요인이 된다고 했다. <멘토/멘제 관계리더십 촉진 프로그램> 1) 상호 간 성격분석(Lynchpin Game)을 통하여 유형에 따라 대응을 하도록 한다. 2) 인간성 위주의 프로그램(Star Game)으로 상호 인간관계를 촉진한다. 3) 칭찬기법(Pygmalion Game)을 학습하여 상대방을 칭찬으로 분위기를 조성한다. 4) 상대방의 니즈(Needs)와 가치관을 자세히 파악하여 상호 만족을 얻도록 한다.
추진기본 사항 – 5	• 활동목표: 지식 재능개발 멘토링 • 활동기간: 12개월 • 활동始終: 2012. 7. 1~2013. 6. 30. • 멘제기준: 후배인 부하직원을 멘제로 선발(또는 입사 5년 미만 사원) • 멘토기준: 선배인 관리자 및 간부사원을 멘토로 선발(또는 입사 10년 이상 사원)
기대효과	1) 조직 내 상·하급자 간의 끈끈한 우정과 인간관계가 구축된다. 2) 멘제는 다양한 정보와 지식을 제공받음으로써 재능개발이 촉진된다. 3) 후배직원들의 고민(Slump)을 사전에 해결할 수 있는 기회를 얻는다. 4) 상호 커뮤니케이션이 원활해짐으로써 교류가 확대되어 암묵지에서 형식지로의 활동이 촉진된다. 5) 남을 배려하는 마음에서 개인보다 조직 중심으로 개인의 역량 결집이 애사심으로 연결된다.

5) 한마음5: 독서인재개발 멘토링

추진배경	21세기 사회는 정보와 지식이 대량으로 생산, 유통되는 지식정보화 사회이다. 지식정보화사회의 지식과 정보의 특징은 ① 정보와 지식의 멀티미디어화(정보지식저장매체) ② 정보지식생산자의 "누구나"화(생산자) ③ 생산, 유통의 글로벌화(생성 및 전파지역) ④ 정보지식수명의 단축(과학기술 발달속도의 가속화) 등으로, 업종을 막론하고 차세대 경영자는 정보와 지식의 홍수시대에 필요한 정보지식을 판별, 선택, 해독하여 본인의 과업 수행에 활용할 줄 아는 능력이 매우 중요하다. 독서능력의 중요성은, 4대 언어능력(communication skills) 중 읽기(Read)가 다른 세 가지 능력의 기초가 되는 점으로 볼 때, 아무리 강조해도 지나치지 않으며, 유능한 지도자는 의사소통능력이 뛰어나지 않으면 안 된다. 독서에 의한 인재개발 멘토링은 최소한의 비용과 시간에 의하여 새로운 지식정보를 입수, 이해, 습득하는 능력과 1대1 토의에 의해 사고력과 창의력을 개발할 수 있는 최상의 방법이다. 특히 금번 멘토링 활동 목표(Program)를 "독서인재개발"로 설정한 이유는 최소의 비용과 시간투입에 의한 지식경영시대 최상의 차세대 지도자 양성 방안이라고 판단되기 때문이다. 멘토링 프로그램을 도입하여 기존의 독서통신교육의 틀을 벗어나 새로운 방식으로 선배 멘토사원과 후배 멘제사원을 1대1로 연결하여 커뮤니케이션 능력 개발과 공통의 가치관 공유에 좋은 실적을 거두고자 한다.

추진기본 사항 – 5	• Project명: 독서인재개발 멘토링 • 활동기간: 12개월 • 활동始終: 2012. 7. 1~2013. 6. 30. • 멘제기준: 후배사원(사원~대리) • 멘토기준: 선배사원(과장~부장)
기대효과	1) 정보와 지식습득 능력이 향상된다. 2) 커뮤니케이션 능력이 개발된다. 3) 멘토와 멘제가 같은 책을 읽고 토의함으로써 공통의 가치관, 경험의 공유가 가능하다. 4) 리더십이나 인성개발 분야뿐 아니라 특정기능분야가 개발된다(인사, 재무, 마케팅, 생산관리 등). 5) 능력개발 독서 멘토링도 가능하다.

6) 한마음6: 경력학습개발 멘토링

추진배경	조직성장의 핵심역량과 경쟁력은 물적 자원보다는 인적자원에 더 많은 비중이 실려 있으나, 조직구성원들은 자신의 업무에 쫓기다 보면 사실상 중요한 자신의 경력개발에 소홀해지기 쉽다. 이때 조직의 경험자이자 선배가 인생의 상담자이자 후건인으로서 믿을 만한 프로그램에 의거하여 자신의 경력개발을 지도해준다면 자신의 잠재능력 개발은 물론 조직과 인생에 있어서의 성공을 이룰 수 있다. 조직에서 인적자원에 대한 잠재능력 개발과 지속적인 성장을 할 수 있는 경력개발을 지원하는 것은 조직의 백년대계를 위한 매우 중요한 사안이다. 그런데 21세기의 가장 좋은 경력개발 프로그램은 ① 조직의 선배가 조직의 인사경영정책에 연계하여 ② 후배와 함께 경력개발을 설계하고 ③ 체계적으로 가장 효과적인 코칭과 지도를 하는 것이다. 바로 본 멘토링 프로그램이 가장 체계적이며 효과적인 시스템으로 진행하는 경력개발 프로그램이다.
추진기본 사항 – 5	• 활동목표: 경력개발 멘토링 • 활동기간: 12개월 • 활동始終: 2012. 7. 1~2013. 6. 30. • 멘제기준: 저경력사원 및 신입사원, 전입사원(또는 현 보직 6개월 미만인 자) • 멘토기준: 고경력 및 자격소지사원(또는 현 업무 10년 이상인 경력사원)
기대효과	1) 구성원의 자아실현을 위한 효과적인 인생설계의 지도가 이뤄진다. 2) 선배 멘토의 경력개발에서 배우는 멘제 자신의 경력개발이 촉진된다. 3) 조직 내 선·후배 간의 끈끈한 우정과 인간관계가 구축된다. 4) 선배/후배 간 자신의 경력을 개발하며 상호 학습이 이뤄진다. 5) 상호 아이디어로 조직 업무 추진에 시너지 효과를 창출할 수 있다. 6) 조직목표에 대한 일체감 형성으로 업무의 질적 향상을 이룬다.

7) 한마음7: 업무능력향상 멘토링

추진배경	1. 추진목적 자율학습 멘토링 프로그램으로 현재 다루고 있는 정규업무를 전문가, 경력자, 자격자로 업그레이드하는 것을 목적으로 한다. 2. 추진업무 1) 인사조직업무 2) 재무회계업무 3) 생산관리업무 4) 마케팅업무 5) 경영전략업무 6) 기타 단위조직마다 특성에 맞게 업무조정 3. 추진단계 Step 1. 신입단계(Getting): 1대1 신입사원의 정착민 업무 조기 숙달단계 Step 2. 성장단계(growing): 1대1 OJT 멘토링으로 기본업무 숙지단계 Step 3. 유지단계(Keeping): 1대1 경력자, 전문자, 자격자로 업무개발단계 Step 4. 리더단계(Leadering): 1대1로 각 부서 리더인 핵심인재로 개발단계
추진기본 사항 - 5	• 활동목표: 업무능력향상 멘토링 • 활동기간: 12개월 • 활동始終: 2012. 7. 1~2013. 6. 30. • 멘제기준: 해당업무 신입사원, 전입사원 미숙사원 등(해당업무 업그레이드 대상사원) • 멘토기준: 해당업무 경력 및 전문사원(관리자급 이상에서 우수 선정)
기대효과	1) 자율학습으로 업무능력 향상으로 전문가 경영자를 양성한다. 2) 개인의 만족감과 조직의 효율성으로 개인과 조직이 상생한다. 3) 체계적인 인재개발로 인간성 바탕 위에 생산성 효과를 얻는다. 4) 자율적인 사명감으로 저비용 고효율의 효과를 얻는다. 5) 조직의 업무가 전략적으로 이루어져 조직의 충성도를 높인다.

8) 한마음8: 핵심인재개발 멘토링

추진배경	앞으로 핵심인재로 세울 멘제와 핵심업무에 종사하는 멘토를 연결하여 조기 전력화시키는 프로그램으로 특히 상하 간 대화 촉진과 부서 간 업무 협조를 우선 배려하면서 추진한다. 1) 인간성 차원: 멘토와 멘제 상호 간 신뢰와 존경으로 먼저 한마음 공동체로 관계를 촉진한다. 2) 생산성 차원: 경영고유업무인 인사조직, 재무회계, 마케팅, 생산소나리, 경영전략 중에서 핵심업무를 선정하여 멘토를 통해 12개월 동안 집중적으로 기술, 지식, 노하우 등을 전수한다. 3) 리더십 차원: 멘토의 전인적인 리더십으로 지적, 정적, 의적 면에서 멘토링 방식의 핵심인재개발 요건을 작성하고 전수한다. ① 선후배 대화 활성화 ② 부서 간 업무 협조화 ③ Human Net Work 형성

추진기본 사항 - 5	• 활동목표: 핵심인재개발 멘토링 • 활동기간: 12개월 • 활동始終: 2012. 7. 1~2013. 6. 30. • 멘제기준: 후배사원사원(진급 예정자나 진급자 핵심업무 맡을 자) • 멘토기준: 리더십이 있는 관리자급 이상(관리자급 이상에서 멘제 인원만큼 선발한다)
기대효과	1) 상급자와 하급자 간에 대화가 원활해진다. 2) 타 부서와 업무협조가 원활히 이루어진다. 3) 사내업무가 전략적인 차원에서 협조가 된다. 4) 멘토그룹의 미팅효과로 인재개발 노하우가 축적된다. 5) 자율학습 인재개발차원에서 조기전력화의 효과를 거둔다.

9) 한마음9: 핵심역량개발 멘토링

추진배경	조직구성원 중 일정 직급 이상을 멘토로 역할을 지정하고 먼저 인격프로그램을 개발하여 인간성 바탕 위에 핵심역량으로 생산성을 높여 역량 결집으로 인재경쟁력을 강화한다. 특히 구성원 개인의 암묵지를 형식지로 개발하며, 형식지를 네트워크화하여 체계적으로 관리하고, 핵심역량을 이전(Sharing)함으로써 전사의 지식자원을 한 단계 업그레이드하여 지식경쟁력을 갖춘다. <핵심역량대상> 1) 전문지식 2) 핵심기술 3) 노하우 업무 4) 특수 정보 5) 자격, 특허, 지적재산권 등 6) 인간개발로 [인간가치-5], [인간기술-5], [인간생애진단-5]를 인간성 개발도구로 활용한다.
추진기본 사항 - 5	• 활동목표: 핵심역량개발 멘토링 • 활동기간: 12개월 • 활동始終: 2012. 7. 1~2013. 6. 30. • 멘제기준: 핵심역량을 얻고자 하는 사원(회사 핵심업무나 일반 핵심역량을 얻고자 하는 사원) • 멘토기준: 관리자급 사원(일정 직급 이상 핵심역량을 소지한 우수사원 선정)
기대효과	1) 지식경영 활성화로 회사 핵심역량 노하우를 보존한다. 2) 구성원의 역량집결로 조직의 인재 경쟁력을 갖춘다. 3) 잠재된 암묵지를 형식지화로 전 직원의 지식경쟁력을 갖춘다. 4) 인간성 개발 프로그램으로 인간성/생산성 균형경영이 이루어진다. 5) 상호 남을 배려하는 마음으로 결국 애사심으로 연결된다.

Step 3. 한마음 현장답사 체험학습

1. 행복촉진 현장답사 소재

멘토링 활동에서 행복개발을 촉진할 수 있는 가장 핵심적인 요소는 타인배려 차원에서 상대인 멘제의 니즈(Needs)와 가치관을 정확히 파악하는 것이다. 아래 주어진 소재 중에서 각각 우선순위 5가지를 선정하고 집중처리하면 된다.

의사가 환자를 옳게 진단함으로써 신속 정확하게 치료하듯이 멘토도 현재 상태에서 멘제의 내적인 욕구를 정확히 판단한다면 중보기도와 함께 전문가에 의뢰하여 단시간 내에 필요 적절한 대응책을 강구할 수 있으므로 타인의 만족감과 행복표현으로 이어진다. 멘토링 균형경영은 개인 만족감과 조직의 효율성을 거두는 것이다.

1) 타인배려 멘제의 가치관 분석

가치관에 관한 설문	순위	가치관에 관한 설문	순위
1. 출세하기 위해서		6. 가족과 행복한 삶을 위하여	
2. 일(업무)이 좋아서		7. 신앙적인 사명에서	
3. 돈 벌기 위하여		8. 부모에게 효도하기 위하여	
4. 인맥을 넓히기 위하여		9. 직장 친구를 사귀기 위해서	
5. 특정한 사명을 위하여		10. 전공을 살리기 위하여	
(시민운동, 민주화, 환경운동 등)		11. 특정한 사람을 도와주기 위하여	

2) 타인배려 멘제의 니즈 분석

Needs에 관한 설문	순위	Needs에 관한 설문	순위
1. 학위 취득		9. 유학 가기	
2. 승진하기		10. 건강문제	
3. 연봉 책정하기		11. 주택문제	
4. 자격 취득하기		12. 신용카드문제	
5. 상급자와 관계		13. 가정문제	
6. 교육 수강하기		14. 결혼문제	
7. 신앙에 관한 문제		15. 부부간에 문제	
8. 보직에 문제			

2. 행복촉진 생산성 체험현장 소재

멘토링 활동에서 균형경영에는 인사조직관리, 재무회계관리, 제품생산관리, 영업마케팅관리, 경영전략 등 5가지로 구분하여 인간성과 생산성과의 균형이 이루어질 때 명실 공히 균형경영으로 저비용 고효율의 성과를 기대할 수 있는 것이다.

특히 멘토링 활동 12개월 기간 중에 5가지 경영관리를 소분하여 목표를 정하되 숙달기간을 백분율로 사전에 정하여야 한다. 그리고 활동하는 중 목표 진전율을 기간이나 %로 표시하면 된다.

1) 업무 목표 리스트

NO	관리분야 - 5	세부사항 목표	목표 진전 비율			
			1차	2차	3차	
1	인사조직관리	인재개발 업무목표				
2		조직개발 업무목표				
3	재무회계관리	자금관리 업무모표				
4		결산세무 업무목표				숙달률
5	제품생산관리	계량제 업무목표				100%
6		생산수율 업무목표				
7	영업마케팅관리	상품관리 업무목표				
8		매출액관리업무목표				
9	경영전략관리	경영전략업무목표				
10		전산시스템 업무목표				

3. 행복 Plus 소통지수 진단 Worksheet

1) 소통지수 측정방법

오늘날 우리 사회는 정보와 다양화 특성의 다양화로 인하여 남다르게 소통에 대한 준비 없이는 고통이 따르고 관계를 이어가기 어렵고 힘든 사회이다. 소통하기 위해서는 효과적 커뮤니케이션이 필요하며 먼저 타인을 배려하는 입장에서 생각하고 경청에 유의해야 한다.

소통을 위해서는 피나는 연습과 노력이 필요하다. 시스코의 존 챔버스 회장은 난독증이었으며 처친 말더듬이였음에도 불구하고 대중과 소통하기 위해 피나는 노력연습을 했다. 우리의 소통지수를 알아보고 필요한 부분을 적극적으로 개선하기 위해 노력해 보기로 하자. 다른 사람을 만나는 상황을 머릿속에 그리며 테스트 해보라.

5점 항상 그렇다.

4점 대체로 그렇다.

3점 보통이다.

2점 대체로 그렇지 않다.

1점 전혀 그렇지 않다.

2) 소통지수 자기 진단 Sheet

NO	원칙	자기진단내용	Check
1	공감 원칙	다른 사람을 만날 때 상대방과의 차이를 인정하는가?	
2		상대방에 대해 알고자 노력하는가?	
3		상대방의 심정과 생각을 이해하고자 노력하는가?	
4		자기 이야기를 격의 없이 질문하는 편인가?	
5	경청 원칙	말하기보다는 상대방의 이야기를 듣는가?(양적 입장)	
6		상대방의 이야기를 진지하게 깊게 듣는가?(질적 입장)	
7		사람을 만날 때 의상과 외모에 신경을 쓰는가?	
8	통합 원칙	말할 때 상대방을 설득하기 위해 제스처를 사용하는가?	
9		이야기할 때 상대방과 눈을 마주치는가?	
10		상대방에게 부드럽게 이야기하는가?	
11	스토리텔링 원칙	상대방과 막힘없이 많은 이야기를 할 수 있는가?	
12		다른 사람의 이야기를 하는 등 사례를 많이 말하는가?	
13		상대방에게 말할 때 조리 있고 짜임새 있게 이야기하는가?	
14	명료성 원칙	상대방에게 말할 때 이야기 주제가 명료한가?	
15		상대방에게 말할 때 주제가 논리적이고 출처가 분명한가?	
16	반복 자극 원칙	상대방에게 자기 주장을 반복해서 설득하는가?	
17		타인과 만날 때 자기만의 매력을 보이려고 노력하는가?	
18		누군가를 만났을 때 타인을 배려하는 매너가 있는가?	
19	진정성 원칙	누군가 만났을 때 상대방에게 집중하는가?	
20		상대방에게 하고 있는 말과 행동이 일치하다고 보는가?	

4. 행복 Plus 열정지수 진단 Worksheet

열정지수(P. I)는 현재 회사의 환경분석으로 구성원 개인의 만족감과 행복정도를 측정해 보는 것이다.

NO	설문항목	4	3	2	1	0
1	힘든 시기에 직원들 대부분이 110%의 에너지를 발휘한다.					
2	직원들이 타사 동료들에게 회사를 추천한다.					
3	일하기 좋은 직장으로 평이 나 있으며, 좋은 경력의 지원자들이 몰린다.					
4	회사생활에 만족하는 직원이 많다. 즉, 이직이 적다.					
5	직원의 스트레스로 인한 생산력 저하가 적다.					
6	혁신에 대해 끊임없이 고민한다.					
7	고객이 회사와 회사의 제품에 대해 높은 만족도와 충성도를 가지고 있다.					
8	매년 성장을 거듭한다.					
9	기업의 성장에 도움이 되는 직원을 뽑는 능력을 가지고 있다.					
10	기업의 이미지, 재정상황, 성장률에서 국내 랭킹 상위권에 든다.					
11	직원들에게 성과에 따라 충분하게 보너스를 제공한다.					
12	직원들이 창의력을 발휘할 수 있는 프로그램을 가지고 있다.					
13	직원들이 오너의 입장에서 회사에 대해 고민할 수 있는 문화를 가지고 있다.					
14	유통업체, 협력업체들과 좋은 관계를 유지한다.					
15	고객에게 최상의 제품과 서비스를 제공해 고객을 회사 전도사로 만든다.					
16	매출의 50% 이상이 기존 고객들에 의해 발생한다.					
17	직원들에게 적당한 업무시간을 제공하고 시간적 여유를 주고 있다.					
18	크로스 트레이닝(자신의 업무가 아닌 타 부서의 업무도 훈련을 받아 다른 부서에서 인력이 필요할 때 바로 투입될 수 있는 인력)을 하고 있다.					
19	아랫사람들이 자유롭게 상사와 이야기를 할 수 있다.					
20	기업 내부에서 경력을 쌓은 직원들의 승진 기회가 많다.					
21	직원들의 열정을 북돋워주는 프로그램을 상당수 가지고 있다.					
22	인턴십이 채용으로 이어지는 비율이 높다.					
23	타 경쟁사의 능력자들이 우리 회사에 매력을 느낀다.					
24	직원들이 업무시간 외에도 회사에 대해 좋은 말을 한다.					
25	어려운 시기에 직원들이 자발적으로 연봉을 줄인다.					
종합평가(합계 점수)	100~76	75~51	50~26	25~0		
	열정 충만	열정 쌓고	열정 문제	열정 없다		

Step 4. 한마음 멘토링 4 - Process

1. 프로그램 12개월 개요

    오늘날 조직에 적용하는 멘토링의 특징은 도입을 원하는 조직에서 12개월 등 일정기간을 필요로 하는 프로젝트(Project) 개념에서 활동목표에 따라 프로그램이 필요하게 된다.

    왜냐하면 조직에 적용하는 멘토링은 조직의 특성상 투자의 개념과 성과 측정 차원에서 평가가 뒤따르는 것이 필수적이기 때문에 체계적인 시스템으로 접근이 필요하기 때문이다.

    조직 개발용으로 체계적인 프로그램을 제도적 멘토링(Systematic Mentoring)이라 부르며 구체적으로 12개월 동안 준비과정, 도입과정, 활동과정, 평가과정에 적용 하는 프로그램을 말한다.

    특히 다음에 소개하는 4개 과정에 적용하는 4프로그램과 10 - Point, 그리고 컨 설팅 15도구(Tool)는 멘토링 활동을 시스템 차원에서 운영하여 성공적으로 이끄는 전략이다.

2. 미팅활동 12개월 의미(Meaning)

- 12개월은 우리 인생의 삶의 기본 단위로 멘토/멘제가 12개월 활동하는 것은 아주 자연스러운 기간이다.
- 12개월은 조직에서 업무를 정리하고 평가하는 한 회계기간으로 멘토링 활동 도 조직운영의 틀 안에서 이뤄짐으로써 타당한 기간이다.
- 12개월은 직장에서 지원기간으로 특히 신규직원의 이직률이 1년 내 가장 많 은 것도 함께 고려한 기간이다.
- 12개월은 미팅 활동 최소기간으로 조직의 제도적 멘토링 프로그램으로 관리 하고 기간이 종료하면 그 후 자유롭게 전통적 방식의 멘토링으로 전환하여

평생까지 가능하다.

－12개월 동안에 멘토가 멘티를 성숙시켜 자신과 같은 멘토로 재생산하여 다음 기회의 멘토링에서 멘토로 함께 활동하는 것이 최상의 성공 멘토링이다.

일반적으로 사회에서 결혼도 사전에 철저히 준비해서 독립 가정을 이루게 하듯이 멘토/멘티도 12개월 기간에 관리그룹과 운영그룹에서 책임 있게 지원하여 차후 성숙된 멘토링으로 유도하도록 한다.

3. 멘토링 활동 4 - Process

Process 1: 준비과정

준비과정 단계	과정진행프로그램
환경분석	준비과정은 시행 전 3개월 동안 멘토링 활동 12개월 실행을 위하여 콤비 한 쌍 운영매뉴얼을 작성하고 4개 프로그램(관리, 교육, 활동, 평가)을 설계한다.
⬇	조직 환경분석(토양 - Soil - 테스트) 1. HPI 행복지수 진단도구 2. HCI 희망지수 진단도구 3. SWOT 강약지수 진단도구
TF Team ⬇	TF Team 1. 교회 멘토링 위원장 2. 모니터(매니저) 3. 멘토/멘제
운영매뉴얼	운영 매뉴얼 5가지 선행 조건 작성 1. Project(활동목표) 2. 활동기간 3. 활동시종 4. 멘제그룹 5. 멘토그룹

Process 2: 교육과정

교육과정 단계	과정진행 프로그램
멘토/멘제 선정 및 교육 Workshop 겸행 멘토 결 연 식 멘제 1:1 결연식 진행	교육과정은 활동 개시 Workshop을 시작으로 멘토/멘제 상견례 그리고 1시간 정도 CEO 참석하에 결연식 순서를 진행하고 마지막으로 이벤트식 만찬에 멘토/멘제를 초대한다. **교육과정** 전문가과정 20~80H 멘토과정 08~60H 리더십과정 04~40H Workshop 04~20H 인격개발과정 08~40H **결연식** 멘토/멘제 1대1 결연식 프로그램 진행

Process 3: 활동과정

활동과정 단계	과정진행 프로그램
개인/그룹 미팅 모니터링 상담/설문 보고활동 문제점 발견 대응활동	활동과정은 멘토/멘제가 12개월 동안 개인활동, 전체모임인 그룹활동 등을 위한 프로그램이다. 활동 촉진을 위하여 주간별 서비스, 월간서비스, 계간서비스, 마지막 종료 서비스를 제공한다. **주/월간미팅 개인활동** 1. 주간 정기 미팅활동 2. 월간 정기 미팅활동 **월간보고활동** 1. 멘토 월간활동보고서 **계간미팅 그룹활동** 1. 보수교육 2. 중간 평가 3. 그룹친목회

Process 4: 평가과정

평가과정 단계	과정진행 프로그램
멘토링 성과측정 측정결과 토의 ⬇ 결론 ⬇ 상호 존중	평가과정은 멘토링 참가자들에게 책임감과 자부심을 갖게 하는 것으로 정량/정성평가로 구분하여 실시하고 종료 후에 멘토 인증서를 제공한다. 정량평가 1. 유지율 2. 정착률 3. 성과율 4. 확보율 5. 달성률 6. 회수율 정성평가 1. 멘토링 만족도 2. 관계 만족도 3. 활동 만족도 4. 조직 만족도 인증서 수여 1. 멘토인증서 수여

4. 멘토사역 12개월 일정표

멘토링 활동 기간은 바로 멘토/멘제 활동 기간이 기준이 된다. 멘토링 활동 기간 설정은 멘토링 활동 Project에 좌우된다. 특별히 금번에 소개하는 12개월 일정표는 3개월을 준비과정으로 하고 실행과정 12개월로 설정하여 샘플로 소개하는 것으로 조직에서 실정에 맞게 목표선택과 활동기간은 주문형으로 가능하다.

구분	예비1	예비2	예비3	실행1	2	3	4	5	6	7	8	9	10	11	12	비고
<준비과정> 1. 환경분석 2. 시스템구축 3. 매뉴얼작성	□	□	□													
<교육과정> 4. 교육과정 5. 결연식				□												
<활동과정> 6. 주/월간활동 7. 보고활동 8. 계간활동					□	□ □	□		□ □		□	□ □		□	□ □	
<평가과정> 9. 활동평가 정량/정성평가 10. 멘토인정				□		□			□			□			□	

인간존중 한마음 멘토링 전략

1장 인간존중 경영전략 5가지

어떤 조직이든 그 조직을 경영하는 방법도 중요하지만 그 조직이나 방법을 살리는 것은 역시 사람이다. 아무리 완비된 조직을 만들고 새로운 기법을 도입한다고 해도 그것을 활용할 사람이 똑바르지 못하면 성과도 오르지 않고 따라서 조직의 사명을 다할 수 없게 된다. 조직이 사회에 공헌하면서 스스로 융성, 발전할 수 있느냐의 여부는 사람에게 달려 있다. 그러므로 조직운영에 있어서도 먼저 무엇보다도 사람을 구하고 사람을 길러야만 한다.

그렇다면 어떻게 하면 훌륭한 사람을 육성할 수 있을 것인가? 여기에는 구체적으로 여러 가지 방법이 있을 것이다. 기업의 인적 자원은 다른 자원과 달리 그의 관리에 있어서 경제적인 측면의 효율성(생산성=Productivity)과 인간적인 측면(인간성=Humanity) 만족성의 두 가지 목적이 동시에 달성되도록 특히 유의하여야 한다.

즉, 경영의 성과를 도출시킬 수 있는 합리성과 구성원의 욕구를 충족시킬 수 있는 만족성이 동시에 추구되지 않으면 안 된다. 현실적으로 조직 합리성의 추구는 구성원의 만족성을 저해하는 경우가 자주 발생하고 그 반대로 구성원의 만족성 추구는 조직의 합리성 추구를 무시하는 경우를 종종 볼 수 있다. 아래 5가지는 CEO가 갖추어야 할 구성원 인간존중경영 5가지 전략이다.

1. 인간성(Humanity) 경영인가?

먼저 이에 대비되는 단어로 생산성(Productivity)을 들 수 있다. 이 말은 지금까지 우리의 산업현장에서 생산성을 위주로 한 경영방침에서 조직의 구성원들이 생산 수단의 역할을 해왔다는 의미이다. 그러나 21C 오늘의 상황에서 이러한 물적 위주의 경영은 경영 내외(內外)적 환경에서 심한 도전을 받게 됨으로써 부득이 방향 전환을 하지 않을 수 없는 상황에 직면했다. 이러한 시점에서 가장 비중 있게 애용할 수 있는 단어로 필자는 인간성(Humanity) 경영을 멘토링 인재개발 전략의 방향으로 선정한 것이다.

먼저 한 사람 한 사람이 인간성이라는 분모(分母)에 ― 경영자도, 기술자도, 정치가도, 교육자도, 군인도, 목회자도 ― 기능적인 부문을 분자(分子)로 올려놓자는 것이다.

좀 더 구체적으로 거론하자면 멘토링의 인재개발 프로그램은 각 조직에 인간성(Humanity) 80%, 생산성(Productivity) 20%로 적용할 수 있도록 멘토링 프로그램을 체계화했다는 것을 의미한다. 독자의 이해를 돕기 위하여 현재 경영현장에서 다루고 있는 인사관리 업무는 그대로 진행을 원칙으로 한 것이며 위의 수치는 멘토링 시스템이 적용되는 목표 분야에서만 국한하고 있음을 밝혀 둔다.

2. 양방향(Two Way) 경영인가?

일방(Oneway) 경영과 대비되는 단어이다. 일방 경영은 사장이나 일부 지도자들이 경영의 업무를 독점하여 일방적으로 처리하는 것을 의미한다. 이는 사원들을 신뢰하지 못하는 데서 오는 점도 있고 경영자 자신이 만능박사라는 자기도취에서 오는 수도 있다. 아무래도 고도성장에서는 단시간 내에 다량의 물량을 생산하여야 하기 때문에 시간에 쫓기다 보면 그럴 수도 있음 직하다.

그러나 어떤 경우에서든지 경영자의 일방처리는 전 사원의 역량를 모아 시너지 효과를 거둬야 할 때에 결과적으로 많은 두뇌를 잃는 우(愚)를 범하는 것이다.

반면 양방향(Two way) 경영은 일정 업무를 적절히 부서장이나 멘토 사원에게 위임함으로써 사원들로부터 경영의 신뢰를 얻을 수 있고 사원으로서 자부심과 애사심을 쉽게 얻을 수 있다.

멘토링은 경영자의 정규업무에서 다루기 어려운 특수업무(개인일, 가정일, 취미, 특기생활, 동호회 활동 등)를 멘토에게 위임하는 것으로 회사에서 동기부여 등 관심을 갖고 후원하면 사장과 멘토와의 큰 시너지 효과를 얻을 수 있을 것이다.

3. 고객관계관리(CRM) 경영인가?

영어로는 Customer Relation Management의 약자로 '고객관계관리' 기법이다. 이는 회사(Company)의 생산중심의 경영체계를 마케팅, 즉, 고객중심의 체계로 전환하고자 하는 기법으로 고객과의 관계를, 먼저 고객의 인적사항이나 그간 거래사항을 자료(Database)화한 후에 그 자료에 의하여 고객의 취향에 맞게 1대1로 마케팅을 하자는 것이다. 이 CRM은 한 회사가 한 고객이 원하는 한 상품을 서비스해 줌으로써 고객의 만족을 얻어내 재구매의 효과를 얻을 수 있는 것이다.

결국 한 고객을 챙기는 1대1 마케팅을 말한다. 멘토링에서는 바로 이 고객관리 기법인 CRM을 그대로 내부 사원고객에게 적용해 보자는 것이다. 왜냐하면 1대1 기법은 그 원조가 멘토링이기 때문에 너무나도 자연스럽게 도입이 가능한 것이다. 결국 한 사원을 챙기는 1대1 멘토링인 것이다.

사원들도 개개인의 인적사항, 개인성격, 재능, 특기, 취미, 노하우, 기술, 자격, 학위 등의 자료 등을 멘토링 활동에 적용하고 멘토(Mentor)와 멘제(Menger)를 연결하여 그 활동을 지원해주면 만족을 얻어내는 데는 어렵지 않을 것이다.

4. 높은 인성(High Touch) 경영인가?

이는 High Tech라는 첨단지식(High Technology)에 대비되는 단어로 오늘날 과학문명의 발달로 인하여 사람의 기술이나 지식, 즉 과업은 너무 앞서가는데 그에 대비해서 사람끼리 관계, 즉 상호 인성(Touch)도 고도로 깊어져야(High) 균형 있는 사회를 이룬다는 뜻이다.

특히 사람의 속성상 지적(知的) 부문, 즉, 좌측 뇌에 교육을 집중하면 의식화(意識化)되어서 우리가 원치 않는 문제가 발생되는데 타인을 비판하고, 정죄하고, 자기중심적이 되어서 조직의 분위기를 깨는 데 일조(一助)한다는 것이다. 오늘날 우리의 정규교육 현실과 기업의 교육 프로그램은 이러한 현상(現狀)을 급속도로 확산하는 주역(主役)을 담당하고 있다고 해도 과언은 아니다.

반면 멘토링 시스템은 이러한 이념이나 논리로 의식화되어 있는 상황에서 새로운 틀(New Paradigm)로서 경영의 현장에서 인간적인 배려로 업무촉진을 해보자는 것이다. 다수를 관리하고 집단교육하는 데서 오는 문제점을 멘토링에서는 1대1로 관계를 맺어 생활현장에서 개인적인 교제로 감정, 희로애락, 상담, 고백, 나눔 등으로 하이테크(Hightech)를 보완할 수 있는 최적의 하이터치(High Touch) 기법으로 활용해 보자는 것이다.

5. 마음 얻는 리더십(Mindship) 경영인가?

한마디로 사람의 마음(Mind)을 얻어내는 리더십(Leadership)을 의미한다. 그러면 대비되는 용어는 무엇이 있을까? 필자는 궁리 끝에 보디십(Bodyship)을 선택했다.

좀 더 설명을 더 붙인다면 직장에 취업할 때 누구나 제일 먼저 작성하는 서류가 '근로계약서'이다. 여기에는 중요한 사항으로 근로시간이 있는데 일반적으로 하루에 8시간의 근로조건을 제시하고 있다. 이 8시간의 개념은 하루에 노동력, 즉, 보이는 몸(Body) 신체를 그 시간만큼 제공한다는 의미가 담겨 있다. 극단적으로 말한다면 몸으로 8시간만 채우면 되는 것이다.

바로 여기에 경영자의 지혜로운 리더십이 발휘되어야 한다. 몸만 얻는 보디십(Bodyship)의 경영자와 마음까지 얻는 마인드십(Mindship)의 경영자의 경영성과는 어떠할까? 바로 멘토링은 마인드십(Mindship)을 원하는 경영자에게 멘토(Mentor)로 하여금 그 사명을 자연스럽게 이룰 수 있는 계기가 될 것이다.

2장 인간존중지수 체크리스트

(인간존중지수=Human Respect Index=HRI)

1. HRI의 명칭어원

인간존중지수의 어원은 조직에서 경영자의 인간존중 경영환경을 체크하는 차원에서 인간존중지수(Human Respect Index=HRI)를 진단도구로 활용하는 데서 유래한 것이다.

2. HRI의 목적

(1) 조직에서 인간존중의 환경 조성 여부를 인간존중지수(HRI)로 파악한다.

(2) 강점과 약점을 파악하여 멘토링 목표 Projects를 설정하는 데 참고한다.

(3) 조직의 3Win 성공전략으로 '21C 인적 경쟁력'을 갖추는 자료로 활용한다.

3. HRI의 적용방법

제도적 멘토링에서 우선적인 것은 접근대상이 어느 영역에 멘토링을 도입할 것인가이다. 그러하기 위해서는 조직현장에서 인간존중에 관한 현황 파악이 제대로 이루어져야 한다.

(1) 오늘날 대부분 리더들은 '경천애인', '인재제일', '인간중심'의 경영이념을 말하고 있지만 경영현장에는 인간존중에 관한 실행 프로그램은 찾기 힘들다.

(2) 멘토링은 각 조직마다 하이테크 부작용으로 인하여 상실된 인간성을 회복하기 위한 인간존중 실행프로그램이다. 아울러 인간성 바탕 위에 생산성성 효과를 얻고자 하는 것을 목표로 삼고 있다.

(3) 멘토링을 도입하기 전에 먼저 환경분석 기법으로 인간존중 지수측정을 실시할 것을 권한다. 실시 후에는 아래 3가지 효과를 거둘 수 있을 것이다.

효과1: 멘토링을 우선적으로 도입해야 할 분야를 알게 된다.

효과2: 경영자가 측정자료로 인간존중경영을 체계적으로 실행이 가능하다

효과3: 멘토/멘제 등 참여자들이 자부심과 책임감과 회사 충성도가 높아진다.

인간존중지수(HRI) 측정도구

지수목표 인재전략분야		측정분야별 착안점		인간존중지수표 만점 중 - (득점)
① Humanity 전략		한 사람 가치중시 경영인가?		만점 20점 ( )
② Twoway 전략		신뢰와 위임쌍방 경영인가?		만점 20점 ( )
③ CRM 전략		고객과 사원만족 경영인가?		만점 20점 ( )
④ High Touch 전략		생활의 현장인성 경영인가?		만점 20점 ( )
⑤ Mindship 전략		사원의 마음얻는 경영인가?		만점 20점 ( ) 합계( )
탁월 81~100	우수 61~80	보통 41~60	미흡 21~40	부족 0~20

4. 인간존중 진단도구

(1) 본 점검표는 각 회사의 절대평가이기 때문에 설문에는 어느 것이 맞고, 틀리다고 할 필요는 없다. 측정자가 자사의 지금까지 인재경영의 흐름을 사실대로 측정하면 된다.

(2) 이 측정표 작성자는 회사의 전체를 알 수 있는 관리, 인사, 교육, 기획 등의 초급 관리자 중 선발자와 경영간부급에서 선발자로 구분하여 평가하고 그 결과를 비교 분석한다.

(3) 다음의 각 설문을 읽고 2점 만점에 실제 점수를 아래 공란에 기록하라.

탁월	우수	보통	미흡	부족
2	1.5	1	0.5	0

주제	번호	진단설문도구	점수
인간성경영 Humanity	1	우리 조직은 구성원을 위한 포용력이 넓다.	
	2	한 사람의 가치를 업무보다 더 중시한다.	
	3	먼저 적성에 맞게 보직 배치를 한다.	
	4	구성원들이 회사의 비전이나 목표를 뚜렷이 알고 있다.	
신뢰경영 Twoway	5	구성원들을 신뢰하여 위임전결이 확대되어 있다.	
	6	부서간 업무/상하 간 대화가 잘 이뤄지고 있다.	
	7	경영층의 언행일치로 구성원들에게 신뢰도가 높다.	
	8	새 방침 시행 전에 구성원들에게 알려 공감대가 이뤄진다.	
만족경영 CRM	9	우리 조직의 제품이나 서비스 품질은 우수하다.	
	10	구성원들의 전문성을 위하여 적극 투자한다.	
	11	구성원 개인별 자료 파일(Data Base)로 인사를 관리한다.	
	12	경영자가 사원들에게 약속한 내용은 틀림없이 지킨다.	
감성경영 Hightouch	13	구성원들이 특별히 독서를 많이 하는 편이다.	
	14	구성원들의 성격유형과 취미나 특기개발되어 있다.	
	15	가족적인 분위기와 팀워크가 중요시되어 있다.	
	16	업무 이외의 인간적인 배려와 개인생활도 지원해준다.	
마음경영 Mindship	17	고충 처리 등 슬럼프에 빠진 구성원을 바로 챙겨준다.	
	18	공로상, 모범상, 우수상 등 표창을 받은 구성원이 많다.	
	19	구성원들이 일한 만큼 대우를 받아 만족도가 높다.	
	20	우리 조직은 책망보다 칭찬을 훨씬 많이 한다.	
합계		간부급 평균 ( ) 멘토그룹평균 ( )	

3장 인간존중지수 시각화 작성

HRI 측정표에서 5가지 주제별로 각 지수(점수)를 먼저 확인하고서 다음 단계로 들어간다. 아래 별을 보면 각 꼭지별로 5칸씩 나눠 있음을 발견할 것이다. 그러면 각 지수별의 만점은 한 꼭지당 20점이므로 한 칸에 4점씩 배점하여 실득점수를 가지고 큰 원 속에서 오각형(실제 득점 지수)을 그리면 소속회사의 인간존중 지수가 시각화(視覺化)된다.

<실행사례>

차병원 49.9 **한전남동발전** 66.2 **삼성세크론** 46.2 **농림부** 48.1 **우정사업본부** 47.1

*노동부 36.3~54(노동부는 8개월 후에 54로 향상) 한라산업개발 47.8

• 작성자 A:

• 작성자 B:

• 작성일자:

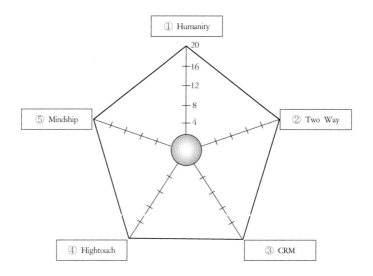

4장 인간존중지수 대안방법

직장명: 부서: 직위: 성명:

영역	Humanity	Two way	CRM	High touch	Mindship	합계
점수						

• 우리 조직의 좋은 점은 무엇인가?

1.

2.

3.

4.

5.

• 우리 조직의 문제점은 무엇인가?

1.

2.

3.

4.

5.

• 우리 조직이 더 좋은 조직으로 되기 위한 대안책은 무엇인가?

1.

2.

3.

4.

5.

Agenda 3

사회에 희망/동행 Plus 멘토링

동행멘토링(Combi)는 사회에 적용하는 사회적 멘토링(Social Mentoring =SOM)으로서 오늘날 이기주의의 편중에서 이타주의로 타인을 배려하여 어른이 청소년을, 그리고 선배와 후배가 한마음으로 하나 되어 사회적으로 아름다운 동행을 이루는 데 놀라운 힘을 발휘하는 균형주의 프로그램이다.

주관: 자율조직으로서 사단·재단법인, 사회단체, 협회 등의 운영자 가 운영이념이나 공익 차원에서 청소년, 노년층, 장애인, 새터민, 다문화 가족 등 사회적으로 도움이 필요한 자들에게 멘토링 관계를 갖게 한다.

Theme

Theme 1

동행 멘토링 개념정리

1장 동행멘토링 개념정리

1. 동행 멘토링 목적

사회 멘토링은 오늘날 이기주의에 편중된 상태에서 멘토링 이타주의 동행프로그램을 보완하여 균형사회로 업그레이드하는 데 있다. 동행멘토링의 특징은 멘토/멘제 상호 간 평등한 인격으로 신뢰와 존경하는 마음을 가지고 둘이서 활동하는 것이다.

2. 동행 멘토링 준칙

(1) 이기주의는 경쟁을 유발하고 이타주의는 배려를 우선한다.
(2) 후진국은 자기 챙김이고 선진국은 타인 배려에 관심이 있다.
(3) 자본주의 4.0 시대는 상호협력 타인 배려로 행복을 공유한다.
(4) 한국은 원조받는 나라에서 원조하는 나라로 격상되었다.
(5) 성경에서는 선한 사마리아인(눅 10:30~37)이 롤모델이다.

3. 오늘날 이기주의 편중 부작용

(1) 이기적 독신주의가 가정 해체의 원인이 된다.

(2) 개인과 집단이기주의가 사회 구석구석에 팽배해진다.

(3) 집결력이 약화되어 공동체 해체위기에 직면한다.

(4) 자기중심 가치관으로 사회혼란이 야기된다.

(5) 자기 합리화로 자기 로멘스를 타인의 불륜으로 평한다.

4. 균형사회=이기주의+이타주의

5. 진단도구

멘토 섬김, 타인 배려, 진단도구

6. 실행 프로젝트

(1) 명칭: 두리두리 동행개발 멘토링프로젝트

7. 성공조건

(1) 상대와 생각을 조심하라, 생각이 말이 된다.

(2) 상대와 말을 조심하라, 말이 행동이 된다.

(3) 상대와 행동을 조심하라, 행동이 습관이 된다.

(4) 상대와 습관을 조심하라, 습관이 인격이 된다.

(5) 상대와 인격을 조심하라, 인격이 자아실현이 된다.

2장 동행 멘토링 휴먼스토리

1. 명사 명언: 파스칼(Pascal, 佛 철학자)

인간은 하나의 연약한 갈대에 지나지 않는다. 모든 자연 중 가장 약한 존재이다. 그러나 그것은 생각하는 갈대이다. 그를 무찌르기 위하여 전 우주가 무장할 필요는 없다. 한 줄기의 증기, 한 방울 물만으로도 그를 죽이기에 충분하다. 그러나 우주가 그를 무찌른다 해도 인간은 자기를 죽이는 자보다 더 고귀하다. 왜냐하면 인간은 자기가 반드시 죽어야만 한다는 사실과 우주가 자기보다 강하다는 사실을 알지만, 우주는 그것을 전혀 모르고 있기 때문이다.

2. 예화사례: 동행

어느 고을 임금님이 과수원지기를 내보냈다. 과일이 익을 무렵이면 임금님 몰래 과일을 먼저 따 먹었기 때문이다. 그 후에 임금은 후임 지기를 선발하는 데 한참이나 고심하고 나서 최적의 인물을 선발했다. 누가 보기에도 시각장애자와 하반신 장애자들이어서 과일을 따 먹는 걱정이나 염려를 놓을 수 있었다.

철이 바뀌어 과일이 먹음직스럽게 주렁주렁 매달렸다. 임금은 침이 넘어가는 것도 꾹 참고 더욱 잘 익기를 기다렸다. 임금님의 시종이 어느 날 혼비백산 달려와 '과일이 없어졌다'라고 말하자 임금님은 너무나 기가 막혀서 철저히 과수원을 수색하고 나서야 어처구니없게도 범인은 두 장애자임을 밝혀냈다. 시각장애자의 어깨를 타고 하반신 장애자가 일을 치렀던 것이다.

3 명상시간: 행복(칼 붓세)

저 산 저 멀리 저 하늘가에 행복이 깃드린 곳 있다 하기에
남을 믿고 나두야 따라갔건만 눈물만 글썽글썽 되돌아왔네

저 산저 멀리 저 하늘가에 행복이 깃드린 곳 있다 모두 말하지만…

4. 활동지침: 멘토링 보이스(Voice)

멘토의 목소리 크기에 따라 멘제도 움직인다.

(1) 멘토의 목소리 톤(Tone)을 낮추어라.

(2) 발음을 정확히 하라.

(3) 멘제와 전화 대화 시에 동시에 두 가지 답을 요구하지 마라.

(4) 멘토의 힘없는 목소리가 멘제의 사기를 저하시킨다.

(5) 지나치게 큰 목소리는 신뢰를 떨어뜨린다.

Theme 2

자본주의 시대 환경대응

자본주의 이론은 엥겔스, 칼 마르크스, 막스 베버로 이어지는 이론을 바탕으로 우리 사회에 정착하게 되었다. 특히 소련의 사회주의 체제 붕괴로 오늘날 유일한 자본주의 경제체제가 구축되었으나 자본주의 3.0 중심의 신자유주의 경제는 양극화 심화로 결국 기업과 국가에 위기를 초래하게 되었다. 멘토링 환경대응은 인간 나눔, 행복이라는 미션과 오늘날 행복의 진정한 의미를 검토하면서 대안을 제시한다.

자본주의 4.0이란 영국 일간 『타임』지의 칼럼니스트인 아나톨 칼레츠키가 지난해 내놓은 같은 이름의 책에서 제시한 새로운 개념이다.

칼레츠키는 자본주의를 진화 과정에 따라 네 단계로 구분하고 있다. 전통적인 자유방임의 자본주의를 '자본주의 1.0', 루스벨트 대통령의 뉴딜정책 등 정부 주도 수정자본주의를 '자본주의 2.0'으로 보았다. '자본주의 3.0'은 영국의 마거릿 대처와 미국의 로널드 레이건의 자유시장 혁명으로 탄생한 소위 신자유주의다. 세계화와 자유무역을 통해 다시 정부의 역할이 축소되고 시장의 기능이 강화된 시기다.

칼레츠키는 그러나 2007년 말부터 불어닥친 경제위기는 지나친 시장 의존이 얼마나 위험할 수 있는지를 분명히 보여 주었다며 '자본주의 4.0'이라는 자본주의 시스템의 네 번째 버전이 탄생할 것이라고 진단한다. 자본주의 4.0은 우선 유능하고 적극적인 정부가 있어야 시장경제가 존재할 수 있다는 인식에 기초하고 있다. 정부와 시장이 서로 협력하는 관계로 발전하는 것이 자본주의 4.0의 모습이라는 것이다.

칼레츠키의 주장을 적극 받아들인 것은 청와대다. 이명박 대통령이 지난해 공생발전이라는 새로운 화두를 제시하는 계기가 됐다. 일부 언론들도 이에 동조해 따뜻한 자본주의의 시작이라며 자본주의 4.0을 옹호하는 기사를 잇따라 게재하고 있다. 이들의 주장은 경제의 양극화를 치유해 자본주의가 한 단계 더 발전하려면 대기업 등 기득권 세력이 과감히 기득권을 버리고, 사회적 약자를 배려해 사회공동체를 유지해 나가는 데 앞장서야 한다는 것이다.

그러나 자본주의 4.0은 허구일 뿐이라며 비난하는 목소리도 만만치 않다. 무엇보다 금융위기를 시장의 실패로 단정하는 식의 경제현상에 대한 진단부터가 잘못이라는 분석이다. 정부가 시장의 룰을 제대로 관리하지 못하면서 정부가 할 일을 기업에 강요하는 것 자체가 근본적인 오류라는 지적이다. 진단이 잘못돼 있으니 처방도 틀릴 수밖에 없는 이설이라는 주장이다.

1장 자본주의 사회 환경대응

인간의 본성은 이타심과 이기심을 동시에 가지고 있다. 그러나 대부분 이기심이 이타심을 앞서기 때문에 남을 이기려고 경쟁을 한다. 경쟁은 승자와 패자를 가르는 갈등을 내재하고 있을 뿐만 아니라 마라톤에서처럼 모두가 똑같은 출발선에서 시작하지 않기 때문에 원천적으로 공정하지 않은 속성을 가지고 있다.

그럼에도 불구하고 시장경제는 경쟁을 통해서 더 나은 세상을 만들 수 있다는 역설(逆說)을 전제하고 있다. 그러한 역설이 성립되기 위해서는 경쟁이 공정해야 한다. 그러나 국민 73%가 "공정하지 않다"고 설문조사자료를 발표했다(조선일보 2011.10.14).

한국사회는 지금 새로운 경제체제가 필요하다. 신자유주의의 폐해는 사회 곳곳을 병들게 하고, 빈부 격차와 계층 간 소득 분배는 심한 불균형을 보인다. 어떻게 하면 우리 사회에 정의가 강물처럼 흐르고, 가난한 사람도, 청소년, 장애인, 노령자도, 소상인도, 다문화가족도 희망을 가질 수 있을까?

한국의 자본주의 발전 단계

자본주의 1.0	일본 식민지 시대(1910~1940년대) 농업 경제에서 산업 경제로 부분적 이행을 통해 자본 축적
자본주의 1.0	수출 드라이브 시대(1960~1990년대) 정부가 대기업을 통해 경제 개발을 주도
자본주의 1.0	신자유주의 시대(1997년 말~2000년대) 정부 주도의 개발 정책을 통해 성장 기반을 다진 대기업들이 아시아 외환 위기 이후 불어닥친 자유주의 물결에 적응해 나가기 시작
자본주의 1.0	공존 생태계 시대 빈부 격차 확대, 실업 증가, 일자리 질 하락 등의 사회 문제가 불거지면서, 경쟁력을 더욱 강화하되 취약 계층도 함께 성장하는 새로운 자본주의로 변화 요구 확대

■ **자본주의 4.0이 아니라 민주주의 4.0이 필요하다(좌승희 교수, 한국경제, 2012.2.22)**

"경제적 평등만 지향하는 민주주의는 가난의 보편화에 기여할 뿐이다(정부의 시장 개입을 강조하는). 자본주의 4.0이 아니라 (정치 수준을 업그레이드하는) 민주주의 4.0이 필요한 시기다."

좌승희 서울대학교 겸임교수(한국제도경제학회장)는 21일 연세대학교에서 열린 '경제학 공동학술대회'에서 "모두가 같지는 않지만 모두의 발전을 가져오는 자본주의 시장은 악이고, 모두가 평등하지만 모두를 가난하게 만드는 평등 지향

민주주의는 선인가?"라고 반문하면서 이같이 말했다.

그는 "자본주의 4.0이라는 이름으로 삶의 현장을 평등주의적 이념의 잣대로 재단해서는 안 된다"며 "경제적 왜곡과 하향 평준화 현상을 풀어내기 위해 민주주의 4.0을 고민해야 할 때"라고 강조했다. 정부와 정치권이 시장에 개입하기보다는 민주주의 정치를 한 단계 업그레이드해야 할 때라는 지적이다.

그는 또 정부가 '동반성장'을 외치지만 양극화가 오히려 심해지고 있는 현상에 대해서도 비판했다. 좌 교수는 △명분만 근로자를 위한다는 전투적인 노조의 방치, △중소기업을 위한다는 명목으로 대기업에 가해지는 투자 규제, △지방 균형발전을 명분으로 한 수도권 규제 등으로 기업들의 투자환경이 극도로 악화되고 있다고 지적했다. 이로 인해 대기업은 해외로 떠나고 남은 중소기업은 '피터팬 신드롬'에 빠져 성장을 거부하는 문제에 봉착했다는 것이다.

정규재 한국경제신문 논설실장도 "공생발전을 주장하는 것은 각 이익집단이 자신의 이익을 극대화하기 위해 정치를 볼모로 삼은 것"이라며 "시장을 영역별, 업권별로 쪼개는 조합주의의 발로라고밖에 볼 수 없다"고 비판했다.

이날 학술대회는 한국경제학회 한국재정학회 한국금융학회 등 총 52개 경제 관련 학회가 공동 참여한 경제학계 최대 학술행사다. 참석 학자들은 자본주의와 시장경제를 공공의 적으로 내모는 정치권의 포퓰리즘적 행태와 무분별한 복지 공약 등에 대해서도 우려했다.

2장 다보스포럼 인재주의 의미

스위스 다보스포럼에 수천 명의 글로벌 리더들이 운집하고 있다. 1971년에 시작돼 42회를 맞은(1/25~29) 세계경제포럼(WEF, 일명 다보스포럼)은 매년 1월 말 다보스에서 열린다. 금번 다보스포럼에서 '자본주의'의 대안으로 '인재주의'가 논의되고 있다. 자본주의는 '자본(capital)'을 최대 생산요소라고 주장한다. 하지만 자본주의의 위기가 오자 이제는 인재(talent)가 최대 생산요소가 되는 인재주의

(talentism) 시대가 올 것이라는 전망이다.

클라우스 슈바브 세계경제포럼 조직위원장은 개막 전날인 24일(현지시간)에 기자회견을 열고 "자유시장은 사회를 위해 봉사할 필요가 있으며 사람 개개인에 대해 더욱 신경을 써야 한다"고 말했다. 그는 각국 정부가 미래에 써야 할 돈을 현재 빚을 갚는 데 쓰면서 '세대 간 충돌'이 곧 닥칠 수 있다고 경고했다. 전 세계적으로 청년실업이 문제로 떠오른 상황에서 정부와 기업이 고용창출과 인재육성에 더욱 신경을 써야 한다는 의미로 읽힌다.

도미니크 바튼 맥킨지그룹 회장은 "앞으로 수많은 청년이 고용시장으로 나오겠지만 이들을 받아줄 수 있는 일자리 창출은 매우 더딘 상황"이라고 염려했다. 프라이스워터하우스쿠퍼(PwC)가 CEO 1,258명을 대상으로 실시한 설문조사에서도 '향후 사업 확장에 가장 큰 걸림돌이 될 수 있는 요소'로 인재가 부족해질 수 있다는 점이 꼽혔다. '자본주의의 위기'가 최대 화두가 된 올해 다보스포럼에서 자본주의 최일선에 선 CEO(최고경영자)들은 인재(talent)를 주목하기 시작했다. 자본 대신 사람이 기업의 핵심 요소가 될 것이라는 전망이다.

회계 컨설팅사 쿠퍼스(PwC)가 다보스포럼 개막에 맞춰 60개국 글로벌 CEO 1,258명을 대상으로 설문한 결과, 53%가 사업 확장의 가장 큰 걸림돌로 '인재 부족'을 꼽았다. '필요한 인재를 확보할 수 있다'고 응답한 CEO는 30%에 불과했다. 이 때문에 '현재보다 고용인원을 5% 이상 늘리겠다'는 CEO가 28%였으며, 18%만이 '고용을 줄이겠다'고 응답했다. 엔터테인먼트·미디어 분야 CEO의 51%가 채용을 늘리겠다고 응답해 고용 수요가 큰 것으로 나타났다. 데니스 낼리(Nally) PwC 회장은 "경제가 어려워지면서 핵심 인재의 부족이 기업경영의 새로운 위험 요소가 되고 있다"며 이런 경향은 앞으로 더욱 두드러질 것"이라고 말했다.

하지만 응답자의 43%는 앞으로 인재 채용이 '더욱 어려워질 것'이라고 예상했다. '더 쉬워질 것'이라는 응답은 12%에 불과했다. 이 때문에 인재관리 전략을 혁신적으로 바꾸겠다는 응답이 78%에 이르렀다. 미국 위성방송사업자 디렉티비(DirecTV)의 CEO인 마이클 화이트는 "베이비붐 세대의 은퇴가 시작되면서 이들을 대체할 새로운 세대 인재를 빨리 키우는 것이 더욱 중요해졌다"고 말했다.

글로벌 CEO들은 경기 회복에 회의적인 것으로 나타났다. 이번 설문에서 향후 12개월 이내에 세계 경제가 '좋아질 것'이라고 응답한 CEO는 15%에 그쳤다. 반면 '더 나빠질 것'이라는 응답은 48%로 절반에 육박했다. 기업 수익에 대해서도 비관적 전망이 많았다. 1년 내 수익이 늘어날 것인가 하는 질문에 '그렇다'는 응답은 40%에 그쳤다.

세계 경기를 이끌어 온 중국 기업도 예외가 아니었다. 중국 기업 CEO 가운데 향후 기업수익이 늘어날 것으로 전망한 비율은 51%로 지난해 72%에서 큰 폭으로 하락했다.

■ **인재주의**(Talentism)는

자본가들이 투자 자본에 비해 가장 높은 이윤을 창출하기 위해 최적의 기업을 찾아내고 그 과정에서 경쟁을 통한 경제 발전을 도모한 것이 자본주의였다. 이에 비해 인재주의는 구성원 개개인, 나아가 사회 전체의 만족과 창의성을 극대화해야 경제 발전을 이룰 수 있다는 데 초점을 맞추고 있다. 그동안 비판받았던 포용성 부족, 윤리의식 부재, 일자리 창출 부족 등의 자본주의 문제를 이제는 해결해야 한다는 내용이다.

- 투자자본 – 최소투입 – 최대산출 – 경쟁 – 경제발전
- 인재주의 – 만족/창의 – 경제발전

(1) 포용성 부족: 승자독식 경쟁
(2) 윤리의식 부재: 금융자본의 탐욕 기회조장 위기 축소
(3) 일자리 창출 부족: 성장과 이윤추구 효율성의 자동화 실업 확산

3장 반성하는 세계 자본주의와 한국 재벌

세계경제포럼(WEF) 창립자 클라우스 슈바브 회장이 24일 포럼 리셉션에서 "우리는 죄를 지었다. 이제 자본주의 시스템을 개선할 때가 됐다"고 말했다. 그는 "철 지난 (자본주의) 시스템이 우리를 위기로 내몰았다"며 "단순한 시스템 정비가 아니라 새로운 모델이 필요하다"고 했다. 슈바브 회장은 자본주의 시장경제의 전도사로 '세계화를 통한 인류 번영'을 주창해왔던 인물이다. 그런 슈바브 회장이 죄인을 자처할 수밖에 없을 만큼 지금 자본주의 경제체제는 심각한 결함을 드러내고 있다.

자본주의 시장경제, 특히 1970년대 후반에 본격적으로 도입된 시장 중심의 신자유주의 경제체제는 개인과 기업의 혁신을 통해 국가의 부(富)를 늘리고 번영의 기틀을 마련하는 실적을 올렸다. 이 경제 시스템은 냉전에서 공산주의라는 경쟁 시스템을 몰락으로 몰아넣었고, 구(舊) 공산권 국가와 개발도상국들도 잇따라 이 체제를 받아들였다. 그 덕분에 세계 경제는 인류 역사상 가장 빠르게 성장했고, 수십억 인구가 절대 빈곤에서 벗어났다. '역사의 종말'은 자본주의와 공산주의 간 체제 경쟁에서 자본주의의 최종적 승리를 선언했던 말이다.

그러나 이 체제는 시장 참여자들의 지나친 무절제·탐욕 때문에 경기 과열과 거품을 낳으며 위기를 불러왔다. 최상위 1% 계층이 경제성장의 과실을 대부분 차지하는 극단적 '승자 독식(獨食)' 현상이 보편화되기도 했다. 그 결과 경쟁에서 탈락한 99%가 반발하면서 '월가(街)를 점령하라(Occupy the Wall Street)'와 같은 반체제 저항운동이 최근 전 세계로 확산됐다. 세계경제포럼 창립자 슈바브 회장의 발언은 이런 과거와 현재에 대한 반성이다.

한국도 예외가 아니다. 한국은 시장경제 시스템을 채택해 50여 년의 짧은 기간에 세계 최빈국에서 선진국 문턱까지 올라서는 '한강의 기적'을 이뤄냈다. 그 과정에서 재벌 대기업들이 크게 기여한 것이 사실이다. 그러나 경제력의 재벌 집중이 심화(深化)돼 중소기업 생태계가 무너지고, 빈부격차·양극화의 부작용이 나타나고 있다.

최근 들어 재벌 대기업들의 2세, 3세, 4세들은 끊임없이 분식회계, 편법 상속, 주가 조작으로 국민의 불신과 분노를 사고 있다. 돈벌이가 될 만한 사업에 마구잡이로 뛰어들어 중소기업과 영세 자영업자들의 시장을 빼앗고, 사회적 책임과 기여에도 무관심하다.

　한국 재벌들은 윤리만이 아니라 눈치조차 없다. 천둥과 번개를 속에 감춘 반(反)재벌의 먹구름이 몰려오는데도 재벌가 3세, 4세들이 빵집과 커피전문점을 차리고, 라면·물티슈 수입에까지 손을 대고 있다. 선진국 부호들이 "체제 안정을 위해 세금을 더 많이 내겠다"고 하는 것과는 딴판이다. 이대로 가면 한국의 자본주의는 머지않아 거센 폭풍우를 맞게 될 것이고, 그 첫 번째 희생자는 재벌이 될지 모른다(조선일보, 2012.1.27).

Theme 3

두리 동행 멘토링 대응전략

1장 행복지수의 올바른 의미

1. 행복지수(HPI) 1

　Happy Planet Index 영국의 신경제재단(New Economics Foundation)에서 국민의 기대수명, 국민이 느끼는 행복감, 환경파괴 현황 등을 고려해 작성 발표하는 지수이다. 이 지수는 지속가능한 성장(sustainable growth)을 위해 재생에너지 사용비율이 높으며 자연파괴가 적은 친환경적 삶의 방식을 가질수록 높은 행복지수를 얻도록 설계돼 있다(한국경제신문, 2011.8.22).

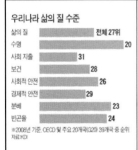

우리나라의 '삶의 질'이 경제협력개발기구(OECD)와 주요 20개국(G20) 가운데 하위권인 것으로 나타났다. 21일 한국개발연구원(KDI)이 작성한 '우리나라의 국가경쟁력 분석체계 개발' 보고서에 따르면 삶의 질 지표는 비교 대상 39개국 중 2000년과 2008년 모두 27위를 기록했다.

삶의 질 지표를 구성하는 세부항목(7개)을 보면 국내총생산(GDP) 대비 사회지출은 2000년과 2008년 모두 31위로 비교 대상 국가 중 최하위를 기록했다. 의료접근성(인구 1,000명당 의사 수)과 유아사망률, GDP 대비 의료지출 등으로 평가하는 보건 분야에서도 한국은 2000년과 2008년 모두 28위로 저조했다. 이 항목도 30개국만 비교할 수 있는 것으로 한국보다 순위가 낮은 국가는 터키와 멕시코 2개국이었다.

자살률과 범죄율, 도로사망률로 구성된 사회적 안전지표는 2000년 24위에서 2008년 26위로 하락했다. 실업률과 GDP 대비 노령지출, 노령자 고용률, 산업안전 등의 지표로 평가하는 경제적 안전항목의 순위는 2000년과 2008년 모두 29위를 기록했다.

	빈부 격차와 계층 간 소득불균등을 나타내는 지니계수로 평가한 분배 항목 역시 2000년 12위에서 2008년 23위로 11계단이나 추락했다. 상대빈곤율도 2000년 19위에서 2008년 24위로 5계단이 떨어졌다. 다만 기대수명으로 평가한 수명의 순위는 2000년 25위에서 2008년 20위로 5계단 상승했다.

이와 관련해 하버드 대학교 데릭 보크 교수는 행복학 연구서인 "행복국가를 정치하라"에서 "행복이란 보수파의 성장, 진보파의 분배 같은 돈의 이데올로기를 넘어서는 가치"라고 했다. 그는 행복의 결정 요인으로 '결혼, 건강, 직장, 인간관계, 종교나 봉사활동, 정부의 질(質)' 등 6가지를 꼽았고, 정부는 일자리와 은퇴 대책, 국민건강 증진, 공교육 강화 등을 서둘러야 한다고 지적했다.

박근혜 한나라당 비상대책위원장은 연초 라디오 연설에서 "이제 정책의 가장 중요한 목표는 국민의 행복이 돼야 한다"고 했다. 한명숙 민주통합당 대표도 지난 15일 당 대표로 선출된 직후 "국민 다수가 행복한 나라로 만들어 나가겠다"고 했다. '안철수 교수의 멘토'로 알려진 법륜 스님도 최근 강연에서 "정치의 목적을 국민의 행복과 자유에 두면 된다"고 했다.

이를 보면 마치 올해 선거에서 어느 쪽이 승리하든 행복한 국민이 현재의 절반 수준에서 대다수로 늘어날 것 같다. 하지만 지난달 한길리서치 조사에서 "우리 사회를 불행하게 하는 사람"을 묻는 질문에 68%가 꼽은 '정치인'이 1위를 차지했다. 정치권에선 "국민들을 행복하게 만들겠다"며 경쟁하고 있지만, 많은 국민들은 행복한 삶을 사는 데 정치가 훼방만 놓지 않기를 바라는 마음으로 살고 있다.

- 자본주의 4.0의 행복조건
1. 고난 넘고
2. 겸손생활
3. 나눔생활

2. 행복지수(HPI) 2

'행복한 국민' 과연 늘어날까(조선일보, 2012.1.31)?

한국갤럽이 지난 연말에 발표한 '국민 행복' 여론조사에서 우리 국민이 느끼는 행복에 대해 몇 가지 특징을 발견할 수 있었다.

첫 번째는 경제성장과 국민행복이 정비례하지 않는다는 점이다. 이 조사에서 '삶이 행복하다'는 국민이 52%로 절반가량이었고 '그저 그렇다'는 40%, '행복하지 않다'는 8%였다. 약 20년 전인 1993년에 실시한 갤럽조사에서도 '행복하다'는 국민은 52%였고, '그저 그렇다'(42%)와 '행복하지 않다'(6%)도 비슷했다. 1인당 국민소득이 1993년의 8,402달러에서 지난해 2만 3,000달러 수준까지 3배가량 성장했지만 행복지수(指數)는 제자리걸음을 한 셈이다.

1993 – 8402달러	구분	2011 – 2만 3,000달러
52%	삶이 행복하다	52%
42%	그저 그렇다	40%
6%	행복하지 않다	8%

두 번째는 행복도가 객관적인 소득수준보다 주관적인 생활형편 인식에 따라 차이가 크다는 점이다. 이 조사에서 월평균 소득수준을 기준으로 '삶이 행복하다'는 응답 비율을 비교한 결과 '500만 원 이상' 57%, '200~499만 원' 52%, '200만 원 미만' 50% 등으로 차이가 그다지 크지 않았다. 즉, 소득 분배의 개선 노력이 곧바로 국민의 행복 증진으로 이어지지 않을 수도 있다는 해석이 가능하다.

소득구분	행복지수
500만 원 이상	57%
200~499만 원	52%
200만 원 미만	50%

하지만 "귀하의 생활형편이 우리 사회의 상·중·하 계층 중에서 어디에 속하

는가"란 질문에 '상층'이라고 응답한 사람 중에서 '행복하다'는 비율은 71%였고, '중층'은 55%, '하층'은 35%로 차이가 컸다. 행복에는 가진 돈의 절대 액수보다 그 사람의 생활이 돈에 얼마나 좌우되는가 하는 것이 더 중요하다는 조사 결과였다.

생활형편	행복지수
상층	71%
중층	55%
하층	35%

성·연령별로는 상대적으로 임금수준은 높지만 사회의 생존경쟁과 가장(家長)의 책임으로 스트레스가 큰 40대와 50대 남성의 행복 비율이 각각 43%로 최저치였고, SNS 여론을 주도하는 20·30대는 60% 안팎에 달했다.

연령별	행복지수
남성 40~50대(가장세대)	43%
남성 20~30대(SNS시대)	60%

3. 행복지수(HPI) 3

요시다 타로는 "경제성장을 이루며 에너지를 펑펑 쓰고 살아도 더 이상 사람들은 행복해지지 않는다. 더 검소한 생활을 통해서만 사람들은 행복할 수 있다"고 주장한 프랑스 정치경제학자의 '하강 개념'을 강조하며, 쿠바는 사회적 연대와 전통 지식의 부활에 힘입어 '부드러운 몰락'에 성공했기 때문이라고 풀이했다.

나의 행복지수는 몇 점? 계산해 보세요.

영국 심리학자 캐럴 로스웰과 인생상담사 피트 코언은 남녀 1,000명을 상대로 80가지 상황에서 자신을 보다 행복하게 만드는 5가지 조건을 고르게 하는 실험을 했다. 그 결과 행복은 인생관·적응력·유연성 등 개인적 특성을 나타내는 P지수(Personal), 건강·돈·인간관계 등 생존조건을 가리키는 E지수(Existence), 야망·자존심·기대·유머 등 고차원 상태를 의미하는 H지수(Higher order) 등 3가지 요소로 구성되는 것으로 파악했다. 문항은 다음과 같다. 질문을 읽고 그렇다고 생각할수록 10점, 그렇지 않다면 0점에 가까운 점수를 부여하면 된다.

① 나는 외향적이고 변화에 유연하게 대처하는 편이다(P지수).
② 나는 긍정적이고, 우울하고 침체된 기분에서 비교적 빨리 벗어나며 스스로잘 통제한다(P지수).
③ 나는 건강・돈・안전・자유 등 나의 조건에 만족한다(E지수).
④ 나는 가까운 사람들에게 도움을 청할 수 있고, 내 일에 몰두하는 편이며, 내가 세운 기대치를 달성하고 있다(H지수).

만점은 40점이지만, E지수와 H지수는 점수에 가중치가 있다. E지수에는 5를 곱하고 H지수에는 3을 곱한 뒤 1번부터 4번까지 더하면 행복지수다. 즉 P+(5×E)+(3×H)라는 공식이다. 만점은 100점이다.

2장 동행 멘토링 모범사례

사회 동행 멘토링은 특히 자본주의 3.0의 양극화 심화를 감안하여 돌봄대상, 약한 자, 덜 가진 자에게 멘토의 타인배려 이타심으로 돌봄나눔 행복을 주제로 프로젝트를 진행한다.

사회 동행 멘토링 영역		멘토 대상자
개인	청소년 노약자 장애인	1. 대학에서 지원해주는 대학생 멘토 2. 교회에서 지원해주는 평신도 멘토 3. 조직에서 지원해주는 직원멘토 4. 경영단체에서 지원해주는 경력자 멘토 5. 복지단체에서 지원해주는 봉사자 멘토 6. 사회단체에서 지원해주는 저명인사 멘토
단체	소상공인 하청업자	
기타	새터민 다문화가정	

1. 정부지원 멘토링 프로젝트(Humannetwork 멘토링 Project)

1) 청와대 Humannetwork Project

이명박 대통령의 2009년도 '8·15 경축사' 후속 조치로서 '휴먼네트워크멘토링(Humannetwork) 추진위'를 만들었다. 청와대가 사회지도층 인사와 취약계층 자녀를 1대1로 연결하는 휴먼네트워크 구축 방안을 추진하고 있는 것으로 알려졌다.

사회지도층이나 각 분야의 전문가가 한 부모가정이나 다문화가정과 같은 취약계층 아동의 '멘토'가 돼 지원해주는 사업을 펼치겠다는 것이다. 이를 위해 조만간 '휴먼네트워크 추진위원회'를 만들 계획이다.

당시 청와대 박재완 국정기획수석은 이날 한나라당 최고위원회의에 참석해 이같은 내용을 포함한 22개의 8·15 경축사 후속조치를 설명했다고 복수의 한나라당 관계자들이 전했다(조선일보, 2009.8.28).

2) 교육과학기술부 Humannetwork Project

청와대 후속조치의 첫 번째로 교육과학기술부는 교육대학생 등 대학생 2,500명을 다문화가정 학생과 1대1로 연결, 멘토로 활용하는 교육지원 사업을 추진한다고 21일 발표했다. 대학생들은 방학기간과 방과 후, 주말에 걸쳐 다문화가정 학생들에게 한국어와 기초 교과를 가르치게 된다. 대신 대학생들은 교육봉사 학점(2학점)과 교과부에서 지원하는 근로장학금(15만 원)을 받는다. 다문화가정 학부모들이 방과후학교 강사로 출신국의 언어나 문화 등을 가르치게 하는 등 다문화가정 지원사업도 추진된다.

<다문화 가정 자녀·대학생 '1대1' 멘토링>
- '학부모'는 방과후학교 강사 활용
- 멘제: 다문화 가정학생
- 멘토: 방과후 강사 교대생 2,500명
- 방법: 방과후 1대1로 연결, 주말마다 강사

- 지원: 멘토 2학점, 근로장학금 15만 원
- 내용: 한국어, 기초교과 출신국의 문화
- 모델: 미국이 1904년에 도입한 청소년 선도 멘토링 제도(BBS=Big Brothers & Sisters Movement) 벤치마킹

■ BBS운동(Big Brothers and Sisters Movement)

20세기 초 미국에서 시작된 문제아동을 대상으로 하는 청소년 선도운동 멘토링으로 '문제청소년의 교화는 한 사람의 형이요, 누나인 청년남녀의 손으로'라는 슬로건 아래, 1904년 12월 뉴욕 시(市) 소년재판소의 서기 E. K. 콜터에 의하여 제창되었다.

콜터는 자기가 소속되어 있는 그리스도교회 모임에서 불량청소년이 늘어가는 상황을 보고하고, 그들에 대한 책임은 그들 자신에게만 있는 것이 아니고 그들의 형이며 누나인 우리들에게도 있다고 호소, 이 자리에 모였던 청년들의 호응으로 선도운동을 벌이게 된 것이 그 기원이다. 그 후 이 운동은 미국 각지에서 전개되어, 15년에는 회원이 약 700명으로 늘었고, 1,912명의 문제청소년들을 다루어 99%의 선도에 이르는 좋은 성과를 거두었다. BBS운동은 문제청소년에 대한 교화를 '한 사람이 한 사람의 소년을(one man one boy)'이라는 방법으로 전개한 것이 특색이다. 이 운동은 하계학교 등에서 그룹워크 등의 방법과 병용하여 청소년 선도에 상당한 효과를 거두고 있다.

3) 보건복지부 Humannetwork Project(www.humannet.or.kr)

청와대 후속조치의 두 번째로 '멘토링 휴먼네트워크협의회'를 이끌고 있는 공동위원장인 보건복지부 장관과 KBS사장은 사람을 통해 사람을 키우는 신나눔 문화인 '휴먼네트워크' 사업이 올해 6대 분야로 확대 추진된다고 발표했다.

올해 휴먼네트워크사업 출발을 알리는 출범식이 5월 31일 서울대학교 총장실 부속 대회의실에서 선도멘토 등 관계자 60여 명이 참석한 가운데 개최됐다.

'2010 휴먼네트워크협의회' 출범식을 갖고 그간 저소득 아동에 대한 학습 멘토

링에 머물러 있던 휴먼네트워크 사업을 성장넷·후견넷·자활넷·생명넷·장애넷·글로벌넷 등 6대 분야로 확대, 추진한다고 밝혔다.

사람을 통해 사람을 키우는 "신나눔문화 형성"

휴먼네트워크는 재능 있는 이 사회의 시민과 어려운 처지의 아동과 청소년들이
멘토와 멘티로 인연이 되어 함께 나누며 성장할 수 있는 작은 가교의
역할을 하는데 최선을 다하겠습니다.

2. 대학생지원 멘토링 한국장학재단(이경숙 이사장, www.korment.kosaf.go.kr)

1) 한국장학재단: 이경숙 이사장 소개

이경숙 이사장은 국가 최고위직으로서 전 숙명여자대학교 총장 시절부터 멘토링 인재개발 프로그램을 가장 효과적으로 활용한 경험을 바탕으로 금번 장학재단 멘토시스템을 체계적으로 적용하고 있다(제11대 국회의원, 숙명여자대학교 총장, 제17대 대통령직인수위원회 위원장, 대한적십자사 미래전략특별위원장).

대학생 3,000여 명이 전국의 초·중·고교에 찾아가 인생상담·학습지도를 해주는 '1만 명 인재 멘토링 네트워크' 프로그램을 한국장학재단(이경숙 이사장)이 28일(2011.4)부터 전개한다.

올해는 물론 내년 이후도 펼치는 '1만 명 멘토링' 프로그램에는 서울대·연세대·고려대·서강대·성균관대·한양대·카이스트·포항공과대학교 등 전국의 대학생들이 초·중·고등생들과 온라인 또는 오프라인을 통해 만나서 진로와 고민을 이야기하고 공부방법을 가르쳐준다. 캠페인은 학기중과 방학중으로 나눠 실시된다.

여름·겨울방학 때는 대학생 2,000여 명이 교육여건이 열악한 지역의 중·고교를 찾아서 1대5로 멘토·멘제 결연을 맺고 지식봉사를 할 예정이다. 학기 중에는 대학생 1,000명이 초·중·고교생 1,000명과 2(대학생)대2(초·중고생)로 결연을

맺어 4명이 같이 공부하는 프로그램을 진행합니다. 대학총장과 기업대표 등 사회 명사들도 이 캠페인에 참여한다. 이들은 지식봉사에 나서는 대학생들의 멘토가 되어 이들에게 진로상담 등 조언을 하게 된다. 이 캠페인은 올해 1만 명의 대학생 과 초·중·고교생이 참여하는 것을 목표로 하지만 내년에 3만 명, 5년 후 10만 명의 대학생과 초·중·고교생이 참여하는 운동으로 발전시켜 나갈 계획이다.

2) 한국장학재단과 조선일보 공동 멘토링

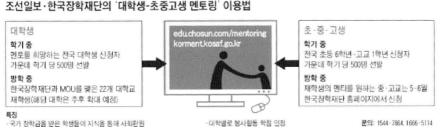

조선일보·한국장학재단의 '대학생-초중고생 멘토링' 이용법

대학생
학기 중
멘토를 희망하는 전국 대학생 신청자 가운데 학기 당 500명 선발
방학 중
한국장학재단과 MOU를 맺은 22개 대학교 재학생(해당 대학은 추후 확대 예정)

edu.chosun.com/mentoring
korment.kosaf.go.kr

초·중·고생
학기 중
전국 초등 6학년·고교 1학년 신청자 가운데 학기 당 500명 선발
방학 중
재학생의 멘티를 원하는 중·고교는 5~6월 한국장학재단 홈페이지에서 신청

특징
- 국가 장학금을 받은 학생들이 지식봉사 통해 사회환원
- 서울대, 연세대, 고려대, 카이스트, 포스텍 학생을 포함한 우수 학생 참여
- 대학별로 봉사활동 학점 인정
- 대학생들에겐 조선일보·한국장학재단 인증서 수여

문의: 1544-7864, 1666-5114

지역별 멘토링 참여 대학	
경기	서울·고려·연세·서강·한양대
인천	인하대
경기	성균관·한국항공대
충청	충북·충남대·고려대 세종캠퍼스
대전	카이스트
전라	전북·전남대·광주과기원
강원	강원대
대구	경북대
경상	경상·영남대·포스텍
부산	부산대
울산	울산과기대
제주	제주대

조선일보와 한국장학재단이 함께 펼치는 '1만 명 대학생─초·중·고생 멘토 링' 프로젝트는 대학생 선배가 후배 초·중·고교생들에게 꿈과 진로상담은 물론, 공부를 잘할 수 있는 방법도 알려주는 일종의 '지식기부' 프로그램이다. 올해는 대학생 3,000명, 초·중·고교생 9,000명, 사회명사 2,000여 명이 멘토 또는 멘제로 참여하며, 우선 내년에 3만 명으로 확대할 예정이다.
대학생들은 여름방학과 겨울방학에 중·고교 현장으로 찾아 가 교실이나 강당 에서 대학생 1인당 후배 3~5명을 만나게 된다. 이들은 자신의 전공을 중심으 로 학생들에게 교과 지도를 하고, 형이나 언니로서 인생과 진로상담도 진행할 예정이다.

3) 장학재단 멘토넷

프랑스어로 '고귀한 신분에 따르는 도덕적 의무'라는 뜻의 '노블레스 오블리주 (Noblesse oblige)', 이 말은 유럽의 상류층에 그 뿌리를 두고 있는데, 시대와 국가를 뛰어넘어 사회를 지켜가는 버팀목 역할을 해왔다.

로마시대 귀족들은 평민보다 많은 세금을 부담하고, 전비조달을 위한 국채 발 행 시 평민들에게 부담을 주지 않아 존경받았다. 존경받는 지도층을 중심으로 단 결하여 강성해진 로마는 사회적 역량을 바탕으로 명장 한니발의 카르타고 군대를 대파하고 유럽을 주도하게 된다. 팍스로마나(Pax Romana)가 실현되고 나서도 많은 귀족들이 공공사업에 자신의 재산을 기부하는 것을 명예롭게 여겼다.

4) 존경받는 지도층이 버팀목(글 이경숙 이사장)

현대 스웨덴의 명문가인 '발렌베리' 가문은 스웨덴 GDP의 약 30% 정도를 차지하는 발렌베리그룹을 이끌고 있다. 우리 귀에 익숙한 기업으로 에릭슨이나 사브, 일렉트로룩스 같은 기업들이 그 소속이다. 5대에 걸쳐 150년을 지켜온 이 가문의 가훈은 '존경받는 부자가 되어라'는 것이다. 이 그룹 산하기업들의 시가총액은 스웨덴 증시의 50%를 넘는 엄청난 규모지만, 가문이 보유한 주식과 재산은 다 합쳐도 약 320억 원 정도다. 스웨덴의 내로라하는 부자들보다도 상대적으로 재산이 적은데, 그 이유는 그룹의 이익이 모두 재단으로 들어가기 때문이다. 이 가문이 기부와 자선에 쏟는 진정성은 생활태도에서도 배어나는데, 어릴 때부터 형제자매의 옷을 물려 입는 것 정도는 너무나 기본적이고 당연한 전통이다. 사소한 생활에서부터 기업경영에 이르기까지 이들이 앞장서 모범을 보임으로써 스웨덴 국민들로부터 존경받게 된 것이다.

이처럼 시대와 나라마다 형태나 분야는 다르지만 지도층이 솔선수범하여 사회에 공헌하는 전통은 그 나라의 힘을 모으고 키우는 데 큰 역할을 해왔다. 21세기 한국에도 노블레스 오블리주를 추구하는 다양한 각도의 노력이 절실하다.

이번 학기에 한국장학재단을 통해 학자금 대출을 받은 학생은 약 40만 명, 국가장학금을 받은 학생은 약 12만 5,000명에 이른다. 재단은 이들을 포함한 우리의 젊은이들을 능력과 인성을 갖춘 대한민국의 미래인재로 육성하기 위해 새로운 프로그램을 준비 중이다.

필자는 이 프로그램을 '한국인재 멘토링 네트워크(Mentoring Network)'의 줄임말인 '한국 멘토넷(Mentornet)'이라고 부르는데, 우리나라 각 분야 CEO와 저명인사 100분께서 뜻을 함께해 주기로 했다. 사회와 국가로부터 부여받은 많은 기회의 바탕 위에 최고의 자리까지 성장한 분들이 자신의 경험과 지식을 젊은 인재들에게 전수함으로써 스스로 받았던 유무형의 혜택을 사회에 환원하겠다는 것이다.

■ '한국멘토넷'에 기대

한국 멘토넷에 참여하는 분야별 지도자들은 그 분야에 관심있는 10명의 멘제들과 한 달에 두 번 정도 만나 인생의 선배로서 줄 수 있는 교훈과 함께 해당 분야에 대한 전문적인 상담역을 해줄 것이다. 멘제 학생들로서는 참으로 소중한 기회를 얻게 되는 것이고, 멘토로 참여할 분들도 큰 기대감과 설렘을 표현하였다.

광주과학기술원, 울산과학기술대, 포항공대, 한국과학기술원 등 4개 이공계 대학과 조만간 협약을 맺어 국가장학금을 받는 해당 대학의 젊은 인재들이 고등학교에서 추천받은 학생들을 대상으로 지식나눔 활동을 전개하도록 도울 예정이다.

경제적인 기부를 통해 사회에 환원하는 것도 노블레스 오블리주의 중요한 방식이다. 더불어 어렵게 성취한 수준 높은 경험과 지식을 후배 세대에게 전수하는 또 하나의 사회공헌이 태동하고 있다.

대학생부터 지도층에 이르기까지 참여하는 '지식으로 펼치는 노블레스 오블리주'가 우리 사회에 신선하고 감동적인 바람을 일으켜 사랑의 띠로 엮어지기를 기대해본다(국민일보 칼럼, 2010.4.22).

3. 대학 청소년지원 멘토링 사례

1) 새싹 청소년개발지원 대학생 멘토

미래국제재단은 서울대학교의 긴밀한 협조와 참여하에 봉사정신과 사명감을 지닌 생활이 어렵지만 우수한 학생들을 선발하여 가난의 대물림을 막고 미래를 짊어지고 나갈 인재로 성장할 수 있는 밑거름을 마련하고자 새싹 멘토링 장학생을 모집합니다. 새싹 멘토링 장학생에 선발된 학생들은 미래국제재단에서 실시하는 멘토링에 참여하여 사회봉사활동에 동참하게 됩니다.

(1) 서울대학교

－이장무 총장대담기사(조선일보, 2009.1.24)

멘제: ① 저소득층 자녀 청소년, ② 소외된 청소년

멘토: 서울대생 1만 명(2008년 2학기 70명 멘토 연결)

지원: 멘토링 장학금(주 1회 멘토링, 지원 S-Oil 김선동 회장 70명에 연간 1,000
만 원 장학금 제공)

확대: 2009년 전교생에게 확대 실시

(2) 한국외국어대학교

－미래국제재단, 한국외국어대학교에 '새싹멘토링' 봉사기금 기탁(조선일보,
2011. 9.5)

멘제: ① 저소득층 자녀 청소년, ② 소외된 청소년

멘토: 외대생 1만 명(2008년 2학기 70명 멘토 연결)

지원: 멘토－장학금 연간 600~800만 원, 멘제－보조금 연간 36만 원

제공: 미래국제재단(김선동 회장) 미래우학재단 20억

(3) 강원대학교

강원대학교(총장 권영중)는 미래국제재단(이사장 김선동)과 공동으로 저소득층
중·고등학생들의 학업 지원을 위한 '새싹 멘토링 장학사업'을 운영한다고 18일
밝혔다.

'새싹 학습지도 프로그램'은 학업 성적이 우수한 대학생이 직접 저소득층 가정
학생의 멘토로 나서 학습활동을 지원하는 프로그램이다.

강원대학교는 지난달 미래국제재단으로부터 기탁받은 3억 원의 발전기금을 토
대로 이번 달부터 도내 중·고등학교의 추천 등을 통해 멘토링을 받을 대상 학생
을 발굴하기로 했다.

2) 장애자 청소년 지원 대학생 멘토

■ 서울대학교

멘제: 장애학생 멘토: 서울대학교 학생

방법: 이동수단에 전공/진로분야 추가

서울대학교 장애학생지원센터는 올 2학기부터 대학원생이 장애학생들의 1대1 멘토가 되는 멘토링 제도를 시행한다. 그동안 이동수단 제공 등 생활지원 부분에 한정된 장애학생 지원에서 벗어나 학부학생의 전공진로 등에 대한 전문적 멘토링을 위한 것이라고 서울대는 밝혔다.

① 이동수단: 기본, ② 전공분야: 추가, ③ 진로선택: 추가

3) 농어촌청소년 독서지원 대학생 멘토

■ 서울대학교

- 감명구 교수 서울대학교 기초교육원장(조선일보, 2009.3.20)

멘제: 지방 중고생

멘토: 서울대학교 24명

목적: 대학생 사회 봉사학점 1점

방법: 선정도서를 중고생에 토요일에 멘토링 수행

4) 저소득층 가족학생지원 대학생 멘토

■ 서울대학교 사범대학

멘제: 저소득자녀 1,000명(관악구, 동작구)

멘토: 서울대학교 사범대학 300명(2006.4)

기간: 1년간(1) 서울대학교

확대: 2007년부터 전국 11개교 대학 그 후 40개 사범대에 확대 예정

방법: 주 2회, 회당 2시간

지원: 시간당 2만 원, 월 32만 원, 학점 1학점

내용: 학습지도 진로지도, 취미(만화, 애니메이션, 가야금, 바이올린, 풍악놀이), 캠핑, 등산, 답사, 연극, 영화

4. 빌&멜린다 게이츠 재단: 해외 Best 사회지원 모델

■ 상상을 초월한 멘토링 이야기

자본주의의 첫 출발은 자본가의 탐욕이다. 그리고 기대효과는 소비자의 효용가치의 최대다. 그러나 금번 미국의 금융대란과 같이 수익의 기회는 과대평가하고 손실의 위기는 과소평가하여 소비자를 현혹함으로써 자본주의 함정에 그대로 노출된 부끄러운 현상이라고 볼 수 있는 것이다.

세계적인 1·2등의 부를 축적한 빌 게이츠와 워런 버핏은 월스트리트의 부자들과 세 가지가 달랐다. 첫째는 부자임에도 겸손과 검소한 생활로 본을 보이는 것, 둘째는 부의 축적과정이 투명하여 공정한 시장게임을 거친다는 것, 그리고 셋째는 부의 열매에 집착하지 않고 증여/증세 등 공정배분의 윤리를 실현한다는 것이다. 결과적으로 두 회장은 모범적으로 자본주의 꿈을 실현하고 있다고 볼 수 있다. 상상을 초월한 두 회장의 멘토링! 금세기 최고 멘토링 기적으로 소개하고 싶다.

22년간 각자 업무적인 면보다는 인간적인 아름다운 관계로 급기야는 자신의 자산 중 83%인 300억 불(한화 36조 상당)을 기증하면서 버핏은 "빌은 내가 신뢰할 수 있고 전문적으로 재단운영에 모범을 보임으로써 기증하게 됐다"라고 밝혔다. 아래 내용대로 아름다운 멘토링 이야기를 소개하고자 한다.

빌 게이츠(Bill Gates)	워런 버핏(Warren Buffett)
1955년생(57세), MS의 CEO	1930년생(82세), 버크셔 해서웨이의 CEO
컴퓨터 황제(12세 입문)	투자의 귀재(11세 주식투자 입문)
세계부자 1위	세계부자 2위
빌은 최근 은퇴	최근 35조를 빌 앤 메린다 자선재단 기부
그간 26조 기부한 '빌 앤 멜린다 자선재단'에 전념	그와 점심 한 끼 22억 원(2008.6)이면 7명까지 투자 자문

1) 세계 갑부인 빌 게이츠와 워런 버핏 Story

두 사람의 멘토링 소재인 세 Theme를 벤치마킹하기

Theme 1. 이익보다는: 자본주의 가치중심의 경제활동에서 두 사람은 자본주의 경제에서 개인의 이익과 사회 공익의 균형경영으로 자유경제의 우월성 가치를 꽃피웠다.

Theme 2. 이기주의보다는: 이타주의 실현으로 가진 자들의 윤리적인 숙제를 미국사회에서 Noblesse Oblege를 실현함으로써 모델이 되었다(기증 300억 불).

Theme 3. 업무보다는: 친교 중심으로 두 사람의 소통 멘토링을 실현함으로써 생산성 위주의 현대사회에서 인간성 위주의 삶의 방향을 제시해주고 있다.

(1) 두 사람의 멘토링 소통의 성과(Result)
- 두 사람 신뢰와 존경 확인, 인간성으로 한마음
- 300억 불 거금 기증으로 부자들의 윤리 확립
- 부자들 기부(Noblesse Oblege) 운동 모델

(2) 워런 버핏의 금세기 기적의 기부

세계 2위의 부자인 워런 버핏(Warren Buffett, 76) 버크셔 해서웨이 회장이 자신의 재산 가운데 85%에 해당하는 374억 달러(약 36조 원)를 5개 자선단체에 기부한다고 발표했다. 그는 특히 기부금 대부분을 세계 1위의 부자인 빌 게이츠(50) 마이크로소프트 회장 부부가 운영하는 빌 앤 멜린다 게이츠 재단에 보내기로 해 큰 감동을 주고 있다.

버핏은 자신이 운영하는 투자회사인 버크셔 해서웨이 홈페이지를 통해 빌 앤 멜린다 게이츠 재단과 자신의 자녀들이 운영하는 3개 자선단체, 작고한 아내를 기리기 위해 만든 자선단체에 매년 버크셔 해서웨이 주식을 기부하기로 했다. 기부액수 374억 달러는 앤드루 카네기나 존 록펠러, 헨리 포드 등의 기부금을 능가하는 사상 최대 규모다.

투자의 귀재로 불리는 버핏은 회사 지분 약 31%(47만 4,998주, 440억 달러)를 보유하고 있으며, 기부금 가운데 310억 달러를 빌 게이츠 재단에 기부할 예정이다. 버핏은 그동안 버핏이 죽은 뒤에야 상당금액의 기부를 할 것이라고 주장해왔고, 그의 기부금은 대부분 아내의 재단에 넘겨질 것으로 예상됐었다. 하지만 버핏

은 지난 2004년 아내가 죽었고 재산을 기부하는 것이 옳다는 확신이 섰으며, 빌 게이츠에 대한 믿음이 있어서 지금 처분을 시작했다고 말했다.

2) 두 사람의 인간성 중심의 소통 멘토링 모델
멘토링기간: 22년간(1991.1.1일부터 현재까지)
멘토링목적: 상호 간 관계 촉진 멘토링
멘토링특징: 빌은 자사제품인 컴퓨터를 팔려 하지 않고 가르쳤고 버핏은 자사
　　　　　　제품인 사탕은 팔려 하지 않고 카드놀이를 가르쳤다.
멘토링활동: 상호 사업고민상담, 가정방문, 여행 함께 하고 1달러 카드게임을
　　　　　　하고, 상대방 취향에 맞게 대우하다.

이들은 온라인에서 몇 시간씩 1달러 내기 카드게임을 하는 것으로 유명한데 게이츠는 버핏에게 컴퓨터 사용법을 가르쳐줬으며 버핏은 수년 동안 브리지게임을 멀리해온 게이츠에게 카드게임을 다시 가르쳐줬다고 한다.

버핏과 게이츠는 10대에 자신들이 하고 싶은 일을 찾았다는 점과 자수성가했다는 공통점을 가지고 있다. 게이츠는 12세에 컴퓨터에 대한 관심을 키워왔다고 한다. 버핏 역시 11세에 주식투자를 시작했으며 지금까지 투자를 하며 살고 있다. 이들은 부자 부모가 있었던 것도 아니었지만 자신이 하고 싶은 일을 꾸준히 해왔으며 그 결과 각각 버크셔 해서웨이와 마이크로소프트를 세계적인 기업으로 일궈낼 수 있었다.

두 사람의 또 다른 공통점은 수백억 달러를 소유한 세계 최고 부자지만 검소하고, 꾸밈이 없으며 소탈한 것으로 유명하다. 실제로 그들은 평범한 옷차림으로 출근하는 것으로 알려져 있다. 또 둘 다 아침을 먹지 않으며 점심과 저녁을 화려한 레스토랑에서 먹기보다는 패스트푸드점에서 햄버거를 먹는 것을 좋아한다.

버핏은 게이츠에 대해 "유머감각을 좋아한다"고 밝힌 바 있다. WSJ는 2000년 한 기사에서 버핏이 게이츠 유머감각에 대해 언급했다고 보도했다.

당시 버핏은 게이츠와 중국 베이징에 위치한 쯔진청(紫禁城)을 방문한 사례를

소개하면서 당시 중국여성들이 고대 두루마리를 조심스럽게 펼쳐 관광객들에게 보여 주었는데 게이츠는 버핏 귀에 대고 "두루마리를 제대로 말지 않고 넣으면 벌금 2달러 있다고 하지요"라며 농담했다고 소개했다.

3) 두 사람은 미국사회에서 노블레스 오블리주 주도

지난 2000년 빌 게이츠와 아내 멜린다가 설립된 게이츠 재단은 자산이 370억 달러에 달하는 미국 내 최대 자선재단으로 후진국 교육사업과 에이즈, 말라리아, 결핵 퇴치사업을 벌이고 있으며 운영이사는 빌 게이츠, 멜린다, 워런 버핏이다.

워런 버핏과 빌 게이츠는 1991년 처음 만난 이래 사업상 동료이자 친한 친구로 지내왔다. 함께 여행을 하거나 정기적으로 온라인 브리지게임을 했고, 수시로 개인적이거나 사업상의 문제를 의논했다.

버핏의 나머지 기부금 60억 달러는 아내를 기리는 수전 톰슨 버핏재단(가족계획), 장남의 하워드 버핏재단(환경보호), 딸의 수전 버핏재단(저소득층 교육 지원), 차남의 노보재단(교육과 인권)에 나눠질 예정이다. 이번 기부 후에 남은 마지막 66억 달러도 생전 혹은 사후에 모두 자선사업에 사용할 계획이라고 버핏은 밝혔다.

세계 2위의 부자임에도 불구하고 버핏의 평소 생활은 검약과 신의로 일관되어 있다. 그는 학창시절 신문배달 등을 통해 모은 9,800달러를 밑천으로 50년 만에 거부가 되었다. 하지만 1958년 고향인 네브래스카 주 오마하에서 3만 1,500달러를 주고 산 집에서 계속 살고 있으며, 20달러짜리 스테이크하우스를 즐겨 찾는다. 번호판이 검약(Thrifty)인 2001년식 링컨 타운카 중고차를 몰고 다니고, 12달러짜리 이발소에서 머리를 깎는다. 친구를 끝까지 믿고, 자신이 잘 아는 우량종목에 장기투자한다는 원칙을 갖고 있다. 사람들은 시골노인풍의 그를 오마하의 현인(賢人)이라 부른다.

'세기의 기부'에 전 세계인들이 놀라고 있다. 버크셔 해서웨이 사(社)의 워런 버핏 회장과 마이크로소프트의 창업자 빌 게이츠 회장 부부가 주도하고 있는 '기부약속(The Giving Pledge)' 운동에 6주 만에 40명의 미국 갑부들이 동참했다.

이들이 내기로 한 돈은 1,250억 달러에 이르는 것으로 추산된다. 페루의 국내총

생산(GDP)과 맞먹는 거액이다. 수십억 달러의 재산 가운데 절반 이상을 사회에 기부하겠다고 약속한 이들은 기부 약속 홈페이지(givingpledge.org)에 이런 놀라운 결정을 내리도록 자신을 추동한 가슴속 생각들을 털어놓았다.

3장 지역사회 동행 멘토 프로그램

■ 동행 1: 협력업체 지원 멘토링

추진배경	1. 경영지원 추진목적 기업의 CEO로서 경영제반의 역량과 경영 Skill 함양은 기업의 직접적인 수익과 기업의 가치를 향상시키는 데 큰 비중을 차지하고 있으나 창업한 지 얼마 되지 않은 협력업체 CEO나 경영이 미숙한 CEO들은 바쁜 업무 일정에 쫓기다 보면 사실상 기업의 경영기반을 다지는 데 중요한 역량 개발에 소홀해지기 쉽다. 이때 기업운영의 경험자이자 선배가 인생의 상담자이자 후견인으로서 믿을 만한 프로그램에 의거하여 협력업체에 경영노하우를 지도해 준다면 모기업 멘토 자신의 사회발전에 기여하는 자부심과 협력업체 멘제의 성공을 동시에 이룰 수 있다. 2. 경영지원 추진업무 (1) 인사조직 업무 (2) 재무회계업무 (3) 생산관리업무 (4) 마케팅관리업무 (5) 경영전략업무 (6) 기타 단위조직마다 특성에 맞게 업무조정
추진기본 사항 - 5	• 활동목표: 협력업체 지원멘토링 • 활동기간: 12개월 • 활동始終: 2012.7.1~2013.6.30. • 멘제기준: 협력업체 CEO 경영간부급(해당업무 업그레이드 대상사원) • 멘토기준: 모기업 CEO나 경영간부급(임원급 이상에서 우수 선정)
기대효과	(1) 역동하는 경영변화에 탄력적인 대응력을 갖춘 수익 구조 다짐 (2) 선배의 기업경영 노하우에서 배우는 자사에 맞는 경영노하우 개발 (3) 경영인의 선후배 간의 끈끈한 우정과 HUMAN NETWORK 구축 (4) 상호 아이디어 개발로 기업경영의 창의력 발휘에 시너지효과를 창출 (5) 후배의 역량 있는 차세대 리더로의 성장과 선배의 사회 기여라는 자기실현

■ 동행2: 지역 청소년지원 멘토링

추진배경	현재 학교 등 각 교육기관마다 평준화 체제에서 학력중심 교육으로 많은 부작용을 초래하고 있다. 멘토링은 이러한 정규교육을 보완하는 차원에서 멘토 제도로 1대1로 관계를 맺어 수준별 눈높이에 맞춰 전문적인 조언, 정서적인 조언, 윤리적인 조언, 즉 전인적인 조언으로 청소년을 차세대 지도자로 성장시키는 일이다. 특히 사회 멘토링은 국가, 지방단체, 각종 복지재단, 청소년단체에서 재량으로 제도적 교육기관에서 일탈한 사회 선도대상 청소년을 상대로 멘토링 시스템 운영이 가능하다. (1) 학교 청소년 멘토링 (2) 교회 청소년 멘토링 (3) 사회 청소년 멘토링

청소년 Projects	대외 협력기관
(1) 저소득층 가정 멘토 프로젝트 (2) 농어촌학생 방학 멘토 프로젝트 (3) 다문화가정 멘토 프로젝트 (4) 소년소녀가장 멘토 프로젝트 (5) 보호감호소 출감자 멘토 프로젝트 (6) 지역사회 소외아동 멘토 프로젝트 (7) 청소년지도 캠프 및 여행 멘토 프로젝트 (8) 독서지도 멘토 프로젝트 (9) 명문대 입시 멘토 프로젝트 (10) 특기 자격 취미 멘토 프로젝트	(1) 정부 자치기관-자금지원 (2) 지역교육청-자금지원 (3) 지역대학-자원 대학생 멘토 지원 (4) 인근 지역교회와 협력 (5) 학부형 및 지역인사-자금지원 및 멘토지원

추진기본 사항-5	• 활동목표: 청소년 학습지원 멘토링 • 활동기간: 12개월 • 활동始終: 2012.7.1~2013.6.30. • 멘제기준: 청소년 대상-친서민, 저소득, 소년소녀가장, 농어촌, 다문화 등 • 멘토기준: 청소년지도자-사내멘토양성자, 사회인사, 대학생멘토, 청소년상담자
기대효과	(1) 문제 청소년에 대한 선도와 예방적인 프로그램이 된다. (2) 비행 청소년들의 의사 소통 및 대인관계를 충족시켜 준다. (3) 대학생 등 민간의 봉사자들의 참여로 지역사회중심의 정책이 된다. (4) 갈수록 심각한 청소년의 범죄 탈선 등 사회문제를 해결기회를 준다. (5) 친서민 프로그램으로 사회 양극화 현상을 예방하는 계기가 된다.

■ 동행3: 지역 노약자 지원 멘토링

추진배경	지역노년 멘토링 추진배경
	앨빈 토플러의 제3의 물결에서 밝혔듯이 '정보화시대에서 소외계층으로 노인을 꼽고 정보화 교육의 대책이 시급하다'고 말했다.

특히 우리나라는 세계 이례적으로 인구의 고령화가 급속히 진행되고 있으며, 2026년에는 전체 인구의 20%가 노년층인 초고령화 사회에 진입하게 된다. 급격한 노인 인구의 증가는 복지와 교육 그리고 사회적인 측면에서 노인들의 요구를 수렴해야 한다.

다음은 오늘날 회사와 지역사회 간 기업문화 공동체 구축의 차원에서 노인층을 대상으로 경영 멘토 프로젝트로 아름다운 동행 방법을 소개한다.

지역 노년 멘토링 운영방법

(1) 경영멘토양성: 기업임직원이나 대학생 그룹에서 지역사회 위한 노년층 멘토 지원서를 받아 정규교육으로 양성한다.

(2) 기업에서 어느 분야에 멘토와 연결할 것인가를 아래 사례를 참작하여 선정한다.

노년층 Projects	대외 협력기관
우리 문화 체험 ① 시 낭송하기, 시 작성해보기 ② 서예 감사, 서예 배우기 ③ 판소리 듣기/배우기 **건강 돌보기** ① 독거 노인 돌보기 ② 건강체험하기 역사체험 **학습돌보기** ① 노인대학, ② 정보화교육, ③ 역사체험 **컴퓨터** ① 인터넷 검색, ② 포토샵	(1) 정부 자치기관－자금지원 (2) 지역 교육청－자금지원 (3) 지역 대학－자원 대학생 멘토지원 (4) 인근 지역교회와 협력 (5) 학부형 및 지역인사－자금지원 및 멘토지원

추진기본 사항－5	• 활동목표: 노년층 위한 멘토 프로젝트 • 활동기간: 12개월 • 활동始終: 2012.7.1~2013.6.30. • 멘제기준: 지역 노년층에서 선발 • 멘토기준: 멘토 양성자 중에서 선발－관리자 멘토, 대학생 멘토 등

기대효과	(1) 멘토는 이기주의에서 이타주의로 섬김 리더십의 자세로 전환된다. (2) 기업은 지역사회와 한마음 공동체로 유대가 강화된다. (3) 기업은 지역사회와 정보교류가 이루어져 소통관계가 활발해진다. (4) 경영 멘토를 모델로 전 사원의 지역사회 봉사열기가 확산된다. (5) 기업과 지역사회와 멘토링 Human Belt로 기업 이미지가 상승된다.

두리 동행 멘토링 프로젝트

1장 섬김 멘토리더십 필요성

멘토는 아마 인류의 역사만큼이나 오래되었을 것이다. 무당과 마법사, 예언자와 철학자, 지도자와 선생은 역사의 초창기부터 존재해왔다. 모세와 여호수아, 공자와 맹자, 소크라테스와 플라톤 모두, 선생과 학생의 관계, 또 스승과 제자의 관계를 통해서 자신의 삶의 방식들을 전수해 주었다. 이렇게 하여, 훌륭한 사상가들의 정신은 대를 이어 전해 내려왔다. 스승으로서 이들의 영향력이 지대했던 데에는, 이들이 스스로 모범이 되어서, 사상적으로뿐만 아니라 실천적으로도 본받을수 있는 삶의 방식을 제공했기 때문이다.

그러나 현대의 합리주의는, 더 이상 우리에게 설득력이 없는 '합리적인 거대 서사(grand rational narratives)'를 사용하여, 마치 '진리'와 '삶'이 별도인 양, 그 모범의 중요성을 흐려 놓았다. 이제 우리 세대는 이렇게 현실에서 유리된 일반론적 개념이 식상해져서, 진리를 실제 삶의 방식으로 살아내는 모범을 찾고 있다. 현대적인 인생관을 주장하는 이들이 종종 인간다움의 표본이 되기에는 너무나 궁색해서, 우리는 그들의 모순된 모습에 식상하고 말았다.

필요성 1. 현대사회의 소외 문제가 심각하다

이처럼 멘토에 대한 관심이 지대해졌다는 사실은, 첫째로 오늘날 우리 시대의 소외 문제가 그만큼 심각하다는 것을 말해 준다. 또한 그것은 역사와 과거 전통에 대한 우리의 무관심을 드러낸다. 오늘날 우리는 대부분의 사회에서 연장자들이 감당하던 역할과 장인 정신의 기반이 되는 도제 제도(appreniceship)의 오랜 전통을 망각한 것이다.

필요성 2. '해결사'가 아니라 지혜로운 친구(Fellowship)가 필요하다

둘째로, 우리에게 가장 적합한 도움을 주는 사람을 찾을 때, '해결사'나 심지어 '교사'로도 충분하지 않다. 기술 사회에 살고 있는 우리는 모든 것을 도구적인 지식으로 축소하여 뭐든지 '해결'하려는 경향이 있다. 그러나 기술이 지혜로운 동반자를 대체할 수는 없다. 기술 사회에 살면서 우리는 '타자의 임재'를 놓치고 있다. 또한 지식을 '사물에 관해 사고하는 것'과 쉽사리 혼동하는 정보화 사회에서 살고 있다.

효과적인 가르침에는 양육과 보살핌의 관계가 내재되어 있음을 잊었다. 무엇보다 지혜란 정보처리의 차원에서 얻을 수 있는 것이 아니다. 원인에 집착하는 행동주의 역시 관계를 대체하기에는 뭔가 부족한 것으로서, 행동주의자들은 너무 '바빠서' 우정을 길러 나갈 겨를이 없다. "행동 없는 사상은 무의미하며, 우정 없는 행동은 무의미하다"고 한 그리스 철학자들의 말은 참으로 지혜롭다.

만일 교사가 친구처럼 친절하게 학생들을 가르친다면, 학생들은 학습과정에서 훨씬 더 큰 격려를 얻을 것이고, 교사와의 관계에서 신뢰를 형성할 수 있을 것이다. 따라서 지혜, 곧 멘토 안에 체현된 지혜야말로 탁월함에 이르는 길이다. 내가 삶을 더욱 충만하게 살아가도록 도우며, 그 과정에서 인격적으로 기만당했다는 느낌을 받지 않게 돕는 사람－사물이 아니라 바로 친구다.

필요성 3. 자아의 고립이 증가하고 있다

셋째, 오늘날 멘토에 대한 관심이 증가하는 것은 우리 사회 내에 그만큼 자아의 고립이 증가하고 있음을 반영하는 것일 수 있다. 전문직과 제도에 대한 사회적 의존도가 약해지면서 사람들이 멘토의 필요성에 눈을 뜨고 있는 것이 틀림없다.

비인격적인 사회구조에서는 마음을 연 솔직한 피드백을 얻기가 어렵다. 지나칠 정도로 흉허물 없는 피드백은 도리어 직장을 잃을 위험 부담을 안을 수도 있다. 오늘날과 같이 극도로 경쟁이 심하고, 걸핏하면 소송을 일삼으며, 정략에 따라 움직이는 사회에서는 인정, 양육, 격려, 신용, 이해와 같은 것은 찾아보기가 힘들다.

또한 성(sexuality)이 다른 경우에도 사회적 성차(gender difference)라는 양극적 속성 속에서 다시금 우리는 고립되어 간다. 심지어 성별이 동일해도 고립되어 간다. 그러나 '성적으로 상호보완적인' 멘토링은, 그저 '정치적으로 옳은' 관계를 유지하는 것과는 비교가 안 될 정도로, 인격적인 관계에 대한 새로운 지평을 열어줄 수도 있다.

필요성 4. 언행일치의 지도자가 요구된다

넷째, 오늘날과 같이 지도자들의 명예가 땅에 떨어지고, 우상으로 여기던 것들이 몰락하고, 영웅시하던 것들이 매력을 잃은 시대에는 자신이 말한 그대로 실천해내는 도덕적인 모범이 필요하다. 즉 이론과 실제가 하나로 연결되고, 머리와 가슴과 팔이 하나가 되어, 공적인 삶이나 사적인 삶이나 삶 전체가 고상하게 통합되어 있는, 그런 모범이 필요하다.

아마도 깨어진 가정에서 자랐거나, 결혼생활이 순탄치 못하거나, 역기능적인 관계를 경험한 이들은 인생의 '변화'를 모색하기 위해 멘토를 더욱 열심히 찾을 것이다. 멘토는 곁에 있어 주는 부모일 수도 있고, 보통 친구들과는 전혀 다른 방식으로 우리를 대하는 진실한 친구일 수도 있으며, 아니면 무엇이 참인지 그리고 무엇이 지혜로운 결정인지 본을 통해 보여 주는 제삼자일 수도 있다. 이 모든 것으로 미루어, 인생 여정의 동반자로서 우리와 함께하는 애정 어린 멘토는 약속의 땅을 바라보도록 눈을 열어줄 것이다.

2장 섬김 리더십 5가지 본질

1. 관계론적(Being~Othering) 멘토링

자신의 가치를 업그레이드하는 존재론적 리더십을 보완해서 현장에서 타인을 1대1로 배려하는 관계론적 멘토링으로 상호 간 신뢰와 존경하는 마음으로 만족경영을 이룬다.

우선 존재론적 리더십에서 관계론적 멘토링으로 전환시킬 필요가 있다. 개인의 리더십 역량 제고를 위한 노력에서 리더가 리더십을 발휘할 수 있는 제도적 여건과 환경을 창출하는 쪽으로 리더십 개발 전략을 개발해야 된다는 주장이다.

존재론적 리더십은 리더 개인에게 역점을 두고 개인으로서의 리더가 갖추어야 될 다양한 자질과 역량을 육성하는 데 관심이 있는 반면 관계론적 멘토링은 멘토에게 영향을 미치는 제도적 여건 조성과 인간적인 경영환경을 조성하는 데 보다 많은 관심이 있다.

이러한 관계론적 멘토링은 멘토 개인만을 고려하지 않고 멘토를 둘러싸고 있는 인간적, 환경적 변수를 종합적으로 고려하고 이들 변수들 간의 상호 영향력 관계를 고려하여 최종적으로 멘제와 인간관계 설정을 구축한다고 볼 수 있다

특히 멘토의 역할 발휘에 영향을 미치는 인간적, 업무환경적, 제도적 조건을 변화시키고 멘토/멘제가 향후 몸담게 될 이상적인 일터(Workplace)가 갖추어야 될 다양한 요인을 조성하는 작업환경, 더 나아가 멘토와 이러한 일터와의 관계를 고려하여 멘토링 활동을 전개한다는 점에서 기존 존재론적 리더십 역량 강화를 위한 단순 교육의 역할이 상대적으로 약화된다고 볼 수 있다.

관계론적 멘토링은 멘토와 타 리더의 리더십 발휘 여건과의 시너지 효과 차원에서 관계를 고려대상으로 검토하기도 하지만 멘토와 멘제와의 1대1 팀워크와의 관계를 고려하여 그 개념을 이해할 수도 있다. 즉, 관계론적 멘토링은 기존의 리더십이 주로 개인의 역량을 제고시키는 데 초점을 두어 왔다면 앞으로 멘토는 멘제와 함께 고려했을 때 발현될 수 있는 협력적 관계, 예를 들면 존경과 신뢰 구축,

신바람 조성, 자부심 고취 등과 같은 공동체 중심으로 리더십 역량을 재정의 할 수도 있을 것이다.

이러한 역량은 멘토 혼자서 발휘할 수 있는 역량이 아니라 멘토가 멘제와 구성원과 함께 힘을 모아 노력할 때 발현할 수 있는 능력이라는 점에서 기존의 리더십을 개인 존재론적 리더십이라고 칭할 수 있는 데 반해 멘제와 함께 팀을 이루어 발현될 수 있는 능력을 특별히 1대1 팀 관계론적 멘토링이라 부를 수 있다.

2. 전인적인(Simple~Complex Character) 멘토링

부하들에게 업무나 지식으로 접근하는 단편적인 리더십을 보완해서 멘토가 멘제를 전인적 서비스, 즉 전문적 서비스, 정서적 서비스, 윤리적 서비스를 제공함으로 만족경영을 이룬다.

전통적인 업무교육이 실천 현장에서 대부분 상급자의 업무지시나 지식을 전수하는 단편적인 교육방법으로 이루어짐으로써 구성원들의 다양한 잠재 역량을 개발하고 업무의 다양성 차원에서 한계와 문제점이 발생하기 마련이다.

그렇다면 구성원들의 인재개발이 현장에서 구체적으로 다양하게 일어나기 위해서는 어떠한 조치가 필요한가? 이 문제는 인재개발에서 전인적 서비스를 주제로 하는 멘토링 제도(Mentoring System)를 활용한다면 단편적인 리더십 교육에서 전인적인 삶이 소재가 되는 복합적인 멘토링으로 전환을 시도하여 현장에서 인재개발 기법으로 활용해 볼 필요가 있다.

3. 장기적인(Short~Long Term) 멘토링

1회성 이벤트식인 단기적 교육방법을 보완해서 장기적인 멘토링 관계를 맺어 보통사람(a Person)을 지도자(a Leader)로 개발함으로써 만족경영을 이룬다.

일반적으로 '교육' 하면 단기 집중적인 교육이 일회성으로 끝나는 경우가 많다. 이러한 생각의 저변에는 교육은 중간에 간극이 없이 며칠 또는 몇 달 동안 연속적으로 전개되는 일회성의 의미가 내포되어 있다. 이런 패턴으로 교육이 전개되면 교육 전, 교육 중, 그리고 교육 종료 후 실천 현장과의 유기적 연계성이 부족하게 되고 결국은 교육의 결과가 실제 현장에서 발현되지 못하고 교육은 교육대로 이루어지고 현장은 여전히 리더십 부재 현상이 발생하게 된다.

그동안 한국 기업에서 OJT(on the job training)나 CDP(career development plan)가 성공적으로 정착되지 못하고 매년 유야무야되는 경우를 보더라도 무엇 때문에 왜 반복적인 잘못을 저지르고 있는지 이해할 수 있을 것이다. 마찬가지로 실천 현장에서 단기적이고 집중적인 리더십을 개발하는 활동을 구체적으로 명세화시키면 시킬수록 계획의 실현 가능성은 그만큼 희박하다고 볼 수 있다.

여기서 최근 많은 관심을 끌고 있는 멘토링(Mentoring)을 활용해 볼 수 있다. 오늘날 멘토링을 통해서 양성한 멘토(Mentor)가 조직에서 인간관계와 업무성과를 창출하는 데 혁혁한 공헌을 하고 있다면 당연히 멘토링에 중요한 역할을 담당했던 멘토/멘제가 조직 내에서 정당한 평가와 인사상의 공정한 대가를 받을 수 있는 중장기적인 여건 조성이 필요하며, 멘토링을 공식적인 조직의 중장기 인재개발 기법로 인정해야 한다.

4. 수준별(Equal~Fair Class) 멘토링

물리적 변화정도인 평준화 리더십을 보완해서 1대1로 눈높이에 맞춘 수준별 멘토링으로 진정한 변화인 화학적 변화를 일으키게 됨으로써 만족경영을 이룬다.

그동안 한국 기업의 인재개발 정책은 모든 영역을 골고루 잘하는 범재(凡材)를 채용하여 필요한 인재(人才)로 탈바꿈시키기 위해 많은 기업 교육, 특히 집합, 합숙 교육에 많은 노력과 관심을 보여 왔다.

앞으로는 더욱더 신입사원과 경력사원은 물론 중견간부와 임원, 그리고 경영자까지 해당 부문별로 필요한 자격요건과 역량에 적합한 인재를 수시로 선발하고 채용하는 전략이 보다 보편화, 활성화될 것이다. 특히 평생직장 개념이 붕괴되고 평생직업관이 활성화되면서 한 사람이 평생 직장을 자주 옮겨 다니는 일이 비일비재

함에 따라 한 사람의 일생을 회사에서 어떻게 평준화로 인재개발할 것인가에 대해 체계적인 계획을 수립하는 것보다는 해당업무 분야에서 핵심리더로 세울 수 있는 1대1 수준별 멘토링 인재개발 계획(Mentoring Plan)을 세워볼 필요가 있는 것이다.

5. 섬기는(Charisma~Servant Leadership) 멘토링

구성원들에게 관리나 통제 위주의 상의하달식 수직적인 리더십을 보완하여 멘토가 인격적인 수평관계를 이루면서 섬기는 멘토링으로 멘제의 잠재역량을 개발해 줌으로써 만족경영을 이룬다.

멘토링은 한마디로 상대인 멘제를 자기보다 더 훌륭하게 키우는 일이다. 특히 일반 리더십과 구별되는 점은 일대일로 특정하게 연결된 상태에서 한 사람에게 집중력을 발휘하기 때문에 어떤 리더십보다 강렬하고 단시간에 효과가 나타난다는 것이다.

왜 이러한 멘토링이 필요한가는 가정과 직장을 비교할 때 가정에서는 엄한 아버지와 부드러운 어머니의 리더십이 조화를 이루면서 자녀들이 행복하게 성장하게 되는데 직장에는 엄한 아버지와 같은 상급자만 있어 어머니와 같은 감싸주는 섬기는 멘토링 프로그램이 필요하게 된다.

- 엄한 아버지 같은 상사 - 군림하는 Charisma Leadership - 매파
- 부드러운 어머니 같은 멘토 - 섬기는 Servant Leadership - 비둘기파

이러한 멘토링에서 중요한 핵심은 멘토가 중심이 아니고 멘제가 중심이 되어 자기는 언제나 조언자고 결정권자는 멘제이며 자기는 언제나 2등이고 1등은 멘제가 되는 것으로 오늘날 섬기는 리더십(Servant Leadership)으로 생각하면 된다.

멘토도 섬기는 리더십을 발휘할 때 가정에서는 부모보다 자녀들이 더 잘되고, 학교에서는 교수/교사보다 학생이 더 잘 되고, 직장에서는 후배 멘제가 상급자 멘토보다 더 잘됨으로써 바로 이것이 멘토링의 선순환의 인재개발이 되는 것이다. 결국 멘토/멘제에게 Win이 되고, 조직이 Win이 되는 만족경영인 것이다.

3장 섬김 멘토리더십 테스트

직장 소속으로 지역주민을 위한 멘토 삼김 리더십을 갖추고 있는가? 그에 대한 적합성 지수를 파악하기 위한 설문을 소개한다.

설문만점: 1개당(매우 좋다) 2.0 - 1.5 - 1.0 - 0.5 - 0.0 (매우 좋지 않다)

참고점수: 설문내용을 이해할 수 없을 때는 1점으로 계산한다.

현재득점: 설문 10개 합계점수

목표점수: 20점 만점 - 현재득점

목표관리: 목표점수 업그레이드는 미팅활동에서 다루고 계속 3개월 만에 재점검한다.

상호협조: 멘토와 멘제의 경우는 미팅할 때 상호 간 공개리에 목표 점수를 관리하면서 돕는다.

1. 지역주민 섬김 멘토 자질 테스트

번호	1. 자질(Self Quality) 개발 진단도구	점수
1	나는 고객, 지역주민 등을 위해 계속 배려하는 열망이 있다.	
2	나는 고객, 지역주민들에게 영향력을 가지고 있다.	
3	나는 직장과 고객, 주민에 관한 전체적인 틀을 본다.	
4	나는 지역사회의 경영문제에 책임을 질 줄 안다.	
5	나는 지역주민과 소외된 사람을 잘 이해한다.	
6	나는 지역사회에서 긍정적인 변화를 유도한다.	
7	나는 지역문화권에서 교양 생활이 모범적이다.	
8	나는 지역을 위해 다음에 무슨 일을 해야 할지 잘 안다.	
9	나는 지역 청소년을 인재 개발하는 데 관심이 있다.	
10	나는 지역주민들에게 지도자로 인정받고 있다.	
소 계		

2. 지역주민 섬김 멘토 역할 테스트

역할	번호	2. 역할(Role) 개발 진단도구	점수
교육	1	나는 고객, 주민과 접촉하고 가르치기를 아주 좋아한다.	
	2	나에게는 고객, 주민에게 가르칠 수 있는 핵심 역량이 있다.	
상담	3	나는 고객, 주민과 상담 시 내 의견보다는 먼저 경청을 잘한다.	
	4	나는 평상시 고객, 주민들의 건의에 관심을 갖고 해결에 노력한다.	
코치	5	나는 고객, 주민과 평소 회사 밖에서 어울리기를 좋아한다	
	6	나는 휴일이나 직장 시간 외에 야외나 외식 등 친교 활동을 한다.	
후원	7	나는 지역 주민에게 경로/효도/봉사/장학 등에 관한 시상 제도를 시행하고 있다.	
	8	나는 고객, 주민을 회사나 기타 문화단체에 초청한 적이 있다.	
조정	9	나는 고객, 주민으로부터 건의 요청을 받을 때 최단 시간에 해결한다.	
	10	나는 고객, 지역사회의 노년층, 청소년, 기타 복지지원에 구체적으로 연결되어 있다.	
소 계			

3. 지역주민 섬김 멘토 자생력 테스트

구분	번호	3 멘토 자생력(Selfscored) 진단도구	점수
소명 의식	1	고객, 주민과 직장체험을 나누고 궁금해하는 점을 설명해 준 적이 있다.	
	2	고객, 주민에게 직접 나서서 직장소개와 경영에 비전을 전한 적이 있다.	
	3	고객, 지역사회와 함께 한마음공동체 구축을 사명이라고 생각한다.	
사명 의식	4	자신의 가족을 고객, 주민에게 소개하고 식사를 함께 한 적이 있다.	
	5	지역의 저명인사나 기관장의 애경사에 관심을 갖고 참석한다.	
	6	고객, 지역주민들이 힘겨운 일이 생겼을 때, 나는 그가 찾아올 수 있는 평안한 사람이라고 생각한다.	
	7	고객, 지역사회가 관심을 보이는 자선단체나 봉사활동에 대해 조언을 해줄 수 있을 정도의 지식을 갖고 있다.	
창의 의식	8	고객, 지역사회가 최근에 했던 고민을 알고 해결을 위해 노력하고 있다.	
	9	고객, 주민들에게 교양서적 기증이나 문화행사에 초청한 적이 있다.	
	10	가끔 직장 밖으로 나가서 주민들과 함께 유익한 문화생활을 한다.	
소 계			

국가에 희망/교육 Plus 멘토링

교육멘토링(Education)은 국가에 적용하는 국가적 멘토링(National Mentoring=NAM)으로서 오늘날 지적 편중된 교육을 보완하여 전인 교육프로그램을 제공하고 첨단기술(Hightech)과 인성프로그램(Hightouch)의 균형으로 윤리 리더십을 회복하여 국격(國格)을 높이고 선진대열에 진입하여 세계평화와 인류공헌에 기여하는 희망국가 프로그램이다.

'자유롭고 성숙한 시민들이 주인인 나라가 번영한다'는 국가이성의 교훈을 한국만큼 극적으로 보여 주는 예도 드물다. 민주주의의 위기와 경제공황에서 비롯된 불안의 바다를 헤쳐나갈 새해의 힘은 여기서 온다.

주관: 국가기관이나 이에 준하는 공공기관의 기관장이 공익과 봉사차원에서 제도권교육, 비제도권교육, 사회지도층의 윤리 리더십, 그리고 평생교육 대상자들에게 멘토제도를 도입하여 멘토링 관계를 갖게 한다

Theme

Theme 1

교육 멘토링 개념

1장 교육 멘토링 개념정리

1. 교육멘토링 목적

국가 멘토링은 오늘날 물질가치에 편중된 상태에서 멘토링 정신가치 개발 전인교육 프로그램으로 보완하여 균형국가로 업그레이드하는 데 있다. 교육멘토링의 특징은 배우고자 하는 사람이 지식 앞에 서는 것이 아니고, 멘토의 전인적인 인격 앞에 서는 것이다.

2. 교육 멘토링 준칙

(1) 물질가치의 우선은 인간의 편협된 행복지수의 결과를 유발한다.

(2) 멘토정신은 전인적인 삶의 조언자로 물질과 정신의 균형주의다.

(3) 유대인은 신본주의로 소명의식에서 노벨상의 주인공이 되었다.

(4) 인간의 특징은 물질사랑에, 한편 영원을 사모하는 마음이 있다.

(5) 성경에서 부자청년(마 19:16~30)이 우리에게 주는 교훈이다.

3. 물질가치 편중 부작용, 자본주의 3.0

    (1) 자본주의 3.0 승자독식의 양극화로 기업 국가가 위기이다.

    (2) 물질가치의 탐욕으로 국민 행복지수가 하위권이다.

    (3) 개인 및 집단 이권 쟁취로 분쟁 분위기가 심각하다.

    (4) 지도자들의 윤리 리더십 상실로 뇌물공화국으로 타락했다.

    (5) 공무집행에서 이익 챙기기로 리더의 신뢰가 떨어지고 있다.

4. 균형국가=물질가치+정신가치

5. 진단도구: 인격개발 진단도구

6. 실행 프로젝트

    명칭: 전인 교육개발 멘토링프로젝트

7. 성공조건

    (1) 체계적인 전인교육 프로그램을 갖춘다.

    (2) 좁은 인격에서 넓은 인격으로 학습을 이룬다.

    (3) 존경받는 윤리 리더십을 발휘한다.

    (4) 타인배려 섬김리더십을 발휘한다.

    (5) 인격적으로 존경받는 리더십을 실현한다.

2장 교육 멘토링 휴먼스토리

1. 명사 명언: 탈무드

인류에게는 단 하나의 조상이 있을 뿐이다. 따라서 어느 한 사람이 다른 한 사람보다 우월하다고 할 수 없다. 만일 당신이 어떤 사람을 죽였다면 온 인류를 죽인 것과 같다. 또 어떤 사람의 목숨을 건져 주었다면 온 인류를 구한 것과 같다. 세계는 한 사람에 의해 시작되었으므로 그 최초의 사람을 죽였다면 오늘날 인류는 존재하지 않았을 것이기 때문이다.

2. 예화사례: 학교와 도서관

유대인의 지혜문서인 『탈무드』에서 한 대목을 인용한다. 내용은 '학교와 도서관이 다른 점은 무엇인가'가 주제이다.

"어째서 학생은 이 학교에 입학하려 하는가?" 하고 면접담당 랍비가 학생에게 질문을 했다. "이 학교는 전통과 공부하기 좋은 분위기라서 열심히 공부하고 싶습니다" 하고 입시학생은 답변했다. 그러자 랍비는 "만약 학생이 공부하고 싶다면 도서관으로 가는 편이 나을 것이다. 학교는 공부하는 곳이 아니다"라고 도저히 이해할 수 없는 말을 했다. 그러자 학생은 반대로 랍비에게 물었다.

"그렇다면 저는 이 학교에 입학할 필요가 없다는 말씀입니까?" 그러자 랍비는 "학교라는 곳은 위대한 선생님 앞에 앉는 것이다. 바로 그들이라는 살아 있는 교본에서 모든 삶을 배우는 것이다. 학생은 위대한 랍비나 선생을 지켜봄으로써 배워 가는 것이다"라는 시험관 랍비의 최종 답변 이었다.

3. 명상시간: 충직한 멘토/멘제

(1) 충직한 멘토/멘제끼리는 서로를 믿는다.

(2) 최상의 것을 함께 나눈다.

(3) 승리를 축하한다.

(4) 힘들 때 서로를 위로한다.

(5) 어쨌든 진리를 말한다.

(6) 성장을 추구한다.

4. 활동지침: 멘토의 테마(Theme)

멘토의 핵심 있는 대화가 멘제를 끌어 잡아당긴다.

(1) 주제를 정확하게 밝혀라.

(2) 멘제의 수준에 맞춰라.

(3) 멘제의 관심사를 건드려라.

(4) 멘토 혼자서만 말하지 말고 질문을 던져라.

(5) 멘제가 말할 때 공감한다는 표정을 지어라.

인격이란 무엇인가?

1장 인격에 관한 개념 정리

1. 좁은 인격에서 넓은 인격으로!

예로부터 동방예의지국이라는 우리나라가 오늘날 왜! 심각한 "정신적 빈곤"이라는 후유증에 시달리고 있는 것일까? 이는 한마디로 좁은 인격의 틀 속에서 헤어나오지 못하는 현상에 직면해 있기 때문이다.

그 원인 중 하나는 그동안 우리나라는 해방 이후 좌우 이념대결로 사람보다는 이데올로기가 우선했고, 둘째는 산업화 바람을 타고 대량생산 체제에서 사람보다는 기계와 상품이 우선했고, 셋째로 직접적인 원인으로 학교의 평준화 제도로 전인교육보다는 학력 위주의 입시교육에 편중을 원인으로 둘 수 있다.

즉, 인간성을 토대로 한 인간적 가치보다도 인간을 수단화·예속화·노예화하게 되면서 현대사회의 비극적인 상황이 초래되었다. 그리고 오늘날 자본주의 경제구조에 의한 물질 만능주의와 권력정치에 의한 대중화, 몰(沒)인간화 경향은 더욱 가속화되는 추세에 있다.

금번 2010~2020 멘토링 인성개발 365프로젝트는 이와 같은 막다른 골목에서 넓은 인격으로 전환을 추구하려는 것이다. 이에 대한 인격 프로그램의 구체화 계획은 개인에는 인성개발을, 조직에는 협력개발을, 사회에는 동행개발을, 국가에는 교육개발을 시도하고자 한다.

이를 추진하기 위해서 먼저 그동안 10여 년에 걸쳐 종합정리한 멘토링 인격총서 4권에 인격에 관한 올바른 이론정립과 실행 프로그램을 담아 출간하였다. 아울러 기업, 조직, 학교, 대학, 정부기관, 군대, 복지단체 등에 멘토링 인격개발 프로젝트 수행으로 보다 넓은 인격으로 전환하는 데 가일층 분발할 것이다.

2. 멘토링 인격 이론의 배경

멘토링에서 인격이론의 배경으로 아래 세 가지 차원에서 검토해보기로 한다.
(1) 하나님이 인간을 창조할 때 자기의 형상대로 아담과 하와를 창조셨다(창 1:26~27)는 전제에서 인격이란 하나님 형상의 최소한 실체로 전제하였다.
(2) 이스라엘 초대 지도자 모세(B.C. 1440년대, 창 17:9~14)는 할례 당시 잔닥 (Zantak) 제도를 통해 어린아이의 신앙 생활지도와 사회생활 지도를 맡게 함으로써 여기에서 멘토링의 인격 활동의 배경을 찾았다.
(3) 호머의 저서 『그리스 신화』(B.C. 1250년, 트로이전쟁)에서 멘토가 텔레마쿠스 왕자를 20년 동안 왕으로 성장시킨 교재 세 권이 바로 수학, 철학, 논리학을 인격의 상징으로 전제하였다.

3. 인격이론의 정립

인격이란 사람으로서의 됨됨이, 인품, 사람으로서의 가치 있는 존재를 뜻하는 것인데 물건에 품격이 있는 것처럼 사람에게도 격이 있어 저(低)차원적인 인격으로부터 고(高)차원적 인격의 정도가 있으며 결국 인성교육이란 고(高)차원적 인격의 소유자를 만드는 교육이라 하겠다.

그리고 인격은 곧 주된 배움이 도덕성을 통해 이루어지기 때문에 실제 인격교육은 도덕교육을 통해 이루어진다고 볼 수 있다. 보다 구체적으로는 인격의 구성요소를 도덕적 앎(知)과 도덕적 감정(情)과 도덕 행동(意)의 세 가지 요소와 이의

하위요소로 보면 인격교육은 옳고 그름을 알고 올바른 판단을 내려 행동으로 실천시키는 교육이라 하겠다.

멘토링에서 마음의 실체인 인격의 이론을 올바로 정립하기 위하여 아래 열거한 4명의 학자들의 이론을 요약하여 소개한다.

1) 철학차원: 아리스토텔레스의 知·情·意·行의 도덕 4요소

아리스토텔레스(Aristoteles, B.C. 384~B.C. 322)는 지·정·의(知情意)의 인격의 3요소를 행(行)함의 상태를 도덕으로 소개했다.

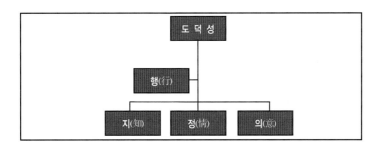

2) 심리차원: 프로이트의 S. 인격이론

지그문트 프로이트(Sigmund Freud, 1856~1939)의 S.인격이론은 『자아와 그것』(1923)을 아래 내용으로 요약하였다.

(1) 잠재의식(ID): 원초적이고 학습되지 않은 힘

(2) 현재의식(Ego): 현실의 원칙에 따라 행동하도록 함.

(3) 초월의식(Super Ego): 사회적 원리에 따라 행동하도록 함.

위의 3요소가 균형적인 관계를 유지함으로써 인격이론의 모델로 소개되었다.

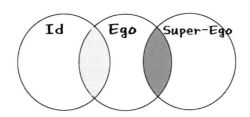

3) 성경차원: 코메니우스의 통전적 인격

코메니우스(Johann Amos Comenious, 1592~1670)는 창세기 1장 26절과 27절에 근거해 인간을 지성적, 도덕적, 신앙적 존재로 해석하고 인간의 인격은 곧 인간의 내면세계에 내재하고 있는 지성(知)과 덕성(情)과 경건(意)의 씨앗을 개발해야 한다는 통전적인 개념으로 규정했다.

하나님의 뜻에서 - 인격		Synergy	서양철학의 인격		생활	최종 목표
하나님	성경-신앙	인식: 인격	지	행동: 도덕	지성	하나님 형상 그리스도 상
	인간-이성		정		덕성	
	자연-감각		의		경건	

4) 두뇌차원: 로저 스페리의 양뇌이론(Dual Brain)

로저 스페리(Roger Wolcott Sperry, 1913~1994)는 1981년에 양뇌이론으로 노벨 생리의학상을 수상했다. 그는 양뇌이론에서 '인간의 좌뇌는 논리와 이성적 기능을, 우뇌는 창조 직관과 예술적 사고를 담당한다'고 했다. 특히 그는 좌, 우뇌의 균형 개발로 인격의 조화에 큰 영향이 미치는 것으로 소개되었다.

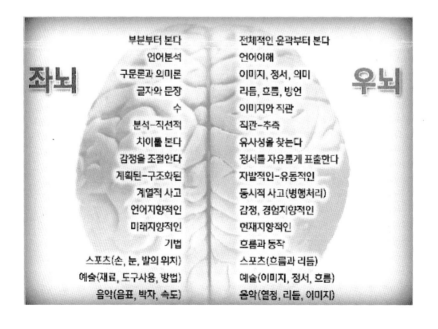

4. 인격(知情意) 구조별 기능

(1) 지(知) − 인식(Cognition) − 지식개발 프로그램
(2) 정(情) − 느낌(Emotion) − 정서개발 프로그램
(3) 의(意) − 행동(Conation) − 의지개발 프로그램

지(知) − 인지		정(情) − 정서		의(意) − 의지	
절차지식	서술지식	기질	감정	동기	학습의지
일반정신 능력	특수정신 능력	기질적 특성	특징적 기분	성취지향	실제통제
기능	영역지식	일반인성 요인	특수인성 요인	자신에의 지향	타인에의 지향
절차전략		가치		직업지향	개인적 양식
	신념		태도	흥미	

5. 멘토링 인격활동 영역

인간은 개인적으로 조직적으로, 사회 모든 영역에서 전인적인 인격활동을 하게 된다. 그러나 어떤 경우에서는 만남의 성격에 따라 기술, 업무, 학업 등에만 편향되는 불균형 인격활동도 이루어진다.

그러한 이유로 멘토링의 인격활동은 인간을 기술자로 만드는 것이 아니고 기술자를 인간으로 만드는 전인적인 인격활동의 모델 프로그램이 되는 것이다. 아래 일반적인 인격활동과 멘토링 활동에 관한 조건과 차별성을 다루어 보기로 하자.

(1) 개인에 적용 멘토링: 전통적 멘토링(Typical Mentoring)
(2) 조직에 적용 멘토링: 제도적 멘토링(Systematic Mentoring)

일반적 인격활동 조건	구분	멘토링 인격활동 조건
개인과 조직 전 분야	영역	개인과 조직 전 분야
관계없음	연결	한 사람을 멘토 1명이나 멘토가 다수
전인적(인격 3요소 등)	내용	전인적(인격 3요소 등)
인격평등의식과 관계	관계	인격평등의식과 관계
배려 조언 지도 등	목적	조언으로 인간성장 − 리더양성

1. 일반적으로 기술, 업무, 학업에 편중된 것은 코치활동이다.
2. 멘토링은 반드시 전인적인 인격활동을 원칙으로 한다.

2장 인격에 관한 예비진단

1. 멘토링 인격의 기원

멘토링에서 인격(人格, Personality)의 기원은 최초 멘토가 텔레마쿠스 왕자의 교재로 20년간 사용한 수학(知－상징), 철학(情－상징), 논리학(意－상징)에서 기인하며 오늘날도 역시 멘토링 프로그램의 내용(Contents)은 지, 정, 의를 상징하는, 즉 인격이다.

人格 인격= 知지 情정 意의

2. 멘토링 인격의 위치

멘토링의 핵심가치는 전인적인 인격을 기본 분모로, 나머지 4가지는 인격을 공통 주제로 기능적인 분자 역할로서 시너지 상태다.

3. 인격의 실행프로그램

멘토링에서 인격의 실행 프로그램은 Star Game으로 개인의 인재개발지수(PDI) 진단도구로 활용하고 있다.

인격 서비스	세부분류	Stargame 적용 부분
지적(知的) 서비스	지식, 기술, 정보 등	Hightech－지식
정적(情的) 서비스	포용력, 기대와 칭찬, 헌신봉사	High touch－마음 High health－건강 High relation－관계
의적(意的) 서비스	의지력, 절제력, 판단력(선과 악)	High control－관리

4. 멘토 인격진단 Workshop

1) 기준

(1) 인격(Personality)적으로 존경받고 있는가?

(2) 역량(Competency) 공유(Sharing)에 앞장서고 있는가?

(3) 경영계에서 리더십을 인정받고 있는가?

2) 작성

경영자 개인 작성(Self Scored) 5점 척도 방식으로 작성한다.

■ 인격지수개발 진단도구

구분	경영자 인격 진단도구		5	4	3	2	1
知 전문 분야	1. 지식기술	나의 경영지식과 기술은 경쟁력이다.					
	2. 경영능력	동료 중에서 경영의 능력을 인정받고 있다.					
	3. 노하우	경영 노하우를 가지고 있다고 생각한다.					
	4. 정보공유	동업계에서 경영정보 파악을 잘하고 있다.					
	5. 경력개발	목회 경력을 우수하게 쌓고 있다.					
情 정서 분야	6. 정서향상	친목미팅 등 정서 활동에 앞장서고 있다.					
	7. 타인배려	남의 어려운 일 처리에 앞장서고 있다.					
	8. 건강향상	정신 및 신체 건강에서 인정받고 있다.					
	9. 관계촉진	가정/동료/상급기관 동역자와 관계가 좋다.					
	10. 심리차원	회사나 가정에서 스트레스를 스스로 잘 푼다.					
意 의지 분야	11. 의지결단	경영계에서 리더십으로 인정받고 있다.					
	12. 윤리의식	진리와 허위, 선과 악의 구분을 분명하게 한다.					
	13. 절제관리	혈기/탐욕 등 본능적인 면에서 절제가 잘 된다.					
	14. 목표의식	생애목표와 경영 목표설정이 우수하다.					
	15. 리더역할	경영계나 지역사회에서 리더 역할을 한다.					
합계점수							

NO	점수	판정
1	70~75	탁월: 조직별 최고(Best) 멘토, 멘토교육의 초대강사 대상이다.
2	60~69	우수: 우수(Golden) 멘토 대상자, 인재개발 멘토링 12개월 진행이 가능하다.
3	50~59	보통: 일반 멘토로서 프로젝트 멘토링 12개월 진행이 가능하다.
4	49 이하	보완: 멘토링 전문가에 의한 인격프로그램으로 양성대상이다.

Theme 3

교육이란 무엇인가?

1장 멘토링 인간중심교육 발전 4단계

멘토링 프로그램은 인류역사에서 가장 오래된(B.C. 1250년대) 인간중심 인격개발리더를 세우는 프로그램이다. 오늘에 이르기까지 멘토링 교육 발전단계를 담은 4권의 ―『그리스 신화』,『텔레마쿠스의 모험』,『에밀』,『민주주의와 교육』― 도서를 소개한다.

도서 1. 그리스 신화(저자: 호머 Homer Homeros, B.C. 800년대)

신(神) 중심에서 인간 중심으로 전환시점이다. 고대신화는 ① 신의 시대, ② 신과 영웅공존시대, ③ 트로이전쟁 이후 신과 인간 구분시대로 나누게 된다. 호머의 저서『그리스 신화』는 신의 영향력을 약화시키면서 인간인 멘토의 역할을 강화시키는 인간 중심 시대를 열고 있는 것이다.

호머

호머의 작품으로 전해지는『그리스 신화』(일리아스와 오디세이아)는 B.C. 800년경에 문자로 기록된 서양문학의 최초이자 최고의 걸작으로 손꼽힌다.
멘토의 최초 기록은 B.C. 1250년 트로이전쟁을 소재로 한, 호머의 저서『그리스 신화』에서 이타카 왕국의 오디세우스 왕의 출정에서 귀환까지 20년 동안 어린 텔레마쿠스 왕자의 스승으로 멘토(Mentor)가 선임된 데서부터 출발한다.
멘토의 목적은 한 사람을 전인적인 인격프로그램으로 리더로 세우는(Standing Together) 일이다.

■ 멘토의 전인적인 인간중심 교육

처음 멘토는 텔레마쿠스 왕자를 전인적인 삶의 조언자로서 인격을 상징하는 수학(知), 철학(情), 논리학(意) 등 3권 교재로 자혜롭고 현명한 왕으로 성장시키는 역할을 해준 사람이다.

知) 경력개발을 통한 – 전문적인 역량을 전수해주는 사람이다.

情) 심리적인 면을 통한 – 정서적인 역량을 전수해주는 사람이다.

意) 리더 모델로서 – 윤리적이며 의지적인 역량을 전수해주는 사람이다.

도서 2. 텔레마쿠스 모험(저자: 프랑수아 드 페늘롱 Fenelon, 1699년)

군주 중심에서 백성, 즉 인간 중심으로 전환이다. 프랑스 루이 왕조의 절대권력보다 백성들의 고난적인 삶에, 즉 군왕보다는 인간 중심을 강조한 페늘롱의 멘토정신을 담은 책으로 직접 부르고뉴 왕자를 위한 멘토링 참고도서이다. 이 저서로 저자는 루이 왕조에 대항세력으로 신분상의 불이익을 당하게 된다.

프랑수아 페늘롱(Francois Fenelon, 1651~1715)이 1699년에 쓴 소설 『텔레마쿠스의 모험』은 멘토의 신화를 역사 속에 담은 유일한 책이다.
트로이전쟁 후 아티니아의 각 장군이 귀국하는데 이타카의 왕 오디세우스는 귀국하지 않아, 그의 아들 텔레마쿠스가 스승 멘토르와 함께 아버지를 찾아나서, 그의 행적을 좇아 갖은 고생을 하면서 지혜로써 모든 문제를 해결하고, 마지막 고향으로 돌아올 때는 훌륭한 제왕의 덕목을 갖춘 왕자로 성장한다는 내용이다.
이 소설의 의의는 멘토라는 단어의 기원이 되었다는 점, 그리고 제왕이 갖춰야 할 덕목이 무엇인가에 대해 지적하고 있다는 점을 들 수 있다.

프랑수아 드 페늘롱

■ 멘토 페늘롱의 전인적인 교육

멘토링 이론을 역사 속에 처음 정착시킨 사람은 17세기 프랑스의 성직자 페늘롱이다. 그는 직접 루이 14세 장손(長孫) 부르고뉴(Burgundy) 공작의 멘토가 되어서 8년 동안 성공적으로 멘토링을 완수함으로써 역사 속에 존재하는 최초의 멘토가 되었다.

그는 어린 독재자로서, 오디세우스 유형의 할아버지 루이 14세를 그대로 닮았다. 그러나 페늘롱이 8년간의 멘토링을 마쳤을 즈음, 이 공작은 열네 살답지 않게

온유하고, 인내심이 있고, 지혜로운 청년으로 자랐으며, 그 후 일생 페늘롱의 친구가 되었다.

도서 3. 에밀(저자: 장자크 루소 Jean—Jacques Rousseau)

인조된 틀(System)보다는 자연으로 돌아가라고 권하는, 즉 순수한 사람 중심으로의 삶을 권한다. 루소(1712~1778)가 만든 가상의 아이 '에밀'은 루소의 자아와 세계가 투영된 일종의 아바타라고 할 수 있다. 이 에밀의 이해는 배우는 아이의 관점에서 출발해야 한다는 루소의 생각은 오늘날에도 여전히 교육에 관한 기본적인 입장을 웅변하고 있다.

교육의 핵심은 인간 내부에 있는 천성을 개발시키는 것, 따라서 교사의 지배와 간섭이 최소화되는 소극적인 교육을 의미하며 '기르는 교육'이지 '만드는 교육'이 아님을 강조했다.
인간이성과 자유와 존엄성이 인정되는 사회를 건설하려고 노력하였고, 결국 프랑스혁명의 길을 열었다. 동시에 계몽주의의 한계를 직시하고 합리주의의 바탕인 인간의 이성과 더불어 인간의 감성의 기능과 의미를 밝히고 그 중요성을 강조하였다. 이성과 감성이 첨예하게 대립하는 시기에 그는 이성과 감성의 조화를 강조하였고, 그 덕분에 18세기의 대표적 사상가로 꼽혔다.

장자크 루소

■ 루소의 에밀에서 인간중심 교육접근

루소는 프랑수아 드 페늘롱의 저서 『텔레마쿠스의 모험』에 영향받아 이상적인 교육도서 『에밀』을 저술하였다. 『에밀』을 살펴보면 『에밀』에 제시된 가정교사가 자신의 학생인 에밀의 교육을 담당하면서 실제로 하는 일이란 다름 아닌 에밀의 자연적인 발달과 학습에 대한 욕구를 관찰하여 그에 따른 학습의 내용과 절차를 계획하고 시행하는 것이었다.

에밀의 슬로건은 "인간은 자유롭게 태어났다. 그러나 어디에서나 인간은 사슬에 묶여 있다. 어떤 이는 자신이 다른 이들의 주인이라고 생각하지만, 사실은 그들보다도 더한 노예이다"라고 말했다. '자연으로 돌아가라'에서 '자연'이란 반사회적, 반문명적으로 해석가능하며 한마디로 아동 중심의 교육을 강조한 것이다.

도서 4. 민주주의와 교육(저자: 존 듀이 John Dewey, 1859~1952)

교권(주입식) 중심에서 학생 중심으로의 전환이다. 미국교육의 아버지라고 불릴 정도로 민주주의와 교육에 관한 관점을 가졌던 존 듀이가 쓴 이 책은 미국의 철학이면서 미국의 헌법이라고 할 만큼 중요한 가치를 지닌 책이다. 존 듀이는 교육에 있어서 아동은 태양이고 그 외는 혹성이라 할 만큼 가르치는 자보다 배우는 아동의 중요성을 깨닫게 하며 교사와 아동 간에 열린 교육을 강조한 사람이다.

존 듀이

루소의 『에밀』에 영향을 받은 존 듀이의 『민주주의 교육』(1916)에 의해서 그의 사상을 알 수 있다. 그에 따르면, 교육이란 경험의 끊임없는 개조(改造)이며, 미숙한 경험을 지적인 기술과 습관을 갖춘 경험으로 발전시키는 것이다.

따라서 학생들에게 일방적으로 지식을 주입시키거나, 반대로 학생들의 자발성(自發性)에만 의존하면 불충분하므로 여러 가지 경험에 참여시킴으로써 창조력을 발휘시킬 수 있는 계획성을 마련할 필요가 있다.

이 일을 위하여 학교는 현실사회의 모델일 뿐만 아니라, 사회개조의 모체가 될 수 있는 이상사회로서 제시되어야 한다는 것이다.

■ 존 듀이의 교육에 관한 개념

(1) 교육은 전인적 성장의 과정이다.

(2) 교육은 생활 그 자체다.

(3) 교육은 성장이고 생활이어서 사회집단 안에서 이루어져야 한다.

(4) 교육은 경험의 계속적인 재구성 과정이다.

(5) 교육은 사회적 과정이다.

(6) 교육은 학생들의 자발적 활동과 능동적 참여의 과정이다.

(7) 교육은 고정불변의 것이 아니라 변화한다고 보고 반성적 사고를 중시한다.

2장 오늘날 교육의 의미와 필요성은?

교육의 궁극적 목적은 전인을 길러내는 것이다. 전인이란 박식함과 상상력을 동시에 지닌, 또한 경험을 변형 할 줄 알고 지식을 통합할 줄 아는 사람들이다.

교육이 우리를 종합지(綜合知)의 세계로 인도할 수 있다. 종합지의 세계는 '자연속의 모든 것이 서로 연결 되어 있는' 진정한 이해의 영역이다. 쉽게 말하자면 교육의 목적은 모든 학생들이 화가이자, 음악가이자, 수학자로서, 무용수와 공학자로서 사고하도록 도와 준다는 데 있다.

요즘 교육은 상상의 한계를 막아버리고, 과목을 과목별로만 생각하고 이어서 생각할 줄 모르게 만들어 버린다. 자신의 분야 밖에서 소통할 수 없는 전문가를 양성하는 교양과목과 과학과목은 아무 의미가 없는 것이다.

우리나라의 학생들이 시간적으로는 학문에 몰입하면서도 다른 나라에 비해 성과가 적게 나타나는 이유, 또한 직장인들이 살인적인 시간을 업무에 투입하면서도 생산성이 떨어지는 이유는 교육과정 내내, 생각 도구에 일률적인 몇 가지를 강요당해 왔으며, 지식이나 업무 등 전문분야에 매몰된 나머지, 타 분야와의 통합이 불가능해 진 것은 아닐까?

1) 전인교육의 8가지 기본 목표
(1) 보편적인 창조 과정을 가르치는 데 중점을 두어야 한다.
(2) 직관적인 상상의 기술을 가르쳐야 한다.
(3) 다(多)학문적 교육(예술교육과 과학과목 등)을 수행해야 한다.
(4) 혁신을 위해 공통언어를 사용함으로써 교과과목을 통합해야 한다.
(5) 한 과목에서 배운 것을 여러 분야에 응용할 수 있어야 한다.
(6) 과목 간의 경험을 성공적으로 허문 사람의 경험을 활용해야 한다.
(7) 모든 과목에서 해당 개념들을 다양한 형태로 발표하는 법을 가르쳐야 한다.
(8) 상상력이 풍부한 만능인(萬能人)을 양성해야 한다.

2) 전인교육을 실현한 사람들의 모델
"내가 글을 쓸 수 있었던 것은 기하학 덕분이다. 기하학은 인간의 사고 능력을 이끌어 주는 놀라운 스승과 같다." - 곤충학자 앙리 파브르
"수학이야말로 최대한의 상상력을 요구하는 과학이다. 영혼의 시인이 되지 않

고서는 수학자가 될 수 없다." - 수학자 소피아 코발레프스키야

"그림은 다른 세계들 간의 충돌을 통해 신세계를 창조한다. 이 충돌로부터 탄생하는 신세계가 바로 작품이 된다." - 화가 바실리 칸딘스키

"음악가라면 라파엘로의 그림을 연구해야 하며, 화가라면 모차르트의 교향곡을 공부해야 한다. 화가는 시를 그림으로 바꾸고 음악가는 그림에 음악성을 부여한다." - 작곡가 로베르트 슈만

3) 오늘날 교육의 필요성은?

한 사람을 교육한다고 하는 것은 그 사람의 인생을 바꾸는 밑거름이 된다. 이러한 교육은 다양한 분야에서 사용되곤 하는데 그 이유는 교육을 통하여 나타나는 결과가 이(利)롭기 때문이다. 그러므로 어떻게 교육을 받았는가에 따라서 그에 대한 결과는 극과 극이 될 수 있다.

특히 요즘에는 인성교육이라는 말을 자주 사용하곤 한다. 여기서 말하는 인성교육이란 인성을 함양시키기 위한 교육을 말하는 것으로서 마음의 바탕을 교육하고 사람 됨됨이를 교육하는 것이다. 마음의 바탕을 교육한다는 것은 마음의 구성요소인 지, 정, 의(知情意)를 교육하는 것이고, 사람 됨됨이를 교육한다는 것은 인간으로서 바람직하고 보편 타당한 가치를 추구하며 그 가치를 완성할 수 있도록 교육하는 것이다. 이러한 인성교육에 대한 관심은 시대의 변화 때문이다. 사람이 사람답지 못하고 인간이 해서는 안 되는 일들이 벌어지는 오늘의 시대로 인해 생겨난 교육 흐름인 것이다.

이뿐만 아니라 교육은 사업에서까지도 사용되고 있다. 매출을 올리기 위한 방법으로부터 시작하여 회사를 운영하는 데 필요한 교육, 그리고 공공의 이익을 위해서 하는 교육 등 다양한 곳에서 교육이라는 이름으로 저마다 자기들의 유익을 구한다.

이처럼 교육은 인간의 생활에서 없어서는 안 되는 아주 중요한 매개체이다. 인간이 존재할 수 있는 이유는 교육을 통하여서 가능하다. 인간의 됨됨이를 배우고 사회생활을 배우며 인간이 앞으로 살아야 할 비전을 배우는 곳이 바로 교육에서

부터 시작되기 때문이다.

그러므로 인간에게 있어서 진정한 교육이 무엇인지 아는 것이 바로 이 세상에서 올바른 인생을 사는 것과 다를 것이 없다. 그렇다면 '우리는 진정한 교육을 어디에서 찾을 수 있을까?' 하는 물음이 생기게 마련이다. 진정한 교육은 과연 어떤 교육인가? 무엇을 배워야 성숙한 사람이 될 수 있는가?

현재 세계 모든 나라들은 국가경쟁력 핵심이 우수한 사람은 길러내는 데 있다고 보고 인재 양성을 위한 교육 경쟁력 증진에 힘을 쏟고 있다. 특히 21세기 지식정보화 사회에 필요한 창의력과 자기개발 능력을 갖춘 인재를 길러내려고 하고 있다.

3장 인간중심교육 실천방향

건강한 나무가 꽃을 피우고 좋은 열매를 맺듯이 건강한 교육은 착하고 아름답고 참된 인간을 창조한다. 따라서 학교교육은 지나치게 지식 중심으로 치우치지 말고 전인으로서의 조화로운 성장을 위한 교육이어야 한다. 인간중심 교육은 인지 학습을 넘어서 훌륭한 태도와 풍부한 감성의 발달을 지향한다.

1. 인간 중심 교육

인간 중심 교육은 인간을 지식, 승리, 돈, 권력 등 그 어떤 것보다도 중심에 두고 인간의 참된 가치를 드높이는 인간 됨 교육이다.

인간 중심 교육은 인간에 대해 무엇보다도 관심을 가지고 중요시하며 교육에 있어서 그 중심에 인간을 둔다. 그리고 자신이 지닌 잠재능력을 최대한 발휘하게 하고 지, 정, 의를 고루 갖춘 전인이 되는 것을 목표로 한다. 따라서 그들은 지식(知識) 교육뿐만 아니라 정의(情意)적인 면의 교육과 인격교육에 대해 강조하고 또한 학교가 보다 자신의 잠재력을 더 발휘하기 위해서 보다 자유롭기를 바란다.

2. 인격의 개념(Concept)

옥스퍼드 영한사전에는 인격(Character)이 그리스 어원으로 조각(Engraving), 표식(Mark), 징표(Stamp), 표상(Representation)의 독특한 도구 또는 성질이라고 어원적 의미를 밝히고 있다.

이 말을 가지고 인격의 핵심적 의미에 도달할 수 없다고 본다. 같은 사전에서는 열한 번째의 의미로 '개인과 인류를 구별 짓는 도덕적, 정신적 성질의 총합'으로서 '개인이 지닌 마음의 특별한 집'이라고 설명하고 있다.

그런데 Character와 유사한 용어로 Personality가 있으며 또한 비슷한 의미를 가지고 있는데 굳이 따져 본다면 인격(Character)이란 말에는 우리가 흔히 쓴 인성(Personality)보다 도덕적 함축을 표현하고 있다고 볼 수 있다.

3. 인간중심 한마디

1) 셰익스피어(William Shakespeare)

인간이란 얼마나 대단한 걸작인가? 고귀한 이성과 무한한 능력을 지녔는가 하면 자태와 거동은 얼마나 조화로우며, 행동거지는 또 얼마나 훌륭하고, 천사와도 같은 지혜를 가졌으며, 마치 신과 같지 않은가. 세상의 꽃이요, 만물의 모본이 아닌가(휴머니즘과 영국 르네상스시대의 문학론).

2) 장자크 루소(Jean Jeacques Rousseau)

인간은 자유롭게 태어난다. 그러나 온 누리에 쇠사슬로 묶여 있다. 우리는 남을 지배하고 있다고 뽐내고 있는데, 실은 남보다 더 노예적인 존재로 전락하고 있다(사회계약론 상식, 인권론에서). 만물이 창조주의 손에서 나올 때는 선하다. 그러나 사람의 손으로 넘겨지면서 타락한다(에밀에서).

3) 콜스닉(W.B Kolesnik)

인간은 얼마나 훌륭한 작품인가! 그의 이성은 고상하고, 그의 재능은 무한하도다. 그의 형상과 움직임은 자유자재로 표현되며 찬미할 만하도다. 그의 행위는 천사와도 같으며 그의 이해력은 신과 같도다(인간주의교육과 행동주의 교육에서).

4) 울리히(Ulich)

우리들은 지식만으로 훌륭한 태도를 할 수 없고 행복하게 될 수도 없다. 설사 그것이 다른 지식을 조합한 그 어떤 지식이라 할지라도 우리를 행복하게 하는 것은 불가능하다. 따라서 지식이란 선과 악에 대한 판단의 수단이 되는 것으로 족하다(교육사상사에서).

5) 아인슈타인

인간이 경험할 수 있는 최고의 아름다움은 생명의 신비로움이다. 진정한 예술과 과학은 바로 이 신비로움 안에 있다. 과학과 예술은 이성과 감성에서 각각 흘러나오지만, 그 처음을 찾아가면 생명의 노래가 넘치는 인간의 근원에 도달하게 된다. 그러나 인간은 잠재능력의 10%밖에 사용하지 않는다.

6) 미국 라이너스 폴링 박사(노벨상 2번 수상)

인간의 세포조직을 분석해보면 죽지 않고 영원히 살 수 있게끔 창조되어 있는데 왜 인간이 늙어 죽는지 그 이유를 모르겠다고 고백했다.

7) 루트 루빈스타인(『생각의 탄생』 저자)

교육 수준이 높아지면 예술교육이 줄어들고, 인성 개발에 나쁜 영향을 미친다.

8) 파스칼

인간은 하나의 연약한 갈대에 지나지 않는다. 모든 자연 중 가장 약한 존재이다. 그러나 그것은 생각하는 갈대이다. 그를 무찌르기 위하여 전 우주가 무장할 필요는 없다. 한 줄기의 증기, 한 방울 물만으로도 그를 죽이기에 충분하다. 그러나 우주가 그를 무찌른다 해도 인간은 자기를 죽이는 자보다 더 고귀하다.

왜냐하면 인간은 자기가 반드시 죽어야만 한다는 사실과 우주가 자기보다 강하다는 사실을 알지만, 우주는 그것을 전혀 모르고 있기 때문이다(팡세에서).

9) 나짐 히크메트

가장 먼 여행은 아직 끝나지 않았다.

가장 빛나는 별은 아직 발견되지 않았다.

인생 최고의 날은 아직 살지 않은 날들이다. (「진정한 여행」 중에서)

10) 맥도널드 회장(Global 혁신 1위 기업 P&G)

한국에서 혁신이 부족한 이유는 무엇이라고 보나.

"교육 시스템이 암기 위주이기 때문이라고 생각한다. 창의력을 향상시키는 교육시스템의 도입이 필요하다. 회사도 직원들이 창의적으로 생각하도록 훈련해야 한다."

11) 데이비드 울리히(미시간 대학교 교수)

미래 인재는 일할 수 있는 역량이 있고 기꺼이 나설 수 있는 의지가 있으며 일터에서는 스스로 보람을 찾는 가치관을 가져야 한다.

12) 굽타 맥킨지 회장

사실 1990년대 맥킨지의 굽타 회장이 '인재 전쟁(war for talent)'이란 화두를 제기한 이후 인재는 기업은 물론 사회와 나라의 핵심 어젠다가 돼 왔다.

13) 오마에 겐이치

일본을 대표하는 컨설턴트 오마에 겐이치는 우리 시대에 필요한 인재를 이렇게 정의했다. '새로운 일을 벌이고 싶어 안달하는 사람.'

14) GE 성장지향 인재 5가지 덕목

『하버드 비즈니스 리뷰』에 따르면 GE는 새로운 비즈니스를 개척할 때 필요한 인재의 덕목으로 다섯 가지를 제시하고 있다. ① 외부지향성, ② 단순 명쾌한 사고방식, ③ 상상력, ④ 협업능력이다. 지식에 해당되는 ⑤ '전문성'은 맨 뒷줄에 있다.

15) 인간은 하나님의 형상(성경, 창 1:27~28)

하나님이 가라사대 우리의 형상을 따라 우리의 모양대로 우리가 사람을 만들고 그로 바다의 고기와 공중의 새와 육축과 온 땅과 땅에 기는 모든 것을 다스리게 하자 하시고(창 1:26) 하나님이 자기 형상 곧 하나님의 형상대로 사람을 창조하시되 남자와 여자를 창조하시고(창 1:27) 하나님이 그들에게 복을 주시며 그들에게 이르시되 생육하고 번성하여 땅에 충만하라, 땅을 정복하라, 바다의 고기와 공중의 새와 땅에 움직이는 모든 생물을 다스리라 하시니라(창 1:28).

16) 칼릴 지브란(Kahlil Gibran)

당신의 어린이는 당신 소유가 아닙니다.
그들은 생명 그 자체를 갈구하는 대생명의 아들입니다.

그들은 당시의 몸을 통해 태어났으나 당신으로 인하여 오게 된 것은 아닙니다.
그리고 비록 그들이 당신의 몸을 통해 태어났으나 당신으로 인하여 당신으로 오게 된 것은 아닙니다.

당신은 그들에게 당신의 사랑을 주어야 될 것입니다.
그러나 당신의 생각을 주어서는 안 됩니다.
왜냐하면 그들은 그들 자신의 생각을 지니고 있기 때문입니다.

당신은 그들의 육신이 살 집을 주어야 될 것입니다.

그러나 그들의 영혼에까지 집을 주어서는 안 됩니다.

왜냐하면 그들의 영혼은 내일의 집에 살고 있으며, 당신은 그곳을 갈 수 없고 꿈에조차도 찾아갈 수 없기 때문입니다.

당신은 그들과 같이 되려고 애써야 할 것입니다.

그러나 그들을 당신과 같이 만들려고 해서는 안 될 것입니다.

왜냐하면 생명은 뒤로 물러가는 법이 없고,

또한 어제에 꾸물거리며 머무는 법도 없기 때문입니다. (『예언자』에서)

4장 인간중심의 전인교육

한 사람을 교육한다고 하는 것은 그 사람의 인생을 바꾸는 밑거름이 된다. 이러한 교육은 다양한 분야에서 사용되곤 하는데 그 이유는 교육을 통하여 나타나는 결과가 이(利)롭기 때문이다. 그러므로 어떻게 교육을 받았는가에 따라서 그에 대한 결과는 극과 극이 될 수 있다.

특히 요즘에는 인성교육이라는 말을 자주 사용하곤 한다. 여기서 말하는 인성교육이란 인성을 함양시키기 위한 교육을 말하는 것으로서 마음의 바탕을 교육하고 사람 됨됨이를 교육하는 것이다. 마음의 바탕을 교육한다는 것은 마음의 구성요소인 지, 정, 의(知情意)를 교육하는 것이고, 사람 됨됨이를 교육한다는 것은 인간으로서 바람직하고 보편 타당한 가치를 추구하며 그 가치를 완성할 수 있도록 교육하는 것이다. 이러한 인성교육에 대한 관심은 시대의 변화 때문이다. 사람이 사람답지 못하고 인간이 해서는 안 되는 일들이 벌어지는 오늘의 시대로 인해 생겨난 교육 흐름인 것이다.

이뿐만 아니라 교육은 사업에서까지도 사용되고 있다. 매출을 올리기 위한 방법으로부터 시작하여 회사를 운영하는 데 필요한 교육, 그리고 공공의 이익을 위해서 하는 교육 등 다양한 곳에서 교육이라는 이름으로 저마다 자기들의 유익을 구한다.

이처럼 교육은 인간의 생활에서 없어서는 안 되는 아주 중요한 매개체이다. 인간이 존재할 수 있는 이유는 교육을 통해서 가능하다. 인간의 됨됨이를 배우고 사회생활을 배우며 인간이 앞으로 살아야 할 비전을 배우는 곳이 바로 교육에서부터 시작되기 때문이다.

그러므로 인간에게 있어서 진정한 교육이 무엇인지 아는 것이 바로 이 세상에서 올바른 인생을 사는 것과 다를 것이 없다. 그렇다면 '우리는 진정한 교육을 어디에서 찾을 수 있을까?' 하는 물음이 생기게 마련이다. 진정한 교육은 과연 어떤 교육인가? 무엇을 배워야 성숙한 사람이 될 수 있는가?

현재 세계 모든 나라들은 국가경쟁력 핵심이 우수한 사람은 길러내는 데 있다고 보고 인재 양성을 위한 교육경쟁력 증진에 힘을 쏟고 있다. 특히 21세기 지식정보화 사회에 필요한 창의력과 자기 개발 능력을 갖춘 인재를 길러내려고 하고 있다.

1. 세계 각국에서 '사람'에 대한 전략

1) 인재상의 변화

과거 개발 중심의 시대에서 인적자원 개발의 중요 의제(Agenda)는 다수의 평균적 수준을 갖춘 인력을 얼마나 양산(量産)하여 산업계에 투여할 수 있는지의 문제였다. 그러나 지식기반 사회가 도래하면서 경쟁력은 정보 및 지식의 질(質)과 양(量) 그리고 이를 창출할 수 있는 인적자원의 혁신 능력의 문제로 발전하였다.

2) 교육 대응

(1) 유엔 교육에 대한 인식

21세기 인간교육의 방향은 어디로 가고 있는가? 이러한 질문에 대하여 유네스코(Unesco) 「21세기 교육을 위한 국제위원회 연구보고서」는 첫째, 확실히 알도록 배우는 것(Learning to Know), 둘째, 행동하기를 배우는 것(Learning to do), 셋째, 함께 더불어 배우는 것(Learning to Live Together), 넷째, 존재하기를 배우는 것(Learning to be)으로 정하였다. 이것은 앎이 지식으로만 그치는 것이 아니라 공동체와 자기 존재의 문제를 해결해주어야 한다는 것이다.

(2) 디지털 사회를 향한 교육적 대응

정보화 사회의 도래는 우리 일상의 급속한 변화와 혁신을 촉진하고 있다. 사회 각 분야의 디지털 원주민(Digital Native)의 등장은 우리 사회의 의사소통 구조와 지식의 형태까지 변화시키고 있다. 인터넷 보급 확대에 따라 인적, 사회적 네트워크 형태는 크게 달라지고 있으며, 개개인의 참여와 협업에 기반을 둔 사회적 생산성을 결정하는 중요한 요인으로 부각되고 있다. 이러한 급격한 환경 변화는 교육의 혁신을 요구하고 있다.

2. 미래 생활 환경변화를 통한 비전과 전략

앞으로 미래 우리 사회는 급격하게 수요자 중심의 사회로 흘러가게 될 것이다. 그러므로 다음 같은 주요 전략이 요구된다. 첫째, 질 높은 교육의 제공이다. 세계적 관점에서 경쟁력 있는 교육을 제공해야 한다. 둘째, 개방적 교육제도의 구축과 운영이다. 이것은 융합(融合)의 개념이다. 셋째, 교육혁신을 구가하되 '현장주도'의 혁신이 필요하다. 그러나 현장은 너무나 다양하기 때문에 그 다양한 요구들을 제공할 수 있는 인프라 구축이 필요하다.

■ 미래 생활 환경변화를 통한 교육적 비전과 전략

비전	전략
수요자가 선택하는 교육	1. 질 높은 교육 서비스 제공 2. 개방적 교육제도의 구축과 운영 3. 현장 주도의 교육혁신 추진
양질의 보편적 교육	1. 교육의 질적 양적 수준 선진화 2. 맞춤형 교육의 활성화
열린 세계관 자기 학습력을 함양하는 교육	1. 열린 세계관의 함양 2. 자기 주도적 학습력의 제고

수요자를 배려하는 현장 주도의 교육	1. 현장 주도의 다양한 교육 프로그램 서비스 2. 각 단위 조직별로 주도하는 교육 혁신 3. 한 사람도 버리지 않고 배려하는 교육
고도 전문 인력을 양성하는 교육	1. 산업수요 중심의 인적 자원 양성 및 활용
세계적 고등 지식 생산 허브로서의 교육	1. 유연하고 개방적인 교육제도 구축 2. 첨단 과학기술을 활용한 교육 서비스

3. 대한민국 교육 정책과 인간상

1) 창의성 인성교육의 전개

정부는 '2009 개정 교육과정'을 통하여 창의성, 인성교육의 토대를 마련하고 있다. 학교 안에서는 집중 이수제를 도입하고 학기당 이수과목을 축소하고 학습분량도 감축함으로써 교육과정과 수업 운영에 유연성을 부여하려고 하고 있다. 또한 학교 밖으로 교과 체험활동, 봉사활동, 진로활동, 동아리활동 등 다양한 체험활동을 현장에서 체험하도록 하고 있다.

2) 현행 교육정책의 기초로서의 철학적 기저는 신자유주의적 경향이다

구분	신자유주의(자본주의 3.0)	반 신자유주의(자본주의 4.0)
가치	－ 자유, 성장 강조 － 자유로운 경쟁 및 수월성 추구	－ 평등, 분배 강조 － 교육기회 확대 및 형평성 추구
특징	－ 자율화, 규제 완화 － 개방화, 민영화, 사유화 － 효율성 추구 － 수용자 중심 － 우수한 인력 배출	－ 평준화 － 공공성, 국가관여 확대 － 복지 향상, 균형 발전, 격차 해소 － 공동체 의식 강조 － 사회적 약자, 소외계층에 대한 관심, 배려 강조
정책	－ 학교 다양화(자립형, 자율형 등) － 성과급 － 적극적 평가 활동(교원, 학교 등) － 학교 통폐합	－ 학생 인권 강화 － 평준화 확대 － 학교 급식 확충 － 자립형 사학, 외국어 고교 등에 부정적 시각
전략	－ 경쟁, 선택과 집중	－ 기회 균등, 평등주의적 접근

5장 오늘날 교육의 문제점

1. 교육 주제별로 문제점

교육이란 학교교육, 대학교육, 경영교육, 조직조직 등 조직이라는 공동체가 전체적으로 수행하는 모든 교육적 행위라고 정의하고 있다. 그럼에도 아래 진단 내용을 통해 오늘날 교육의 문제점을 열거해 본다.

(1) 목적에 문제: 교육의 목적(What)에서 이탈하여 기술이나 벙법(How)의 도구로 사용되고 있다.

(2) 효과에 문제: 인간의 특성을 감안하지 않고 조직의 효율성을 높이는 도구로 사용되고 있다.

(3) 내용에 문제: 지식(Hightech)이라는 단편 콘텐츠로 인성(Hightouch) 개발이 문제로 대두된다.

(4) 범위에 문제: 평준화 교육에 의한 양(量)에 편중되어 수준별 질(質) 중심의 교육이 문제로 대두된다.

(5) 조직에 문제: 타인배려 유기체보다는 자기중심의 이기주의로 무기체 조직체제로 굳어지고 있다.

2. 교육 영역별로 문제점

교육영역		교육목적	현행문제	고유 교육목적 상실로 위기 초래
학교 교육	제도권 교육 산하 초·중·고·대학	전인교육	입시/취업교육 도구로 전락	입시/취업교육 편중에서 인성교육을 도외시함으로써 교사(수)와 학생 간 신뢰관계가 허물어져 교실붕괴 현상으로 위기에 직면함.
경영 교육	사회조직 산하 공·사기업 공기관 영·비영리 재단	자아실현	생산성 향상 도구로 전락	수강자가 교육을 받을수록 생산성에 혹사당한다는 부정적인 이미지로 학습 몰입에서도 실패하고 특히 교육의 효과가 27%로 낮은 상태임.
조직 교육	기독교 산하 조직	하나님 형상 작은 예수님	조직성장 도구로 전락	교육이 조직 성장의 도구로 양(量)적 교육에 치중, 저질의 인재개발로 사회에 문제들이 노출되고 특히 예수님의 한 사람 중심 질(質)적 목양(牧羊)에서 벗어나 조직교육의 정체성 위기를 초래함.

6장 국내교육제도 사회의 반응

1. 교육개발 헛발질 배규환 국민대 교수(조선일보, 2011.11.5)

교육개혁을 국가 차원의 주요 과제로 추진해온 지 16년이 지났다. 1995년 5월 31일, 김영삼 정부는 교육개혁을 공표하고 이를 추진하기 위한 대통령자문기구로 '교육개혁위원회'를 출범시켰다. 교육개혁위원회는 김대중 정부에서 '새교육공동체 위원회', 노무현 정부에서 '교육혁신위원회'로 이름만 바뀌었을 뿐 추진목표나 하는 일은 비슷했다. 이명박 정부에서는 '국가교육과학기술자문회의'로 흡수됐다. 정권이 세 번이나 바뀌었지만 교육개혁은 꾸준히 추진돼 왔다. 하지만 그 성과는 냉정하게 말하면 아직 제대로 시작도 못했다.

20세기 후반 격변의 시기에 세계적으로 '교육개혁'이란 화두가 등장했다. 산업문명의 꽃을 피운 것은 교육이었다. 그런데 정보화와 더불어 산업혁명 이후 200여 년에 걸쳐 형성돼 온 공교육 제도의 부적합성이 드러나기 시작한 것이다. 산업사회의 공교육 시스템은 표준화된 지식을 대량 전달하여 산업노동자를 양산해내는 대중교육제도이다. 공장에서 제품을 만드는 소품종 대량생산과 비슷하다. 그러나 정보사회는 다품종 소량생산과 같이 다양성과 개성에 바탕을 둔 창의적 인재를 요구한다.

'5·31 교육개혁' 조치에서 지향한 것은 바로 다양성·자율성·창의성이었고, 이러한 목표는 정권 차원을 넘어 일관되게 이어져 왔다. 문제는 그동안의 교육개혁이 과연 이러한 목표를 달성했느냐이다. 교육제도가 획기적으로 바뀌어 정보사회에서 요구되는 자율적 학습능력을 지닌 다양한 창의적 인재를 배출하게 됐는가? 교육현장을 아는 사람이라면 누구도 그렇다고 대답하기 어려울 것이다.

교육개혁을 16년이나 추진해 왔는데 성과가 없는 것은 시대적 요구를 이해하지 못했기 때문이다. 시대적 요구는 산업사회에서 형성된 대중교육제도를 정보사회에 부응하는 새로운 제도로 바꾸는 것이었다. 하지만 한국의 교육개혁은 평준화, 사교육비, 교실붕괴, 학교격차, 대학입시, 3불정책 등 산업사회 공교육 제도의 현상적인 문제들에만 집착했다.

근원은 못 보고 현상에만 골몰하는 것은 뿌리가 말라 나뭇잎이 시들어 가는데 잎사귀에 물을 뿌리며 나무가 살아나기를 기대하는 것과 같다. 아직도 입학사정 관제, 무상급식, 반값등록금 등 교육현장의 각종 문제에 묻혀 정작 시대적 요구에 부응하는 교육제도의 개혁은 시작도 못하고 있다. 그 결과로 이제는 교육개혁이 란 단어조차 실종돼 버린 것 같다.

교육개혁은 산업사회 시각이 아니라 정보사회 시각으로 접근해야 한다. 예컨대 관료적 위계질서에 바탕을 둔 일률적인 하향식 제도 대신 수평적 인간관계에 바 탕을 둔 다양한 상호작용 양식의 새로운 제도를 형성해 나가야 한다. 20세기적 시 각과 가치관으로 미래 세대를 가르칠 수는 없다.

그리고 교육의 개념을 시대에 맞게 새로 정립해야 한다. 이제는 교육의 주 내 용은 지식의 전수가 아니다. 과거와 달리 급변하는 지식을 다 가르칠 수도 없고, 폭증하는 지식을 모두 기억할 필요도 없다. 필요에 따라 다양한 정보를 스스로 찾 아내고 종합하여 해석하고 응용할 수 있는 능력을 길러주는 것이 중요하다.

또 교육개혁의 주도세력을 바꿔야 한다. 교육전문가가 아니라 미래사회 변동 추세를 이해하고 교육을 사회 전체의 틀 속에서 바라볼 수 있는 장기적·거시적 시각을 가진 사람이 조타수 역할을 해야 한다. 산업인 대신 정보인이 디지털 시대 의 교육제도를 설계하고 추진해가도록 해야 할 때이다.

2. 기업들 "서울대생, 조직 친화력 부족"(조선일보, 2012.2.18)

"능력은 뛰어나지만 협동심이 좀 부족한 것 같다."

삼성전자·현대자동차 등 국내 주요 기업 80여 곳의 인사 담당 임원들이 모여 서울대 출신 신입사원들에 대해 '쓴소리'를 쏟아냈다.

17일 서울대 경력개발센터가 교내 호암교수회관에서 개최한 '우수기업 임원 초청 서울대생의 역량 개발을 위한 간담회'에 참석한 국내 주요 기업 80곳의 임원 92명은 "서울대 졸업생들은 '조직 친화력'을 키워야 한다"고 지적했다.

경력개발센터 측은 "취업난이 심해지고 있어 기업이 바라는 인재상을 듣고, 대학이 기업에 바라는 점을 건의하기 위해 자리를 만들었다"고 말했다. 서울대는 이날 행사에 국내 기업 300곳을 초청했다. 오연천 서울대 총장 및 보직 교수들도 자리에 참석했다.

이날 삼성전자·현대자동차·LG화학·삼성중공업·두산인프라코어·GE 등 6개 기업 인사담당 임원들이 1시간 30분 동안 기업이 원하는 인재상을 발표했다.

서상원 현대자동차 이사는 "서울대 출신들이 두각을 나타내지만, 일부는 조직에 적응하지 못하고 일찍 회사를 나간다"며 "팀워크가 중요하다는 것을 알아줬으면 좋겠다"고 말했다. 김경호 LG화학 상무는 "서울대생들의 단점을 굳이 지적하자면, 능력은 뛰어나지만 (직장 내) 인간관계가 원만하지 못하다"며 "취업이나 이직이 다른 대학보다 쉬워 조직 적응에 소홀한 것 같다"고 말했다.

김종우 삼성중공업 상무는 "서울대생은 현장을 기피하는 경향이 있다"며 "개인보다 조직과 회사를 우선하고 팀워크를 중요하게 여기는 태도가 필요하다"고 말했다.

김태완 서울대 경력개발센터 소장은 "학생들이 꼽는 취업의 필수조건은 외국어 능력, 출신학교인 데 반해, 기업에서는 실무경험과 인성을 더 중시한다는 것을 학생들에게 알리겠다"고 말했다.

3. 자본주의 위기와 한국교육 대안
-장하준 영국 케임브리지 대학교 교수 인터뷰(조선일보, 2011.12.5)

한국, 교육시스템 악화
60~70년대처럼 가난한 애들 '맨땅에 헤딩'式 성공 힘들어져
기회 불균등 심해지면서 美·남유럽과 점점 비슷한 길
북유럽, 계층이동 잘 돼 대학 나오지 않아도 좋은 직장서 일할 기회 많아
실직해도 실업수당·재교육… '패자부활전' 무대 많이 갖춰

극심한 빈부격차와 사회갈등을 초래한 신자유주의를 비판해온 장하준 영국 케임브리지 대학교 교수는 "극단적인 자본주의 모순을 극복하는 데 교육이 중요한 역할을 할 수 있다"고 말했다. 하지만 그 '교육'은 지금 한국사회에서 벌어지는 (대학 졸업장이 목적인) 교육 실상과는 달라야 하며, 희망의 메시지를 학생과 학부모에게 주어야 하고 공정한 룰이 있어야 한다고 했다.

장 교수는 본지와 전화 인터뷰에서 "교육이 제대로 역할을 해 사회가 역동적으로 움직이는 국가는 북유럽의 스웨덴, 핀란드 등"이라며 "이 국가에서는 성장 환경이 좋지 않은 아이들도 교육을 통해 국가 사회의 중요한 인적자원으로 길러낸다"고 말했다.

≫ 한국의 인적자본은 글로벌 차원에서 어느 수준인가?

"이공계 분야를 기준으로 보면 미국, 스위스 등 선진국과 비교해 기껏해야 60~70% 수준밖에 안 되지 않겠나. 인적자원을 제대로 개발하지 못하는 국가들은 모두 교육시스템에 문제가 있다. 필리핀, 나이지리아에서 영국에 유학 온 친구들 중에는 굉장히 똑똑한 사람들이 많다. 하지만 자국(自國)의 교육시스템이 못 받쳐주니 외국으로 가는 것이다."

≫ 교육 시스템이 나쁘면 어떤 문제가 발생하나?

"열심히 하면 계층을 올라갈 수 있는 시스템이 있어야 사람들이 진짜 열심히 하는데 (교육 시스템이 나쁘면) 그게 막힌다. 가정환경이 안 좋은 애들이 '이런 거 해서 뭐하나' 하고 생각하게 되는 것이다. 미국이 그렇고, 우리나라도 비슷한 길을 걷고 있다. 60~70년대까지만 해도 맨땅에 헤딩하듯이 열심히 해서 머리 좋은 애들이 노력하면 됐는데, 이제는 시스템 자체가 바뀌었다. 대학 가는 것도 돈이 있어야 된다."

≫ 계층 이동에 있어서 북유럽과 미국의 차이점은 뭔가? 한국은 어디에 가깝나?

"북유럽 국가들은 계층 순환도가 제일 높다. 선진국 중 미국, 포르투갈이 제일

낮다. 한국은 옛날에는 북유럽에 가까웠는데 점점 미국 쪽에 가까워지고 있다. 북유럽이 계층 순환도가 높다는 것은 복지제도가 잘 돼 있고, 대학을 나오지 않아도 보수 좋은 직장에서 의미 있는 일을 할 기회가 많기 때문이다."

≫ 자본주의 3.0의 문제점을 해결하는 데 교육이 어떤 역할을 할 수 있나?

"결국 잘하고 열심히 하는 사람을 인정해주지 않으면 망하게 되어 있다. 공산주의 체제가 그래서 무너진 것이다. (태어날 때부터 갖고 있는) 기회의 불균등을 사회 시스템이 해소해줘야 한다. 또 경쟁에서 탈락한 사람들이 너무 괴롭지 않게 살 수 있어야 한다. 성공한 사람을 보상해주는 것도 중요하지만 실패한 사람을 극한 상황에 몰아넣으면 성공한 사람도 즐거운 게 아니다. 패자부활전을 자꾸 만들어줘야 한다. 북유럽 복지제도의 중요한 것 중 하나가 실직을 해도 정부로부터 실업수당과 함께 교육을 받아 재기할 수 있다는 것이다."

≫ 소득에 따른 기회 불균형이 사회에는 어떤 악영향을 끼치나?

"소득에 따라 교육 기회가 박탈되면 부모가 부유하지 않은 아이들은 아예 게임도 못하고 떨어져 나가게 된다. 사회 전체로 보면 인력풀을 100% 쓰지 않고 30%만 쓰는 것이다. 이런 면에서 인적자원 활용을 잘하는 곳은 스웨덴, 핀란드, 스위스 같은 나라들이다."

≫ 미래 사회에 필요한 창의적인 인재를 키운다는 측면에서 무엇이 교육에서
    가장 중요한가?

"지적 권위에 도전할 수 있는 태도를 길러주는 것이다. '이게 창의적이다'라고 교사가 가르치는 것은 이미 창의적인 것이 아니다. 한국은 여전히 권위적인 문화가 있어 지적 권위에 도전하는 사람을 곱게 안 본다. 그런 문화를 바꾸지 않으면 창의성이 자라는 데 한계가 있다. 또 집단적으로 창의성을 발휘할 수 (사회적 기반이) 있어야 한다. 창의성은 스티브 잡스 같은 개인만 있다고 만들어지는 것이 아니다."

≫ 제도 개혁은 어떻게 해 나가야 하나?

"모든 제도가 갑자기 바뀔 수는 없다. 긴 목표를 갖고 차근차근 가야 한다. '북유럽처럼 대학 안 가도 즐겁게 살 수 있는 사회를 만들자'는 목표를 갖고 가면서 대학 입시제도, 직업 구조, 공공시스템 등을 어떻게 바꿀 것인지에 대한 논의를 시작해야 한다. 일제시대 후 문자 해독률이 22%였던 나라(한국)가 지금은 세계에서 가장 교육을 많이 받는 나라가 됐다. 복지제도를 통해 가난한 애들도 공부할 수 있도록 하고 어른들에게도 패자 부활전을 만들어줘야 한다."

■ 자본주의 4.0 시대의 교육

'자본주의 4.0'은 소프트웨어 버전(version)처럼 진화 단계에 따라 숫자를 붙일 때 네 번째에 해당하는 자본주의라는 뜻이다. 자유방임의 고전자본주의(1.0), 정부의 역할을 강조한 1930년대 수정자본주의(2.0), 1970년대 말부터 시장의 자율과 무한 경쟁을 강조한 신자유주의(3.0)에 이어 글로벌 금융위기를 계기로 모색되고 있는 새로운 패러다임의 자본주의이다. 성공한 사람이 더 큰 성공으로 나아가도록 장려하고, 낙오한 사람에겐 재기의 기회를 주면서 끌어안고 가고, 다수의 행복과 안정된 시장경제를 지향하는 자본주의 4.0 시대를 구현하려면 결국 교육이 핵심 해법이라고 전문가들은 말한다. 자본주의 4.0 시대의 교육은 소득의 규모에 상관없이 개인의 자아를 실현할 수 있는 공정한 룰을 제공하고, 이를 통해 길러진 인적자원들이 국가적·사회적 부가가치를 새롭게 창출해내는 시스템을 일컫는다.

4. 자본주의 위기에 한국교육 위기
- 독일 미래학자 마티아스 호르크스 인터뷰(조선일보, 2011.12.5)

독일의 저명한 미래학자 마티아스 호르크스(Matthias Horx)는 글로벌 금융위기 이후 다가올 미래와 관련, "자본주의 4.0 시대, 즉 미래사회에서는 지식을 아는 것보다 지식과 정보를 새로운 방식으로 연결해 부가가치를 창출하는 것이 더 중요하다"며 "급변하는 미래에 자본주의를 지속 가능하게 하는 핵심은 교육에 있다"

고 말했다.

호르크스는 6일 본지와 가진 이메일 인터뷰에서 "현재 우리의 교육시스템은 사무실과 공장에서 경쟁적으로 일을 하던 산업화 초기단계에 머물러 있다"며 이같이 말했다.

그는 지금의 한국 교육으로는 자본주의 위기를 극복하기 힘들 것이라고 지적했다. 호르크스는 "초등학교 때부터 극심한 경쟁을 시키는 한국식 교육에서는 최고가 아니면 기회를 놓치고 낙오한다"며 "서구의 기업들도 지금 학교 성적이 한 인간의 능력을 제대로 반영하지 못하고 있다는 것을 깨닫고 있다"고 말했다. 이어 "한국의 경우 모든 학생이 똑같은 목표(대학 진학)를 향해 달려가는 지나치게 단순화된 교육 모델에 머물러 있다"면서 "다양한 재능과 능력을 가진 학생들에게 '다양한 트랙(진로)'을 만들어 줘 재능을 발휘할 수 있게 하는 게 자본주의 4.0 시대에 맞는 교육"이라고 했다. 그는 한국의 주입식 위주 교육이야말로 자본주의 3.0 시대 교육의 '우울한 단면'이라고 비판하면서 "문제풀이에 매몰돼 있는 교육은 절대 안 된다"고 했다.

그는 "객관적 사실과 공식은 인터넷에 널려 있고 이런 정보를 얻는 것은 앞으로 더 쉬워진다"면서 "학생들을 그런 단편적 지식을 묻는 것으로 평가한다면 미래사회의 변화추세와 거꾸로 가는 것"이라고 말했다.

그러면서 "교육은 구태의연한 정답을 학생들에게 가르치는 것이 아니라, 젊은 이들에게 새로운 영감과 질문을 던져주는 역할을 해야 한다"고 했다.

공부 잘하는 학생은 '복종 잘하는 사람'. '제도에 순응 잘하는 사람'을 의미할 뿐이라고 그는 덧붙였다. 광고·디자인·기술 등 미래의 창의적 산업분야를 이끌어 갈 인재는 꼭 학교 모범생 출신일 필요가 없다는 것이다.

호르크스는 "학교가 꾸준히 개혁·개선될 때 자본주의 위기에 대한 해답을 찾을 수 있다"고 했다. 그는 "스웨덴·덴마크·노르웨이 등 북유럽 국가들의 경우, 교육이 그 사회의 부가가치를 창출해 내고 있다"면서 "단, 교육시스템이 소수의 부자(富者)들에게만 유리하게 작동하지 않고, 모든 사회구성원에게 다양한 기회를 제공되고 창의적인 교육 콘텐츠가 제공되도록 하는 것이 중요하다"고 말했다.

그는 '교사의 역할'을 강조했다. 교사가 지식 전달자에 그친다면, 미래의 사회는 암울하다는 것이다. 그는 "지금의 (상당수) 교사들은 아이들 재능을 키우고 있다고 스스로 생각하고 있는지 모르지만 실제로는 아이들 재능을 다 망치고 있다"며 "교사는 아이들에게 호기심과 창의력을 키워주는 사람이 되어야 한다"고 말했다.

1955년 독일에서 태어난 호르크스는 '자이트', '템포' 등 잡지 편집장을 지낸 저널리스트 출신 미래학자다. 1996년 독일 프랑크푸르트에 '미래연구소'를 설립하고 현대사회의 메가트렌드 등을 연구하고 있다. 휴렛패커드·유니레버·인텔·노키아 등 글로벌 기업을 컨설팅했다. 『미래에 관한 마지막 충고』, 『미래에 집중하라』 『위대한 미래』 등의 저서가 있다.

Theme 4

현대사회 적용 멘토링 프로젝트

오늘날 지적 편중의 학교교육, 생산성 편중의 기업교육, 성과 편중의 조직교육
은 그 교육의 진정한 목적을 벗어난 상태에서 위기를 맞고 있다.

멘토링은 교육역량 강화차원에서 당초 올바른 교육의 목적인 전인적인 인격개
발 체제를 회복하고 더 나아가 인격적으로 존경받는 리더개발 멘토링 프로젝트를
대안으로 제시한다.

교육의 영역	멘토링 활동테마
제도권 내 학교교육	1. 영아 2. 유아 3. 초교 4. 중교 5. 고교 6. 대학
제도권 외 사회지도층 리더개발	1. 정치인 2. 경제인 3. 법조인 4. 교육자 5. 종교인
평생교육 국가인재	1. 기술인재 2. 과학인재 3. 천재영재

물적 이익중심의 변질된 교육목적	멘토링 전인적인 인격 프로그램	인간정신 가치중심의 올바른 교육 목적
학교: 지적 편중	멘토링교육 프로젝트	전인교육으로 인간적으로 된 사람 양성
일반조직: 생산성 편중		자아실현으로 경영 리더 양성
교회: 성과 편중		하나님 형상 회복 작은 예수 개발

1장 멘토정신 전인교육 모델

정규교육 제도의 보완프로그램으로 교육의 물질가치에서 정신가치로의 가치관 재정립과 교사의 타인 섬김 멘토 정신으로 자부심을 갖고 혁신교육의 New Paradigm 희망 모델로 4개 교육 기관을 소개한다

1. 미국의 작은 학교 모델
2. 미국을 위한 모델 TFA
3. 일본을 위한 모델 정경숙
4. 한국을 위한 모델 WEE스쿨

1. 미국의 작은 학교 모델

(왼쪽)뉴욕 시가 공교육 부활을 위해 학업 성적이 낮은 공립학교를 폐지하고 학생 수를 제한해 특성화 교육을 실시하는 '작은 학교'가 큰 성과를 내고 있다. 사진은 작은 학교인 미국 뉴욕 시 브롱크스의 한 '작은 학교'에서 학생들이 공부를 하고 있는 모습. /미 뉴비전 고등학교 제공.

미국 뉴욕 시 브롱크스에 있는 공립고등학교 '브롱크스 과학과 수학센터' 교사 에드워드 톰은 매일 아침 등교하는 학생들과 일일이 인사하고 악수한다. 9~12학년 이 다니는 이 학교 학생 수가 한 학년에 100명에 불과하기 때문에 가능한 일이다.

뉴욕 시의 새로운 학교 모델 '작은 학교' 중 하나인 이 학교는 뉴욕 최고 낙후 지역인 브롱크스 남부에 위치해 있고, 재학생 중 60%는 히스패닉, 30%는 흑인이 다. 10명 중 8명이 저소득층을 위한 무상급식 대상자이다. 하지만 교사 1명당 학 생 수가 17명에 불과해 학생들은 수준 높은 교육을 받는다. 2009년 이 학교 졸업

률은 84%로, 같은 지역 공립학교 평균 졸업률(46%)에 비해 월등히 높다.

마이클 블룸버그 시장이 공교육을 되살리기 위해 지난 10년 동안 추진해 온 '작은 학교'가 큰 성과를 거두고 있다. 작은 학교는 학업 성과가 현저히 낮은 졸업률 45% 미만의 공립학교를 폐지하는 대신 해당 지역에 만든 새로운 형태의 공립학교로, 시는 2000~2008년 123개의 작은 학교를 세웠다. 작은 학교 학생 수는 한 학년에 100명 정도다.

교육 관련 비영리 연구기관 MDRC가 최근 발표한 보고서에 따르면 작은 학교 재학생의 고교 졸업률(67.9%)은 나머지 공립학교 졸업률(59.3%)보다 훨씬 높았다. 또 뉴욕 시 고교생 영어·수학능력 시험 합격률도 작은 학교(37.3%)가 나머지 학교(27.9%)에 비해 월등했다.

MDRC는 2005~2006년 작은 학교에 지원했던 합격생과 낙방생 약 2만 1,000명을 추적, 조사했다. 이 학생들은 대부분 브롱크스나 브루클린의 가난한 지역에 살며 93%가 히스패닉이나 흑인이었다. 입학 당시 학업 성적에는 큰 차이가 없었다. 작은 학교는 지원자의 성적을 고려하지 않고 복권식 추첨제로 선발한다. 아른 던컨 미 교육부장관은 이 보고서 결과에 대해 "학업 성적이 좋지 않은, '중퇴 공장'으로 불렸던 낙후한 공립학교를 개조하는 것은 불가능하다는 편견을 깼다"고 말했다. 전문가들은 뉴욕의 작은 학교가 공립학교의 새 모델이 될 것으로 기대한다.

작은 학교는 시 예산에다 마이크로소프트 창업자 빌 게이츠 부부가 운영하는 '빌 & 멜린다 게이츠 재단'이 보탠 기금 5,120만 달러(575억 원)가 씨앗이 됐다. 작은 학교는 교장 희망자가 학교 운영 아이디어를 제안하면 뉴욕 시가 이를 심사해 개교 허가를 내준다. 과거의 공립학교가 교육 당국의 지시에 따른 '하향식 개교 방식'을 따랐다면 작은 학교는 '상향식'이다.

수학·과학·음악·문학·스포츠 등의 특성화 교육은 작은 학교의 또 다른 특장이다. '브롱크스 과학과 수학센터'는 과학·수학, 브롱크스 양키스 야구장 인근 '스포츠 경력을 위한 아카데미'는 체육에 관심이 있는 학생들이 주로 지원한다. 다른 특성화 학교들이 졸업 후 취업에 목적을 두지만, 작은 학교는 대학 진학 후 전공 선택에 초점을 맞춘다. 작은 학교는 뉴욕 시와 협력하기로 한 '학교 지원 기구'

중 한 곳을 골라 교육 프로그램에 활용해야 한다. '협력 교육을 위한 모리스 아카데미'는 컬럼비아 대학교와 협정을 맺어 이 대학 실험실에서 과학 수업을 한다.

■ 작은 학교

미국 뉴욕 시가 학업성적(졸업률 등 기준)이 낮은 학교를 폐교한 대신 신설한, 학생 정원을 한 학년에 100명 정도로 제한하고 특성화 교육을 강화한 학교이다. 공교육을 살리고 저소득층 학생들의 적극적인 학교 선택권(궁극적으로 학습권)을 보장하겠다는 취지다(조선일보, 2012.1.28).

2. 미국을 위한 모델 TFA

TFA (미국을 위한 Teach For America)란?(설립자: 웬디 코프)

오늘날 치열하게 경쟁해 더 높은 연봉을 받는 것을 성공으로 여기는 미국 땅에서 좀처럼 성립될 수 없어 보이는 이 직장의 이름은 '미국을 위한 교육(Teach for America)'이다. 교육 불평등을 해소하기 위한 교사양성 및 지원을 위한 비영리단체다. 엄격한 심사를 거쳐 선발된 명문대 졸업생들이 5주간의 집중적인 훈련을 받고 미국 내 가장 가난한 지역에 교사로 배치돼 2년간 학생들을 가르치는 프로그램이다(조선일보, 2011.2.11).

1) 학교의 역사

오는 12일 워싱턴 D.C.에서 창립 20주년 기념행사를 갖는 이 단체의 초급교사는 현재 8,200명이다. 20년 전 불과 500명에서 16배로 늘었다. 지난해엔 4,500명을 뽑는 데 무려 4만 6,000여 명이 몰려 10대1의 경쟁률을 기록했다. 하버드대·예일대 졸업생 가운데 18%가 지원했으나 이 가운데 20%만 초급교사로 선발될 수 있었다.

2) 학교출신자

미국 공교육 개혁 바람을 일으키고 있는 미셸 리 전 워싱턴 D.C. 교육감이 TFA 3기생이고, 대안학교 혁명을 일으키고 있는 'KIPP'('아는 것이 힘이다' 프로그램)의 공동 창업자 마이크 파인버그와 데이브 레빈, '올해의 교사상'을 휩쓰는 이름들이 TFA가 배출한 2만 명 동창생 명부에 올라 있다.

3) 발전의 원동력

TFA가 짧은 기간 동안 비약적 성공을 거둔 것은 탁월한 교육적 효과 때문이다. 미국 내 교육 연구보고서들은 TFA 교사들이 가르친 학생들이 수학·독해·과학 등에서 정규교사들이 가르친 학생들보다 좋은 성적을 내고 있음을 입증하고 있다.

지난 2004년 '매서매티카 폴리시 리서치'는 TFA 교사가 가르친 학생들의 수학 성적이 다른 학생들보다 표준편차상으로 0.15가 올랐고, 이는 한 달간 더 교육받은 효과와 같다는 결과를 게재했다. TFA의 경험은 아이들뿐만 아니라 교사들의 인생도 근본적으로 바꿔놓곤 한다. 미셸 리 전 워싱턴 D.C. 교육감은 지난해 「오프라 윈프리쇼」에 출연, "볼티모어의 공립학교에서 TFA 교사로 일했던 경험이 나의 신념을 더욱 굳게 했다"고 고백했다. 그녀는 "아이들은 잠재력이 있고 또 그것을 달성할 수 있다"며 "문제는 아이들이 아니라 어른들"이라고 말했다.

4) 모금의 풍족함

TFA는 지난해 기부금을 모아 1억 8,900만 달러의 예산을 확보했고, 이 가운데 75%는 뛰어나고 열정적인 TFA 교사를 받고 싶어하는 커뮤니티에서 제공하고 있다.

5) 웬디 코프 대담

≫ 하버드, 예일 등 명문대 학생들이 왜 경쟁적으로 '미국을 위한 교육'에 참여하길 원하는가?

"큰 변화를 만들려고 하기 때문이다. 불평등한 교육을 해소하는 것을 우리 세대의 시민운동 이슈로 보고 있는 것이다. TFA에서 성공한 선생님들은 다시 캠퍼스로 돌아가 졸업반 학생들에게 '여러분의 에너지를 큰 변화를 일으킬 수 있는 여기에 써라'라고 독려한다."

≫ 물질주의가 우월한 미국에선 이례적인 현상 아닌가?

"우리 세대가 자기와 돈만 아는 '미 제너레이션(me generation)'만이 아니라는 것을 TFA는 증명하고 있다. 고액연봉을 받는 뉴욕의 월스트리트 대신 보람을 위해 단기간이지만 박봉의 TFA 교사 자리를 기꺼이 택하고 있는 것이다."

≫ 'TFA'가 성공한 비결은 무엇인가?

"가난한 지역의 아이들을 끌어내 다른 궤도를 걷도록 교육하는 데 필요한 것은 결국 리더십이다. 이것은 점진적인 변화로는 안 되고 근본적인 변화가 필요하다. 교실이든 학교든 지역단위든 이런 변화는 아이들을 깊이 신뢰하며 아이들의 잠재력을 알고 이를 끌어내려는 강한 의지가 있는 사람이 가져올 수 있다. 이런 통찰력이 TFA 사명의 핵심이다."

≫ 어떤 사람을 뽑는가?

"우리는 어떤 기업보다도 공격적으로 대학 캠퍼스에서 채용 활동을 벌이고 있다. 우리는 리더십의 자질을 본다. 이를 전체적으로 평가해 사람을 뽑는다."

≫ 오바마 대통령도 미국 공교육의 문제점을 지적했는데.

"가난한 지역 아이들은 절반 정도밖에 고등학교를 졸업하지 못한다. 이 나라에서 고교 졸업장이 없는 학생은 미래도 없다. 그런데 고교를 졸업한 학생도 수준은 중학생밖에 안 된다. 이렇게 해서는 의미 있는 직업을 가질 수 없다. 나는 지난 20년간 이 문제는 우리가 해결할 수 있는 문제라고 생각했다."

3. 일본을 위한 모델 정경숙

정경숙은 돈과 배경이 없이도 정치인이 될 수 있는 코스로 알려지면서 매년 200~300명이 지원하고 있다. 하지만 합격자는 10명 이내에 불과할 정도로 경쟁이 치열하다. 22~35세를 대상으로 소논문과 면접, 집단토론 등을 거쳐 선발한다. 수업료는 없으며 매달 생활비 20만 엔(약 280만 원)을 지원해준다.

상근강사와 커리큘럼, 교실이 없는 '3무 교육'이 원칙이다. 마쓰시타 고노스케가 "지식은 선생으로부터 배울 수 있지만 중요한 것은 스스로 배워야 한다"고 주장한 데 따른 것이다.

마쓰시타 고노스케는 "일본이 발전하기 위해서는 진정한 인재가 절실하다"며 1979년 70억 엔(약 982억 원)의 사재를 들여 가나가와 현 지가사키(茅ヶ崎) 시에 정경숙을 설립했다. 금번 차기 총리로 선출된 노다 재무상은 정경숙 1기생이다. 이번 노다의 승리엔 '정경숙 파워'가 큰 역할을 했다는 분석이다. 겐바 고이치로(玄葉光一郎) 국가전략상과 하라구치 가즈히로(原口一博) 전 총무상 등 민주당에만 현역의원이 28명이 있다. 자민당에도 아이사와 이치로(逢澤一郎) 국회대책위원장과 다카이치 사나에(高市早苗) 중의원 의원 등 10명이 있다. 도지사와 지방의원까지 합치면 현역정치인은 80명에 육박한다.

4년제(2010년 전에는 3년제)로 첫 2년은 기숙사에서 생활하는데, 학생들은 매일 아침 6시 기상과 동시에 정경숙과 그 주변을 청소한다. '자기 주변도 청소 못 하면서 어떻게 일본을 청소할 수 있느냐'는 취지에서다. 정치, 경제 외에 다도(茶道), 서도(書道), 검도(劍道), 좌선(坐禪) 등 일본 전통문화도 필수코스이다.

■ 마스시타 정경숙의 塾訓

① 素志貫徹(소지관철): 처음 세웠던 순수한 뜻을 끝까지 관철한다.
② 自主自立(자주자립): 남의 도움을 바라지 않고 스스로의 힘으로 선다.
③ 萬事硏修(만사연수): 어떤 일이든 깊이 연구하는 마음으로 거듭 배우고 일한다.
④ 先驅開拓(선구개척): 아직 다른 이들의 눈이 미치지 않는 새로운 일들을 찾아

개척한다.

⑤ 感謝協力(감사협력): 항상 감사하는 마음을 갖고 서로 협력하여 신뢰가 배양
되어야 참된 발전도 이룬다.

4. 한국을 위한 모델 WEE스쿨

위(Wee=We+Education+Emotion)**스쿨이란?**

위스쿨은 위클래스 - 위센터로 이어지는 위프로젝트의 맨 윗단계이다. 위스쿨
은 위클래스와 위센터에서 감당하기 어려운 위기학생들만 모아 가르치는 전문교
육기관이다. 위스쿨은 전국 시도교육청 단위별로 구축 중인데 현재 운영 중인 곳
은 충남 · 북, 광주 3곳이다. 오는 3월 인천, 내년 3월 대전, 경기, 경남에서 각각
1곳씩 개교할 예정이다(www.wee.or.kr, 국민일보, 2012.1.9)

운영사례소개: 청명학생교육원

명칭: 청명학생교육원(충북 청주에 소재한 충북교육청 직속기관)

원장: 이근청(60)

2010년 9월 6일 신설 초대원장 부임. 교사경력 37년째 수학교사 출신으로 고3
담임만 13년을 한 그는 충북교육청 장학관, 일선학교 교장을 거쳤다.

재학생 상태: 충북 도내 120여 개 중학교에서 위기 정도가 가장 심한 학생들로
판정된 학생들이다. 절반 정도는 학교폭력 가해자 출신이고, 나머지 절반은 학교
폭력 피해자이거나 인터넷게임중독 외톨이들이다.

기숙생활: 교실에서는 가해자와 피해자 출신이 섞여 있지만 생활공간은 분리돼
있다. 가해학생 출신들은 주로 기숙사에서 집단생활을 하고, 외톨이나 피해자 출
신 위기학생은 단독주택처럼 생긴 가정형 생활관에서 지낸다. 밤에도 교사들이
아이들 옆방에서 잠을 자며 세심하게 보살핀다.

학습생활: 오전 9시 '아침모임'부터 시작된다. 전교생이 한자리에 모여 서로 손
을 잡고 '공동체생활철학'을 한목소리로 암송한다. 국민공통기본교과 과정을 가

르치기 때문에 국어, 영어, 수학, 사회, 과학 등을 모두 편성했지만 일반 학교보다 쉽게 가르친다. 매일 오전 3교시는 체육시간이다.

■ **참만남 프로그램 소개**

'참만남'은 교육원에서 운영하는 분노 조절 프로그램이다. 눈에 거슬려 화가 치미는 친구에게 면담신청 쪽지를 써 복도 한켠에 마련된 통에 넣는 식이다. 담당 교사는 쪽지를 수거해 매주 목요일 오후 두 친구의 만남을 주선한다. 욕설 등 말다툼은 가능하지만 몸싸움이나 물건 던지기는 허용되지 않는다.

두 대면자만이 참만남에 참여하는 것은 아니다. 다른 친구들이 각자의 잘잘못을 짚어 주기도 하고 "별것도 아니네"라고 화해 분위기를 만들기도 한다. 박창호 교학부장은 "매일 2~3건 일어나던 폭행이 지난해 '참만남' 도입 이후 일주일에 1~2건으로 줄었다"고 말했다.

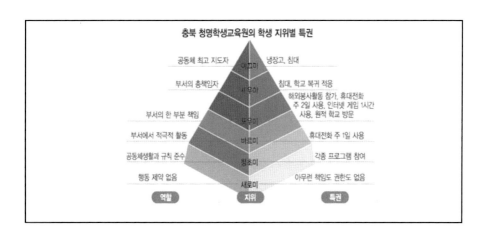

■ **위(Wee) 스쿨효과**

(1) 청명 학생 40명 중 13명(2010년)은 올해 고교 진학에 성공했다. 이들에게 청명생활은 잊지 못할 추억이다. 그러나 이들의 학교생활기록부는 청명의 흔적을 남기지 않았다.

(2) 각종 위기 학생들이 이곳에서 6개월 이상 생활한 뒤 성공적으로 예전 학교

와 가정으로 돌아갔다. 이제까지 이 학교를 거쳐 간 50여 명 중 단 1명을 제
외하고 모두 학업중단 위기를 벗어났다.

3장 학교 멘토링 시스템 적용방법

1. 학교 멘토링의 필요성

(1) 현행 평준화 교육은 갈수록 그 피해가 속출하고 있으며 과대한 사교육비와
교육이민이라는 차원에서 사회적으로 문제가 심각하다. 멘토링은 그에 최
적의 대안으로 중간 지도자인 멘토를 세워 1대1 인재개발 체제로 우수그룹
학생과 열등그룹학생을 수준별로 교육함으로써 평준화 교육의 피해를 보완
할 수 있는 프로그램이다.

(2) 양(Quantity) 위주의 현행 교육체제는 학생들의 다양한 재능을 개발하는 데
걸림돌이 되고 있다. 인간성(Humanity) 위주의 멘토링은 학생 개개인의 재능
과 특성을 개발하여 질(Quality)적 성장을 유도하는 대안으로 평가받고 있다.

(3) 학력 위주(Hightech)의 학습풍토는 살벌한 경쟁심을 유도함으로써 사제 간,
학생 간 모래알 같은 분위기가 되어 전인교육을 지향하는 학교교육에 치명
타를 안겨주고 있다. 멘토링은 멘토와 멘제 간에 1대1 관계로 교사 간, 교사
와 학생 간, 학생 간 따뜻한 인정(Hightouch)이 우선적으로 베풀어짐으로써
자연스럽게 인성교육의 장(場)이 마련되게 된다.

2. 학교 멘토링 접근방법

학교 멘토링제도 운영은 두 가지 측면으로 접근이 가능하다. 먼저 교사 멘토링
차원에서는 멘토링 자율장학 환경조성, 멘토링 자율장학 프로그램 구안 적용, 다
양한 연수 프로그램을 통한 자기장학 등 교내 자율장학을 통하여 신입 및 저경력

교사의 교실 수업기술 향상 및 수업에 대한 긍정적 태도를 길러 교육의 질을 높이고 교사의 전문성을 신장시키는 데 목적이 있다.

다음으로 학생을 위한 멘토링 제도는 우선 평준화 교육에서 오는 부작용을 보완하는 측면으로 학습 지진생과 우수생을 대상으로 하는 학습능력향상 멘토링과 아울러 학생생활 지도차원에서 왕따 방지 등 학교생활 적응력 향상과 특기 및 취미생활 개발등에 접근이 가능하다.

3. 학교 멘토링 적용 분야

1) 학생지도활동(학교폭력, 왕따, 우수, 슬럼프 학생)
- 선생님과 집중지도 대상학생을 1대1로(지도대상이 많은 경우에는 선생님 한 명당 여러 명을 할당) 연결하여 지도한다.
- 집중 지도학생은 아래의 학습활동 또는 특별활동을 하는 과정에서 발견한다.

2) 학습지도활동
- 자신의 부족한 부분을 신청, 잘하는 학생이 지도하고 보충해 주는 제도이다.
- 학생개인지도(Student Tutoring): 상급학생이 저학년생을 개인지도(초등학교의 경우, 6학년이 3학년을, 5학년이 2학년을, 4학년이 1학년을 지도)하는 방법이다.
- 동급생 개인지도(Peer Tutoring): 동급생끼리 개인지도한다.
- 교사-학생 개인지도(Mentor-Menger 개인지도): 교사가 학생을 개인지도한다.

3) 특별활동, 재능활동, 여가활동
예체능활동, 컴퓨터, 기타 재능활동 및 여가·취미활동과 봉사활동(교내, 사회)을 학습 활동에서와 같은 방법으로 시행하며, 사회 봉사활동과 같은 경우는 봉사활동 대상자와 특정기간 동안 1대1 또는 반(소그룹)학생들과 대상자와 1대1로 연결하여 돌아가면서 봉사활동을 전개한다.

- 신입교사, 신입생 조기정착 활동기존교사와 재학생을, 신입교사와 신입생과 연결하면 조기정착이 가능하다.

4. 학교 멘토링 조직도

학교 멘토링운영위원회			
멘토링매니저(TF Team)		멘토링매니저(TF Team)	
멘토/멘제쌍	멘토/멘제쌍	멘토/멘제쌍	멘토/멘제쌍

(1) 멘토링 위원회: 멘토링 실무를 전담하는 자로서 멘토링의 계획과 각종 자료를 관리한다.
(2) 멘토링 TF Team: 멘토링 활동에서 예를 들면, 각 기관별, 각 학급별 멘토링 프로그램을 전문관리하고 모니터링을 할 수 있는 요원으로서 조언해주며 활동 보고 내용을 통하여 관리한다(매니저, 모니터로 호칭).
(3) 멘토링쌍: 멘토링 활동을 전제로 연결된 쌍으로 먼저 성격분석을 통하여 가상 잘 소화되는 쌍을 우선으로 연결하고 멘토링의 목적과 의도에 맞게 활동을 한다.
- 멘토링활동에서 주체가 되는 멘토, 멘제 한쌍이다.

5. 학교 멘토링 기대효과

(1) 면학 분위기 조성과 사교육비 문제 해결이 가능하다.
(2) 멘토제도는 지도력과 지식인의 양성이 가능하다.
(3) 과학적인 자료에 의한 학생지도로 학습능력이 향상된다.
(4) 무엇보다 선생님을 존경, 동료 사랑의 인간존중의 태도를 기를 수 있다.
(5) 신입생, 신입교사 적응력 향상과 학교에 대한 충성도가 배가된다.
(6) 멘토가 양성됨으로써 학교 중간 지도자가 다수 배출된다.
(7) 학습조직 활성화로 전교적인 안목으로 의식 전환이 된다.

(8) 지식경영 활성화로 학내 Networking이 활발해진다. 학교중심 사고로 전략적
인 차원에서 업무를 다루게 된다.

4장 대학 멘토링 시스템 적용방법

1. 대학 멘토링 도입 필요성

대학에서 멘토링프로그램 도입의 필요성은 학생 간, 교수 간, 학생－교수 간에
인간관계의 폭을 넓혀 신입생 정착율 향상, 핵심지도자 개발, 전문인력 양성,
Slump학생 치유 등 인화단결의 바탕 위에 공동체의식 함양과 21c 인적경쟁력을
확보하여 대학과 사회를 이끌 차세대 리더개발을 목적으로 한다.

특히 우리 대학사회는 폐쇄적인 고등대학을 졸업하고 막상 대학이라는 개방된
분위기에 진정으로 마음을 열고 대화를 나눌 상대를 찾는 것에 꽤나 힘겨워하고
있는 실정이다. 고교를 갓 졸업하고 대학 신입생으로서 호기심과 두려움의 연속
이라고 볼 수 있다. 특히, 가정과 중고교 생활은 유달리 한국적인 학력우위 의식
에서 수년간을 성적 우위의 생활이 지속되고 마침내 폭넓은 마음 준비 없이 대학
에 첫발을 딛게 된다. 그러나 대학은 이러한 특수성을 감안하지 않고 길들이기식
의 신입생 교육이 이어져와 이제는 새로운 틀인 1대1 멘토링 기법으로 먼저 신입
생 시절부터 대학생활에 효과적인 적응을 유도해야 한다.

2 멘토링 분야별 도입 실제

1) 신입생 정착률 향상 멘토링
신입생을 재학생과 연결하여 1년간 멘토링하면 정착률 향상이 가능하다.

2) 취업률향상 멘토링

- 취업대상 협력업체 임직원과 졸업 예정 학생을 1대1로 연결하여 지도한다.
- 재학생을 동문이나 사업체 운영 학부형과 연결하여 관계를 지속하도록 한다.
- 취업대상자나 협력업체는 교수와 취업 센터에서 체계적으로 선정한다.

3) 학습능력향상 멘토링

- 학생의 부진한 학습 성적을 교수, 강사, 조교가 지도하고 보충해주는 제도다.
- 학생 개인지도(Student Tutoring): 선배학생이 후배학생을 지도하는 방법이다.
- 특정과목의 능력향상을 위하여 교수가 학생을 개인지도한다.

4) 특별활동, 재능활동, 자격취득활동 멘토링

- 예체능 활동, IT 부문, 자격취득 부문, 기타 재능활동 및 여가·취미활동과 봉사활동(교내, 사회)을 학습활동에서와 같은 방법으로 시행하며, 사회봉사 활동과 같은 경우는 봉사활동 대상자와 특정기간 동안 1대1 또는 반(소그룹) 학생들과 대상자와 1대1로 연결하여 돌아가면서 봉사활동을 전개한다.

3. 멘토링 조직도

대학 멘토링 운영위원회			
멘토링 TF Team 매니저			
멘토/멘제쌍	멘토/멘제쌍	멘토/멘제쌍	멘토/멘제쌍

- (1) 멘토링 위원회: 멘토링 실무를 전담하는 자로서 멘토링의 계획과 각종 자료를 관리한다.
- (2) 멘토링 TF Team: 멘토링 활동에서 예를 들면, 각 대학별, 각 학과별 멘토링 프로그램을 전문관리하고 모니터링을 할 수 있는 요원으로서 조언해주며 활동보고 내용을 통하여 관리한다(매니저, 모니터로 호칭).
- (3) 멘토링쌍: 멘토링 활동을 전제로 연결된 쌍으로 먼저 성격분석을 통하여 가

장 잘 조화되는 쌍을 우선으로 연결하고 멘토링의 목적과 의도에 맞게 활동
을 한다.
- 멘토링활동에서 주체가 되는 멘토, 멘제 한 쌍이다.

4. 멘토링 시스템 기대효과

멘토링 프로그램은 기업 등 여타 조직에서뿐만 아니라 현재 대학이 안고 있는
신입생 정착문제, 학습능력 저하문제, 또한 취업문제, 진로문제, 즉 학교와 직업
세계로의 원활한 이행을 위한 하나의 대안이 될 수 있다. 멘토링은 직업개발뿐만
아니라 지적, 개인적, 사회적으로 성숙하게 만드는 계기가 됨으로써 학교현장에
서 널리 사용될 수 있다.

멘토링시스템이 학교 현장에 적용됐을 경우 멘토링에 참여한 학생들은 중도
탈락이 감소되고 성적 향상과 직업 기회의 증진이 멘토링에 참여하지 않는 사람
에 비해 높고 좋은 습관과 동기부여, 의사소통기능 향상 등도 높아진다. 이러한
프로그램들의 효과에 대한 실증 연구들에서 상반된 연구결과도 나타나기도 하지
만 대다수 프로그램에 참여한 학생들은 긍정적인 느낌을 가졌다고 한다.

결국 이러한 멘토링 프로그램들은 진로직업교육을 받을 수 있고 이를 통해 산
업체가 원하는 태도, 기술, 지식, 등을 이해하는 기회를 얻게 됨으로써 이와 같이
멘토링 프로그램들은 좀 더 광범위한 학교 - 직업세계 이행 노력을 위한 구성요소
들 중의 하나로 볼 수 있을 것이다.

이상으로, 멘토링 시스템을 도입함으로써 얻을 수 있는 기대효과는 학생, 학교,
산업체라는 세 가지의 주체 모두에게 나타난다고 볼 수 있다.

1) 학생 입장

일정한 영역에서 전문적인 지식이나 경험을 가지고 있는 선배와의 멘토/멘제의
상호관계를 통해서 개개인의 요구에 맞는 새로운 지식과 기술, 그리고 비공식적
인 정보나 암묵적인 관습 및 문화 등을 직접 경험하는 기회를 갖는다. 이러한 경

험은 제도적인 장치가 뒷받침된다면 대학 초기부터 직업탐색 및 진로계획을 수립할 수 있으며 기업이라는 현장 적응력과 통찰력을 키울 수 있다.

2) 산업체 입장

이러한 멘토링 시스템은 대학교와 졸업 후 갖게 될 직업의 세계를 자연스럽게 연결시켜 줌으로써 산업체 입장에서는 필요로 하는 우수인력을 조직에 확보할 수 있으며 산학 협동의 바람직한 방법으로도 정착될 수 있을 것이다.

3) 학교 입장

학생들의 중도 탈락을 저하시키고 학생들의 소속감 고취로 학교의 위상이 높아진다는 효과도 간과할 수 없다.

4) 멘토 입장

또한 동료로서, 교수로서, 선배로서 멘토의 역할을 담당한 사람들은 지역사회와 산업체의 평생학습지원자로서 기여하며 리더십을 발휘하는 기회도 얻게 된다.

5장 사회지도층 멘토링의 필요성

1. 오늘날 사회지도층의 문제젬

1) 정치계 지도자 문제점

많은 사람들이 우리나라 국회의원들 개개인은 참 똑똑하고 훌륭하나 아직 대한민국이라는 나라가 민주주의 절차를 제대로 따를 만큼 성숙되지 못해서 문제라고 한다. 4류(1995년 이건희 베이징선언)로 인정받고 뇌물과 국회폭력과 청문회 등에서 언행불일치로 신뢰를 상실하고 있다. 박준규 전 국회의장은 3김의 죄는 자신의 정치후계자를 양성하지 않은 것이라고 말했다. 여의도 국회의사당 빌딩은 초등학생들이 '어른들의 싸움터'라고 말하고 있다.

지난번 공직자 천문회 때 언론에서는 "지도자가 옳은 말을 하기는 쉬우나 옳은 행동하기는 어렵다." 즉, 언행일치 지도자 찾기가 어렵다고 한탄했다. 요사이 유행어는 내가 하면 로맨스, 당신이 하면 불륜, 내가 하면 투자, 당신이 하면 투기라고 비꼬고 있다. 오래전 이야기로 소련의 경제학자가 미국은 변호사가, 한국은 정치인이 국가 기강을 흐린다고 했다.

2) 경제계 지도자 문제점

외형은 글로벌 경영에 손색이 없으나 내부는 개발도상국의 비윤리경영에서 헤어나오지 못하고 있다. 주가전략, 정경유착, 분식회계, 변칙상속, 비자금, 재벌가 분쟁, 노사 대립 등 윤리적인 면에서 국민들에게 경영에서 고생하고 성과를 올린 만큼 대우를 받지 못하고 있다.

3) 교육계 지도자 문제점

사명을 잃고 직업 전선에서 촌지나 챙기고 교실은 붕괴되고 학교폭력, 왕따 등으로 외면당하고 있다. 특히 사교육비 21조로 가사채무의 주인공이다. 1년에 초·중·고생 6만 명이 제도권을 이탈하고 있다. 오늘날 국민들의 한숨은 학생들이 성적은 좋으나 실력은 없고 일상생활에서 버릇이 없다고 한다.

4) 법조계 지도자 문제점

사회에서 법조계(판사, 검사, 변호사)의 평가는 유전무죄, 무전유죄의 오명을 쓰고 있다. 오늘날 검찰, 법원, 변호사회의 신뢰도가 낮은 수준에서 국민들로부터 지탄의 대상이 되고 있다. 특히 최근 비리 판검사를 수사하는 특별 수사청의 필요성이 대두되고 있는 실정이다.

5) 종교계 지도자 문제점

국민들의 신뢰도가 천주교 35.2%, 불교 31.1%, 기독교 18%로 정신적 지주역할을 감당하지 못하고 있다. 성경은 그리스도 안에서 일만 스승이 있으되 아버지는 많지 아니하니 그리스도 예수 안에서 내가 복음으로써 너희를 낳았음이라(고전 4:15)라는 구절이 있다. 과연 오늘날 아버지나 어머니의 품과 같은 성직자가 얼마나 있을까? 종교계의 타락이 원인이 되어 사회가 타락한다는 말이 오늘날 성직자들에게는 가슴 아픈 일이다.

2. 현대사회 멘토의 필요성

멘토의 역할은 전인적인 삶의 조언자다. 여기서 전인적이라는 의미는 지·정·의(知·情·意) 인격을 말하며 삶이라는 의미는 삶의 현장을 말하는 것으로 직장뿐만 아니라 가정, 사회생활까지 삶의 범위를 말하는 것이다. 조언자라는 의미는 일반적인 리더는 주관자이고 지시자인 반면, 멘토는 멘제를 앞세워 어디까지나 조언을 해주며 결정은 멘제에게 위임하는 것을 말한다. 한마디로 멘토는 멘제를 자신보다 더 훌륭하게 키우는 재생산(Reproducing), 즉 선순환의 인간경영을 말하는 것이다.

인간 발달을 연구하는 심리학자와 교육가들이 강조하는 중요한 진리 중 하나는, 어린이들이 특별한 성인들의 말이나 교훈, 강의 등을 통해서 자신의 가치관이나 행위의 기준을 배우는 것이 아니라, 성인들의 행동을 보고 직접 배우며 모방한다는 사실이다.

인생이 무엇인지 어떻게 성인이 되어야 하는지, 인생을 어떻게 살아야 하는지를 구체적으로 가르쳐 주는 책은 세상에 없다. 그러나 우리의 삶이 중요하고 자신의 세상을 위하여 그 중요한 인생을 바르게 살아야 하며, 인생은 연습하고 실습할 만큼 여분의 시간이 없다는 것은 누구나 다 알고 있다. 이런 삶 속에서 멘토를 가진 사람은 멘토를 갖지 못한 사람에 비하여 엄청난 유익을 갖는다.

먼저 멘토링은 멘제에게 전인적인 교육을 가능케 한다. 멘토링을 통하여 멘토와 멘제 사이에 지식이나 기술 전달은 물론, 밀접한 인간관계를 통한 인격과 신앙 교류, 지혜로운 삶의 방식이 전승될 수 있기 때문이다. 멘토가 직장이나 직업상의 선배라면, 멘제는 선배인 멘토의 노하우를 통하여 불필요한 실패나 시간 낭비와 에너지, 자본을 줄이고 성장과 성공의 지름길로 갈 수 있다.

멘제는 또한 멘토를 통하여 정서적인 안정감을 얻게 된다. 인간의 감성은 안정된 삶의 원동력이 되며 건전한 자존감의 기초가 되기 때문에 인생 스승인 멘토의 유무는 멘제의 삶의 내용과 질에 중요한 역할을 한다.

인생에 필요한 많은 외적 요소를 다 갖추었다 할지라도 그 삶의 정서가 불안하고 감성에 문제점들이 있다면 그 인생은 사상누각이 될 가능성이 많다. 감성과 정서는 우리 인생의 초석이라고 할 수 있다. 인생의 기로에서 중요한 결정을 내려야 할 때에 인생의 선배인 멘토의 현명한 조언과 도움은 걱정과 불안 속에서 객관성을 잃고 잘못된 결정을 하기 쉬운 멘제에게 중요한 스승 역할을 해줄 것이다. 이러한 역할로서 멘토는 우리 가정과 사회, 교회, 교계, 정치계 등 모든 분야에서 이루어져야 할 중요한 교육 과제이다.

1) 멘토의 개념 정리

멘토링은 인간을 기술자로 만드는 것이 아니라 기술자를 인간으로 만드는 인간경영 프로그램이다. 오늘날 선생님, 코치, 상담자, 리더라고 해서 모두 멘토가 될 수 있는 것은 아니다. 그러나 멘토는 이러한 사람들의 역할을 포괄적으로 수행해야 훌륭한 멘토로 인정받게 되는 것이다. 멘토 역할의 올바른 개념(Concept)은 인격적인 리더로십으로 존경받고 삶의 현장에서 다른 사람의 역량을 개발하여 차세대 리더로 세워주는 사람이다.

2) 멘토의 필요성

오늘날 사회 각 조직마다 하이테크 위주 경영으로 인한 부작용으로 인간성 상실 현상이 심각하여 많은 지도자들이 개인적으로는 똑똑하지만 옳은 말만 하고 옳은 행동은 하지 않는 언행불일치로 존경받지 못하고, 한편으로 자라나는 청소년들은 머리는 좋지만 버릇이 없다는 한탄의 목소리가 여기저기 들려오고 있다.

멘토는 먼저 지도자들이 둘이서 하나가 되어 인격적인 관계형성을 활성화하고 상호 간 역량을 개발하고, 역량을 발휘하며, 그 역량을 후대에게 이전하여 각 조직마다 개발된 역량 시너지를 통하여 흔들리는 리더십을 올바로 세우고 상실된 인간성을 회복하여 개인에게는 희망이야기, 그리고 조직에는 행복한 공동체를 구축하는 것을 필요로 한다.

(1) 개인의 필요성

멘토에 의해서 인성(된 사람)을 채우고, 적성(든 사람)을 개발하며, 지성(난사람)으로 첨단지식의 역량을 개발하게 되며 둘이서 하나가 되어 현장의 삶에서 고난과 역경을 이겨내는 희망이야기의 근원이다.

(2) 조직의 필요성

양적 교육의 집단화 교육과 질적 교육의 수준별 교육으로 인재개발의 균형을 이루고 인재경쟁력 확보하는 데 멘토가 필요하며 특히 조직에서는 개인의 만족감으로 인간성(Humanity)과 조직의 효율성으로 생산성(Productivity)의 균형경영을 이루는 데 멘토가 필요하다. 멘토는 가정의 따뜻한 어머니처럼 직장에서의 행복의 근원이다.

(3) 사회의 필요성

하이테크(Hightech) 위주의 부작용으로 상실된 인간성을 회복하는 데 인간경영 프로그램으로 하이터치(Hightouch)와 균형을 이루는 국가사회 건설에 멘토가 필요하다. 개인의 만족감과 조직의 효율성은 결과적을 국가의 경쟁력 강화의 근원이다.

① 가정 멘토

먼저 가정은 어린이들에게 최초의 학교이며 그들의 인생이 시작되는 교육의 장이기 때문에 가정에서 부모가 생활하는 모범을 보이면서 그들을 말씀으로 양육할 의무와 책임을 지고 있다.

그러나 오늘날 우리 가정 대부분의 부모들이 인격적·신앙적·정서적으로 미숙한 언행으로 자녀의 모범이 되지 못하고 있음은 물론, 그 반대의 부정적인 모델 상을 보이고 있는 현실이다. 이런 환경 속에서 자라는 어린이들이 또한 그런 미성숙한 부모의 모습을 보면서 자신들도 그런 부모가 되고, 그런 가정들이 이어지는 악순환이 계속되고 있다. 자녀에 대한 멘토링이 잘 이루어진 가정이 많을수록 그 사회와 국가는 건전하고 안정된 나라가 되는 것은 자명한 일이다.

② 사회 멘토

사회적으로도 멘토링은 필요하다. 자신이 소속된 직장과 사회에서 신실한 멘토를 보고 멘토링 관계를 유지하면서 건전한 직장 풍토와 사회윤리 속에서 살고 있는 멘제는 그 자신이 좋은 멘토가 되어 다른 멘제를 또 멘토링하게 된다.

③ 교회 멘토

한국 교회와 교계에도 멘토는 절실하게 요구되고 있다. 인구의 25% 정도가 기독교이며 세계에서 가장 큰 대형 교회들이 몰려 있다고 자랑하는 한국 교회에 기독교인들의 생활의 열매가, 기독교인의 문화가 형성되어 있지 않다는 것은 자타가 공인하는 사실이다. 어느 논문에서 한국의 기독교인은 전체 인구의 25% 이상인데 해방 이후 정치, 경제, 사회 등 모든 분야에서 각종 대형 범죄 사건에 연루된 사람들 중 40%가 기독교인이라고 밝히고 있다.

④ 학교 멘토

각급 학교에서 단순히 지식을 가르치는 이외에, 학생들의 삶에 중대한 영향을 미칠 멘토들이 필요하다. 입시 위주의 주입식, 경쟁적 교육이 교육의 주류(主流)를 이루고 있는 한국에서, 인격과 인격이 교류되는 인성 교육이 이루어져야 하는 멘토의 필요성이 그 어느 나라에서보다 절실히 요청되고 있다.

⑤ 경제계 멘토

사회와 경제계 역시 멘토가 필요한 곳이다. 서구의 재벌들이 자신들의 자산 중

많은 부분을 사회와 국가를 위해 헌납하는 것이 일반적인 관례인 데 반하여, 대부분의 한국 재벌이나 기업들은 기본적인 세금마저도 포탈하는 것이 기본인 것처럼 보인다. 그들에게 건전한 사업가나 기업인, 재벌로서의 바른 철학이나 인생관 정립에 영향을 미친 멘토들이 있었다면 구조조정 때문에 온 나라가 고통과 진통을 겪는 그런 불행은 없었을 것이다.

⑥ 정치계 멘토

많은 사람들이 우리나라 국회의원들 개개인은 참 똑똑하고 훌륭하나 아직 대한민국이라는 나라가 민주주의 절차를 제대로 따를 만큼 성숙되지 못해서 문제라고 한다.

정치계 역시 멘토의 절대적인 필요성에서 결코 예외일 수 없다. 어느 의미에서 가장 강도 높은 멘토링이 이루어져야 할 곳이 바로 정치계라고 할 수 있다. 국회 의사당에서 소위 국정을 수행한다는 국회의원들의 작태는 말할 것도 없고, 살아 있는 전직 대통령 들의 대통령 재임 시의 행적과 퇴임 후의 언행들은 국민들에게 분노와 절망감은 물론, "우리에게는 이런 부류의 지도자들밖에 없는가?"라는 허탈감에 삶의 의욕과 용기를 잃게 한다.

이렇게 우리의 삶의 현장 곳곳에서 멘토는은 절실히 필요하다. 타락하고 부패한 시대 일수록 경건하고 신실한 인격을 갖춘 지도자들을 더욱 필요로 하는데, 지식 전달이나 정보 교환이 그 중심이 되고 있는 현대의 교육 현장에서는 인격적 교류가 그 중심이 되어 이루어지고 준비되는 참 지도자 배출이 제도적으로 힘들게 되어 있다. 교회, 학교, 기업, 사회, 국가적으로 이 멘토의 중요성과 필요성을 인식하고 사람을 바로 기르고 양육하는 일에 지대한 관심을 기울여야 할 중요한 시대에 우리는 살고 있다.

멘토지원단 운영방법

멘토지원단(Mentor Support Group=MSG)은 멘토와 멘제가 유기적인 협력(Organic Collaboration) 체제를 구축한다. 멘토 정신으로 자부심을 갖고 보람의식, 목표의식, 책임의식으로 멘제 개인의 만족감과 조직의 효율성응 거두어 멘토링 활동의 성공률을 높인다.

Theme

Theme 1

멘토 지원단의 개념

국가 사회구성원 한 사람 한 사람은 국가 조직에서 원자(原子)와 같다. 국가통치권을 견제할 힘도, 국가를 올바른 방향으로 이끌 힘도 없다. 그러나 각 조직에서 전인적인 인격 프로그램으로 원자를 분자로 뭉치게 하고 이것들을 다시 결합하여 새 숨결을 불어넣는다면 가정/직장/사회 그리고 국가에서 조직의 힘과 의지를 가진 전 국민 한마음 공동체로 역량을 결집할 수 있는 것이다. 바로 이 사명이 멘토지원단의 소임(所任)이다.

1장 멘토지원단 개념정리

1. 멘토지원단이란?

멘토지원단이란 조직협력을 위하여 멘토인증을 받은 회원들이 가입한 단체를 말한다. 멘토는 멘제 그리고 주직의 CEO와 협력(Collaboration)하여 현장에서 자부심을 갖고 보람의식, 책임의식, 목표의식으로 멘토리 활동의 성공률을 높이는 데 목적을 두고 있다.

2. 멘토지원단의 필요성

(1) 멘토를 통하여 한 사람 중심 질적 운영과 가치관을 재정립하여 유지관리하는 데 멘토지원단이 필요하다.

(2) 큰 조직 안에 작은 조직(Combi)을 운영하고 작은 조직은 전체 교인을 1대1로 멘토링하는 데 멘토지원단이 필요하다.

(3) 큰 사장인 CEO는 양적 인재를 관리하고, 작은 사장 멘토는 질적 인재를 관리하여 유기적인 조직공동체를 구축하는 데 멘토지원단이 필요하다.

(4) 구성원 한 사람 철학으로 1대1 멘토링 시스템으로 인간관계 활성화와 전 구성원의 역량을 결집하는 데 멘토지원단이 필요하다.

(5) 조직의 가치관인 ① 사명, ② 핵심가치, ③ 비전을 업그레이드하는 데 멘토지원단이 필요하다.

- 대형조직: 조직 안에 작은 미팅조직을 멘토지원단이 운영
- 소형조직: 전체 직원을 1대1 미팅콤비로 멘토지원단이 운영

2장 멘토지원단의 입단 조건

멘토지원단에 정회원으로 입단에는 멘토 선정을 소수정예화 원칙에서 아래 3가지 조건에 합당한자로서 멘토인증서를 수여받은 자로 한다. 멘토의 가장 중요한 자격사항은 전인적인 인격자로서 섬김 리더십을 갖춘 리더이다. 단, 인증서 미수여자나 기간 미달자는 선서 후 임시로 준회원으로 인정받은 후 활동에 임한다.

조건 1. 아래 3가지에 자기개발 훈련에 참여하고 멘토협력 선언문을 작성

(1) 업무훈련: 조직의 고유업무 자율학습 - 도서: 업무전문도서
(2) 인격훈련: 지식 정서 의지 - 도서: 멘토링 인격오디세이

(3) 자기훈련: 인성가치/활동기술/생애진단 - 도서: 인격시리즈 3권

조건 2. 멘토 정규교육(20시간 이상) 수강자

멘토는 아래의 교육과정에서 먼저 정신적으로 자부심을 갖고 개발학습과 멘토링 활동에서 성공률을 높일 수 있도록 기술적인 면을 함께 학습한다.

■ 멘토 교육과정

(1) 콤비(Combi) 멘토과정 20시간

(2) 골드(Gold) 멘토과정 40시간

(3) 다이아몬드(Diamond) 및 자격 과정 60시간(강사자격), 80시간(컨설턴트)

조건 3. 멘토링 12개월 이상 활동한 자

멘토링 프로젝트는 일회성 교육 이벤트가 아니고 인재개발이라는 차원에서 최소 12개월 1년의 기간을 필요로 한다. 그러므로 멘토링 미팅 활동은 365프로젝트 방식으로 진행되며 멘토인증서 발급으로 멘토지원단에 정회원으로 가입된다.

■ **멘토 활동의 효과** – Steven Scott(『포춘』지 500대 기업 중 8번째 부자 CEO)

훌륭한 선생님이나 코치는 학생의 능력을 25%에서 50% 정도, 기껏해야 100% 상승시킬 수 있을 뿐이지만 훌륭한 멘토는 그 수준을 1,000%에서 5,000%, 때로는 1만%까지 높여줄 수 있다.

예를 들어, 비즈니스 멘토는 내 수입을 5만 600% 이상 높여 주었다. 대인관계 멘토는 내가 아내의 마음을 돌려서 우리가 경험해 보지 못했던 가장 행복하고 완벽한 관계를 형성할 수 있도록 도와주었다.

멘토단원 3가지 정신

1장 멘토의 존경받는 리더십

최초 멘토가 어떻게 많은 사람들로부터 존경받고 지도자로 인정받았는지를 살펴보는 과정이다.

멘토(Mentor)는 자신의 역량을 발휘하여 전인적인 삶의 조언으로 멘제를 자신과 같은 리더로 재생산하는 역할을 담당하는 사람이다. 그러므로 멘토는 먼저 자신이 인격적인 자질을 갖추는 것이 우선적이다.

한편으로 멘토는 인간을 기술자로 만드는 것이 아니고 기술자를 인간으로 만드는 멘토 프로그램 주관자다. 그러므로 코치라고 해서, 교수라고 해서, 상담자라고 해서, 전문가라고 해서 다 멘토가 될 수 있는 것은 아니다.

바로 멘토는 기술자나 전문가 등 어느 분야에 편중되어 있는 것보다는 포괄적인 역량을 소유한 자라고 말할 수 있다. 텔레마쿠스 왕자를 지혜롭고 현명한 왕으로 성장시킨 아래에 기술한 최초 멘토의 자질을 인격적인 차원에서 살펴보고 벤치마킹 자료로 활용해 보도록 하자.

최초 멘토

B.C. 1250년 트로이전쟁 당시 최초 멘토(호머의 『그리스 신화』에 등장인물)는 전인적인 삶의 조언자로서 아래 내용의 인격을 주제로 한 자질을 갖춘 사람이었다.

인격		자질(당시 멘토/텔레마쿠스 관계에서)	비고
知	스승	가르치기를 좋아하는 스승	
	전문	수학, 철학, 논리학(知情意 인격 상징)의 전공자	
情	관계	왕 등 타인과 관계가 원활한 사람	
	정서	타인과 상담이 잘 이루어지는 사람	
意	존경	당대 온 국민의 존경대상인 사람	
	리더	당대 최고 지도자로 인정받은 사람	

2장 멘토의 자율학습 리더십

최초 멘토는 주입식이 아니라 자율학습으로 인재개발의 성공을 이루었다. 그 내용을 검토해보자.

멘토링은 전인교육 방법이다. 아니 교육이라기보다는 둘이서 삶을 나누는 것이 정답이다. 멘토링에서는 경영자나 교육자, 정치인이기 이전에 먼저 인격자로서 성숙을 원하는 것이다.

참고로 멘토(Mentor)가 텔레마쿠스 왕자를 가르쳤던 특이한 1대1 Tutorial System 상담 학습방법을 아래와 같이 열거한다.

NO	방식	내용
1	대화식	멘토는 왕자와 대화식으로 교육을 하였다
2	토론식	멘토는 왕자와 열렬한 토론을 벌였다.
3	문답식	멘토는 질문자이고 왕자는 대답하였다.
4	동료식	멘토는 왕자와 동료처럼 거리를 좁혔다.
5	예화식	멘토는 왕자에게 사물을 예로 들어 설명했다.
6	정서식	멘토는 왕자에게 아버지처럼 정답게 지냈다.

멘토는 왕자가 완전한 인간, 즉, 인격자, 용사, 지혜자, 왕으로서 성장하도록 그에 맡겨진 임무를 완수하기 위해 온몸을 던져 완벽하게 수행했으며, 자신의 임무가 완료되었을 때에 미련없이 떠나가는 아름다운 이야기에서 멘토링을 발견하게

되고 1대1 Tutorial System에 대한 상담학습 유래와 인재개발 방법론 그리고 한 사람을 고품격 인재로 성장시키는 최적의 시스템임을 알 수 있다.

Mentoring Tutorial System은 오늘날 1대1 상담학습이 가능한 교육부분에 아름다운 사례를 갖고 있다. 교수와 학생과 관계에서 초·중·고교 선생님과 학생과 관계에서 감동적인 사례가 매스컴이나 잡지에 실리기도 하여 많은 사람에 감동을 주기도 한다.

왜냐하면 학교의 평준화 교육이나 기업의 집단 교육에서는 이러한 사례가 제도적으로 발생할 확률이 거의 불가능하기 때문이다.

3장 멘토의 전인생활 리더십

멘토링의 핵심내용은 인격 프로그램이다. 멘토는 전인적인 인격으로 한 사람을 인격적인 리더로 키운다.

유럽이나 북미 등 멘토링 선진국에서는 이미 멘제로서 그전에 멘토링 활동을 경험한 사람이 대부분이기에 멘토 선발에 큰 어려움 없이 진행된다. 그러나 한국은 멘토 자체가 생소하고 초창기이기 때문에 멘토 선발에 많은 어려움이 뒤따르게 된다. 그러므로 멘토가 되어야 할 당위성을 설득력 있게 설명해주어야 한다. 특히 오늘날 현재의 자신의 가치를 누리고 있다는 것이 나이 외 많은 사람으로부터 빚진 사람 입장에서 누구나 선배는 후배의 멘토가 되어 주어야 하고 어른은 청소년의 멘토가 되어 주어야 하는 것을 타당하게 받아들일 수 있도록 해야 한다.

멘토의 인격정신은 먼저 타인을 배려하는 차원에서 인간가치관을 올바로 정립된 상태에서 멘토로서 역할을 수행해야 한다.

1. 멘토링의 인간 가치관

(1) 인간은 최고의 가치를 가지고 있다 – 이 세상 만물의 영장이다.

(2) 인간은 보석이다 – 탄생할 때 부, 모, 하나님의 3위일체의 보석과 같은 작품이다.

(3) 인간은 승리할 수 있다 – 보통사람 자기 잠재능력개발이 5%이나 멘토를 만나면 더 개발할 수 있다.

2. 오늘날 멘토의 정신

전인적인 삶의 조언자로서 먼저 인격적인 역량, 전반적인 삶의 활동 그리고 조언자의 역할을 해주는 사람이다.

1) 전인(인격)적인 기능

(1) 경력개발을 통한 – 전문적인 역량을 전수해주는 사람이다.

(2) 심리적인 면을 통한 – 정서적인 역량을 전수해주는 사람이다.

(3) 리더 모델로서 – 윤리적이며 의지적인 역량을 전수해주는 사람이다.

2) 삶의 전반적인 면에서 동행해주는 사람

(1) 가정에서 삶의 내용을 나눈다.

(2) 직장에서 삶의 내용을 나눈다.

(3) 사회생활에서 삶의 내용을 나눈다.

3) 멘제를 위하여 조언자의 역할

(1) 멘토는 조언자이고 멘제는 결정자이다.

(2) 멘제가 먼저 질문하고 멘토는 답변자가 된다.

(3) 멘토가 멘제를 자기보다 더 훌륭한 사람으로 키운다.

멘토단원 체계적 관리

Step 1. 멘토 선정(Selecting)

1. 선정기준

(1) 멘토로서 가장 적절한 덕목이 무엇인지를 각 조직의 문화 등을 고려하여 선정한다.

(2) 멘토의 자격 기준은 일반자격/업무(전문)자격으로 구분하여 기준을 설정한다.
   - Attributes/Antecedents/직책/전문분야/기타 특성 등

■ 기능별 기준

(1) **Best Mentor**: 그룹별로 1명을 선정하여 벤치마킹 대상으로 추대하고 경영자 역량개발 교육시 베스트 멘토 강사로 추대한다.

(2) **Gold Mentor**: 단위 조직별로 상위직에서부터 1/10 인원을 선정하여 멘제와 1대1로 연결하고 12개월 멘토링 활동에 참여한다.

(3) **Combi Mentor**: 멘토링 Project 활동에서 멘제 인원에 맞게 선정하여 12개월 활동에 참여한다.

2. 선정 방법

1) 멘토 선발 특성

① Aged(나이): 이왕이면 나이가 든 사람이 좋다.

② Careered(경력): 이왕이면 경력이 많은 사람이 좋다.

③ Knowhowed(노하우): 이왕이면 노하우를 가지고 있는 사람이 좋다.

④ Leadershiped(리더십): 이왕이면 리더십을 갖춘 사람이 좋다.

⑤ Personalityed(인격): 이왕이면 인격을 갖춘 사람이 좋다.

2) 멘토 선발자질

① 멘토는 한 개인을 지원하고 그 사람의 성장에 관여하는 사람이다. 구체적으로 멘제의 인간가치를 업그레이드시키는 사람이다.

② 멘토는 상급자로서가 아닌 한 사람으로서 멘제 개인을 염려한다.

③ 멘토는 멘제 한 개인의 업무만이 아닌, 전인적으로 삶의 전반적인 발전을 돕는다.

④ 멘토는 권한이나 권력을 기반으로 하는 관계가 아닌, 특수 관계를 멘제와 맺는다. 멘토는 멘제의 말을 경청하고 질문을 받고 나서야 조언을 한다. 개인적인 판단이나 비난을 배제한 뒤 멘토의 조언이 이루어질 것이다.

⑤ 멘토는 무엇보다도 인간관계에 초점을 맞춘다. 멘토가 멘제와 맺은 관계에는 어떠한 사적인 이권이나 멘제에 대한 위기적인 사항도 있어서는 안 된다. 멘제 개인의 발전을 바라며, 애초에 멘제의 편에서 관계가 시작되기 때문이다.

⑥ 멘토는 신뢰받는 친구이자 선생님이며 안내자이고 역할 모델이다. 멘토는 멘제에게 전달하고자 미리 준비된 지식을 소유하고 있는 전문가이거나, 적어도 자신의 분야에서는 어느 정도 지위에 오른 사람이고, 주변 동료들에 의해서도 그렇게 인정받는 사람이다.

⑦ 멘토는 본래 멘제의 특성과 잠재력을 개발하며, 경쟁이 아니라 도와주는 존

재다. 멘토는 인내심을 가지고 자신을 돌보는 멘제에게 도전하도록 권하며, 나름의 견해를 가지고 열의를 보여 준다. 또한 미래에 대한 포부를 가지고 있으면서도 현재의 명확한 초점을 유지한다.

⑧ 멘토는 자신이 선택한 직장과 고용관계, 공적인 거래, 또는 직업의 대한 소명의식을 가지고, 직장을 사랑한다. 동시에 직장의 취약점을 인정하고 멘제가 그 취약점에 대치할 수 있게 건설적으로 도와준다.

3) 멘토 선발 방법

① 지원제: 본인이 지원하고 멘토 추천위원에서 심의하여 선정하는 방법으로 가장 좋은 방법이다.

② 추천제: 부서원이나 부서장이 추천하여 심사를 거쳐 결정하는 방법이다. 가능한 부서원의 무기명 투표로 결정하는 방법이 부서장이 직접 추천하는 것보다는 효과적이다.

③ 임명제: 1항과 2항으로 선발이 어려울 때 가장 비효율적인 방법으로 문서임명으로 선발하는 것이다. 이는 타의에 의한 방법이므로 가능한 피하는 것이 좋다.

위 3개 항목으로 선발되는 과정에서 특히 추천위원에서는 조직의 인사평가자료를 참작하여 가장 우수한 직원을 멘토로 최종 선발하는 것을 잊지 말아야 한다.

4) 멘토 선정 체크리스트

① 리더십을 발휘할 수 있는 자신이 있는가?

② 사람 중심(VS 업무 중심)의 행동 형태인가?

③ 경청과 지도 모두 가능한가?

④ 직장 내 조직에 관한 지식과 경험이 있는가?

⑤ 조직 내에서 리더 경험이 있는가?(자치회임원, 팀장, 구역장, 주교교사 등)

⑥ 멘제와 다른 분야에서 성공경험이 있는가?

⑦ 조직 밖에서도 발이 넓고 칭찬의 대상이 되는가?

⑧ 자신의 전문업무 외에서도 성장을 지원할 생각이 있는가?

⑨ 팀워크를 다져 업무를 수행할 수 있는가?

⑩ 위험하다고 생각될 때 인내력을 발휘해서 지켜보는 도량이 있는가?

Step 2. 멘토 양성(Education)

1 멘토 양성

(1) 멘토사역단에 입단된 사람들을 각 단계별로 교육·훈련 프로그램에 참여시켜 인재개발 전문 멘토로 개발한다.

(2) 멘토의 교육·훈련은 멘토로서의 자질, 소양, 자세, 전문분야를 주제로 관련 교육(멘토링 원리, 멘토의 역할, 멘토리더십, 멘토/멘제 기술, 인재개발 게임, 사례연구 등)에 대하여 철저히 실시한다.

멘토과정	세부과정	시간	비 고
전문과정　Combi Gold	멘토 정규과정	20	멘토 프로그램 전문인력 양성과정으로 멘토 모니터 코디네이터 등 참석
	핵심 멘토과정	40	
자격과정　Diamond	자격 멘토과정	60~80	멘토링지도사 자격과정
개시과정	Workshop 과정	4~20	멘토/멘제 합동
특강과정	리더십 과정	2~4	CEO 및 간부급 멘토를 위한 특강 과정
	Cyber교육과정	10	임직원 멘토를 단체로 교육참여 가능

2. 멘토 연결(Relation)

멘토링 관계의 상호 간은 멘토와 멘제다. 많은 사람이 멘토링을 1대1이 전부인 양 생각하나 그것은 선입견이다. 멘토링의 가장 올바른 관계형태는 멘제1에 멘토가 다수(전문별로 멘토1, 멘토2, 멘토3……)로 도움을 주는 형태다.

바로 왕자 한 사람을 왕사(王師) 여러 사람이 도움을 주는 형태가 멘토링 관계에서 가장 올바른 형태이기 때문이다.

1) Off Line 연결방법

멘토와 멘제가 멘토링 활동 개시 전 Workshop 현장에서 성격검사를 한 후 결과에 따라 동일성격, 보완성격, 대조성격, 순서로 연결한다.

2) On Line 연결방법

단위 조직의 전산시스템의 온라인상에 멘토풀 리스트를 참고하여 멘제가 멘토를 선정하는 방법이다. 멘제가 자기에 해당하는 사항(Factor)을 체크 표시하면 멘토와 최적으로 온라인에서 연결시켜 주는 방법이다. 문제가 발생 시 Off Line에서 모니터의 지원을 받아 해결한다.

관계형태1: 멘제1-멘토 다수 - 고품질의 멘토링(High Quality)
관계형태2: 멘제1-멘토1 - 일반적인 멘토링
관계형태3: 멘토1-다수멘제-저품질(Low Quality) 유사멘토링 - 코칭 cell 소그룹 형태

3. 멘토활동(Acting)

1) Off Line에서 활동

멘토링 활동은 12개월 동안 멘토와 멘제가 1대1로 1주에 한 번이나 1달에 몇 번 등 주기적으로 미팅하여 멘토링 활동하는 방법이다. 이 방법은 적은 인원에서 가능하며 멘토링 활동의 최적의 면대면(Face to Face) 방법이다.

2) On Line에서 활동방법

전산시스템에 의해서 대량인원(1,000명 이상 대학, 대형교회, 그룹기업 등)이나,

시간적·장소적·관리적인 제한을 벗어 멘토와 멘제가 온라인 상에서 이메일, 채팅, 영상화면 등으로 활동하는 것을 말한다. 이 방법은 충분한 만족에는 한계가 있으므로 모니터의 수시 Off Line 대응이 필요하다. 단위 조직에서는 초기 설비 및 시스템 투자해야 하지만 5년 이상 장기적인 안목에서는 결국 저비용 고효율의 생산성효과를 얻을 수 있는 방법이다.

3) 멘토링 미팅 활동기간
(1) 멘토/멘제의 활동기간을 6개월, 12개월, 24개월 등으로 명시한다.
(2) 멘토/멘제의 주간 미팅 등 개인 활동에 관한 프로그램을 제공한다.
(3) 멘토/멘제가 전원이 활동하는 그룹에 특별 프로그램을 제공한다.

Step 3. 멘토관리(Monitoring)

멘토링 활동 중에 발생할 수 있는 문제점을(학벌/지연 등 파벌조장, 노사대립 등) 사전에 방지하는 차원에서 모니터링(Monitoring) 시스템으로 체계 있게 관리해야 한다.

1. 모니터의 관리

모니터는 ① 수시로 목표관리가 되는가, ② 상호 간 문제는 없는가, ③ 요구사항은 무엇인가? 등 Off Line 상에서 활동 촉진지원을 한다.

2. 전문업체의 관리

멘토링 프로젝트를 컨설팅 차원에서 지원하는 것으로 매월, 계간, 활동종료 등 3단계로 활동을 점검하고 지원하고 목표관리를 체크하는 방법이다. 이 방법은 성공률을 높이는 가장 효과적인 방법이지만 비용이 뒤따른다. 대응방법으로 단위 조직에서 사내 강사요원이나 컨설턴트를 양성하여 전문업체 대신 수행하면 큰 비용을 절감할 수도 있다.

3. 시스템의 관리

전산시스템에서 12개월을 관리하는 방법으로 선정, 연결은 물론 활동과정에서도 현재 멘토와 멘제가 목표관리를 잘하고 있는가? 역량개발이 잘 이루어지는가? 불평여건으로 미팅 중단상태인가? 등을 자세히 점검하여 모니터가 대응책을 마련할 수 있도록 한다.

4. 멘토 지원(Motivating)

멘토활동을 지원하는 것은 조직에서 멘토의 자생력 개발과 목표달성 촉진 차원에서 지원한다.

멘토링은 정규 업무를 수행하면 멘토링이라는 특수업무를 다루기 때문에 동기부여가 필수적이다. 동기부여방법은 물리적, 정신적, 그리고 업무적 차원에서 지원해주는 방법이 있다.

(1) **제도적 차원 지원**: 멘토로 선정되면 Mentor단에서 체계적으로 관리해준다. 특히 멘토 각 그룹별로 특성에 맞는 정규교육 과정에 필수적으로 참여토록 지원한다.

(2) **업무적 차원 지원**: 멘토에게 멘토링 활동에 관한 올바른 목표를 설정해주어 책임의식과 목표 의식을 고취해주고, 두리뭉실한 멘토링이 되지 않도록해야 한다. 멘토링 활동 중 중간이나 최종 평가와 직결된다.

(3) **인사적 차원 지원**: 멘토링 활동 자체가 이중업무가 됨으로써 멘토링 결과에 따라 인사평가, 연봉책정, 진급심사 등에서 가점(加點)을 주어 지원해준다.

(4) **활동적 차원 지원**: 멘토와 멘제의 교육지원, 자유롭게 활동할 수 있도록 월간 활동비지원, 멘토링데이 선정고시 그랜드미팅 때 CEO 격려 참석 등으로 지원해준다.

(5) **포상적 지원**: 멘토링 최종결과 발표 때 우수멘토링쌍 선정, 우수멘토 선정, 우수 수기 제출자 선정 등으로 포상한다.

(6) **인증적 차원 지원**: 멘토의 공훈을 참작하여 멘토링 활동이 종료 후 일정한 방식으로 교육수강, 활동기간, 포상 등을 감안하여 CEO명으로 인증서를 수여하고 특히 사내 핵심인재 개발 대상자로 격려해주도록 한다.

5. 평가(Checking)

멘토링 평가는 개인 및 그룹평가 그리고 정량평가와 정성평가로 구분하여 평가할 수 있다. 특히 평가 시 유의사항은 멘토와 멘제는 정규업무를 다루면서 특수업무로 멘토링을 다룸으로써 평가의 원칙 중 상벌이 따르는 것보다는 포상차원에서 다루어야 형평성에 어긋나지 않는다.

■ 평가기준 참고

어떤 경영 기법일지라도 조직의 양적·질적으로 성과와 연결하지 못한다면 채택 및 유지될 수 없는 것이다.

조직의 효과성을 위하여 만든 프로그램이 바로 정량과 정성 평가 목표율이며 이 기법을 적용하면 멘토링 추진팀이나 멘토 등 활동에 참여자 모두가 강한 책임의식을 갖게 된다.

그러므로 멘토링 활동이 끝난 후에는 반드시 목표율에 의한 실적평가가 나타남으로써 각 조직의 CEO는 한눈에 업무 생산성 효과를 점검할 수 있어야 한다.

<부록1> 멘토활동 평가기준

정성평가 – 비경제성 평가 Humanity – 인간성	평가율 kind	정량평가 – 경제성 평가 Productivity – 생산성
• 멘토링 4가지 만족도 평가 (1) 멘토링 교육만족도 (2) 멘토링 관계만족도 (3) 멘토링 활동만족도 (4) 조직 만족도	1. 유지율 2. 정착률 2. 정착률 4. 성과율 5. 숙달률 6. 회수율(ROI)	최종쌍수/당초쌍수 x 100 정착신입원/당초신입원 확보인재수/목표인재수 최종성과율/당초성과율 최종숙달률/당초숙달률 총회수액/총투자액
• 개인 – PDI 상승률 평가 • 조직 – HRI 상승률 평가 • 멘토 – 자생력 상승률 평가 • 멘제 – 업무 조기숙달률 평가		

Theme 4

멘토조합 성공 모델

1장 벤처창업자의 조언자: 멘토(Mentor)

1995년, 스콧 로직(Scott Rozic)이 대학을 졸업했을 때 그가 가지고 있었던 것은 경영학 학사학위와 신용카드, 소프트웨어 회사를 위한 아이디어뿐이었다. 그는 이것을 가지고 그를 지도해줄 사람을 찾아 실리콘밸리로 향했다. 그의 목적은 그에게 사업전략과 재무에 대해 가르쳐줄 능력 있고 인정받는 — 처음부터 사업을 어떻게 해나갈지 실제적으로 이해하고 있고 가능하면 이전에 수억 달러 이상의 사업을 옆에서 도와본 — 사람을 찾아내는 것이었다.

다행히 한 친구의 아버지가 얼마 전까지 실리콘 그래픽사(Silicon Graphics)에서 임원으로 일하던 스탠 멀스먼(Stan Meresman)에게 그를 소개시켜 주었고, 멀스먼은 커피 한 잔을 마실 20분 동안만 로직을 만나주겠다고 했다.

멀스먼은 그 당시 대학을 갓 졸업한 인재를 찾고 있었다. 스콧 로직은 경험도 없었고 전문지식과 재무에 관한 시각도 전혀 없었지만 멀스먼은 그에게서 뭔가 특별한 것을 발견했다. 그는 "나는 그 젊은이가 언젠가 거대하고 성공적인 소프트웨어 회사의 최고경영자가 되리란 것을 확신했다"고 회상했다. 그는 로직이 많은 가능성을 가지고 있으며 젊은이가 성공하는 것을 지켜보는 것은 즐거운 일이므로 그를 제자로 받아들였다.

스콧 로직은 성공해서 현재 엑스마크스더스폿(Xmarksthespot)이라는 컴퓨터 기업의 최고경영자이다. 그가 여기까지 오는 데 스탠 멀스먼이 반드시 필요했을까?

어쩌면 돈을 벌기 위해 반드시 필요한 것은 좋은 아이디어와 훌륭한 기술, 차고나 기숙사라는 말이 맞을 수도 있다(주: 초기의 실리콘밸리 기업의 창업자들은 차고나 기숙사에서 사업을 시작하곤 했다). 하지만 몇몇 기업들은 대단한 아이디어나 기술 없이도 높은 가격의 초기 주식 발행금으로 굉장한 돈을 벌었다. 그들이 한 것은 거의 알려지지 않은 최소한 자원에 접근하는 일이었다.

그 자원은 바로 **기업설계인**(Business Architects)이었다. 이들은 사업모델의 구축과 개선, 최고의 인재 발굴, 사업 프로세스의 구축, 실제시장에서의 아이디어 실현가능성 시험, 자금확보 등을 돕는다. 이들이 바로 실리콘밸리에서 가치를 창출하는 데 있어 핵심인물인 것이다. 후에 사업 초기의 순수한 열정이 식게 되면 수익성이 관심의 대상이 되는데, 이때에 기업설계인은 더 큰 역할을 하게 된다(실리콘밸리의 가치창출 시스템에 대해 더 보려면 '평범한 사람들의 성공' 참조).

경험이 없는 기업가가 어떻게 필요한 전문지식을 얻는지를 이해하기 위해, 우리는 실리콘밸리에서 30명 이상의 벤처 자본가나 스탠 멀스먼 같은 멘토들을 인터뷰하는 데 4개월을 보냈다. 우리는 멘토로부터 지도를 받은 몇십 개의 기업가 팀도 인터뷰했다.

마지막으로 우리는 사업을 시작하는 두 회사의 시작단계를 과정을 따라가며 조사했고 지도자와 팀 간의 공식, 비공식적 회의에 참가했다. 우리가 멘토에 대해 조사한 내용은 실리콘밸리의 기업가뿐 아니라 사업을 시작하려는 모든 사람에게 중요한 교훈이 될 것이다.

1. 현시점에서 멘토가 필요한가?

새로운 사업을 시작하려는 많은 사람들이 지난 몇십 년 동안 실리콘밸리로 몰려들었다. 그들은 경영학 석사학위(MBA)나 컴퓨터공학 박사학위, 웹에 대한 남다른 감각 같은 것들을 가지고 있었지만 시장에서 최고의 수익을 내는 데 필요한 전문지식이나 조직을 디자인하는 기술이 없었고 설득력과 인재를 모아서 고용할 만한 신뢰성이 없었다. 다시 말해 실리콘밸리의 초창기 기업경영자들은 성장에 필요한 기초적인 요소들을 전혀 갖추지 못하고 있었다.

인터넷 시대 이전에 벤처 자본가들은 기대되는 인재를 유치하기 위해 집중적이고 개별적인 노력을 해왔다. 최근에 새로운 기업들의 숫자가 급격히 증가함에 따라 이들은 매우 바빠졌다. 이들이 많은 시간이 드는 개인적인 지도를 받는다는 것은 초기의 기업가들이 감당하기에는 너무 많은 비용이 들게 되어 버렸다.

많은 자금과 경쟁, 짧은 시간의 유동성 때문에 기업가들 사이의 상호작용은 더욱 중요해졌다고 벤처 자본가인 러스 시겔먼(Russ Siegelman)은 지적한다. 3컴의 최고경영자(CEO)였던 빌 크라우스(Bill Clause)는 "20년 전만 해도 벤처 자본가는 지식 이전의 촉매자 역할을 했습니다. 그러나 오늘날 그들은 포트폴리오 관리자이고 거래 중재자인 데다가 금융공학자이기까지 합니다"라고 말한다.

대규모 벤처 자본회사는 여전히 특별히 선전된 유망한 초기 사업체들을 맡아 운영하고 있다. 하지만 그들은 급속히 거대하게 성장할 사업체가 아니면 투자를 하지 않는다.

그리고 작은 업체들이 기업 전문지식을 제공받는 것은 점점 힘들어지고 있다. 소규모 사업체들은 전문지식을 얻기 위해 다양한 방안을 모색해 왔는데 가장 많이 사용되는 방법은 창업 인큐베이터와 같은 방법이다. 다양한 모델의 업체들은 공간, 행정적 지원, 컴퓨터와 같은 요소를 지원하는 가레지닷컴(Garage.com)과 같은 회사로부터 조직된다. 가레지닷컴의 고객회사들은 프리젠테이션, 금융조직화, 탄탄한 전문가 채용 등의 문제를 해결하는 데 도움을 얻었다. 그 대가로 가레지닷컴은 지분과 수수료를 받았다.

특히 경험 없는 기업가들을 위한 다른 대안으로 멘토들이 있다. 벤처 자본가나 인큐베이터와 비교해 멘토들은 기업가들과 더 많은 시간을 보내고 더 열정적으로 미래에 대한 비전을 제시하며 경영일선에 참여하고 초기회사들이 자금을 조성하도록 자기자신을 투자한다는 점이다.

2. 멘토란 어떤 사람인가?

인튜이트사의 기업가 스콧 쿡(Scott Cook)의 뒤에는 멘토이자 현재 사장인 빌 켐벨(Bill Cambell)이 있었다. 가레지닷컴의 최고경영자(CEO)인 가이 가와사키(Guy Kawasaki)는 벤처법 위원회의 설립자인 크레이그 존슨(Craig Johnson) 덕분에 사업 개념이 일찍이 급진전할 수 있었다고 말한다.

또한 네트워크 이퀴프먼트 테크놀러지사의 공동 설립자인 오드리 맥린(Audrey Maclean)과 스탠 먼스먼은 애쉬 문쉬(Ash Munshi)의 아이디어를 구체화하여 현재 쳄덱스(Chemdex)의 계열사인 스페셜리티MD(SpecialityMD)를 만드는 데 도움을 주었다. 이런 멘토는 유명 프로선수들과 함께 자신의 회사를 차려 최고경영자(CEO)나 업무 최고책임자(COO)로 역할을 하기도 한 어떤 분야에 있어서 전문 코치와 같은 이들이다. 이들의 기업경력에서 적어도 한 번쯤 성공하는 것은 보통이지만 반면 실패하기도 한다.

코치로서 그들의 임무는 유망하지만 미숙한 초기 기업들을 도와 생존 가능한 사업원형을 계속 만들고 성장하도록 자원을 제공하는 것이다(뒤에 나올 멘토링 스타일은 멘토가 기업가들을 가르치는 다양한 방식에 대해 설명한다). 이런 지도에는 상당히 많은 시간이 들어간다. 내가 코치가 된다는 것은 많은 노력을 필요로 하는 일이다. 장난감 회사인 스카이라인의 공동설립자인 펜 멘들뱀(Fern Mendelbaum)은 이렇게 말한다. "나는 회사가 성공할 수 있게 하기 위해서라면 모든 일을 할 것이다. 그렇게 되면 회사는 상당한 심적 부담을 덜게 될 것이다."

기업가들은 그들의 헌신에 대해 매우 감사하고 있다. 소프트북 프레스의 최고경영자(CEO)인 짐 샤크(Jim Sachs)는 티마커(T/Maker) 소프트회사의 공동설립자이자 그의 멘토인 에디 로이즌(Heidi Roizen)에 대해 이렇게 말했다. "완전히 일에 매달렸다. 그녀는 저와 함께 일하고 한 주 내내 함께 커피를 마시며 일어나는 일에 대해 이야기했다. 일어나는 모든 일에 매우 가까이 있었다고 할 수 있다." 하지만 왜 중년의 성공적이고 현금창출 능력이 있는 기업가들이 전혀 경력이나 현금이 없는 초보자 집단과 일하고 싶어 할까? 멘토들은 돈을 벌기 위해서 움직이는 것만은 아니다. 대부분의 지도자들은 그 전에도 상당한 돈을 벌고 있었다. 그들은 더 이상 그들의 기업을 키우는 데는 관심이 없어졌으며 사업 초기에서만 경험할 수 있는 스릴과 흥분을 즐기고 있는 것이다.

소프트웨어 퍼블리싱의 설립자이자 최고경영자를 역임한 프레드 기븐스(Fred Gibbons)의 경우도 그와 같다. "나는 창조적 과정을 위한 위험한 경험에 참여하는 것을 좋아합니다. 하지만 그냥 평범한 최고경영자(CEO)가 되는 것은 원치 않습니다." 그 스릴과 어려움들은 다른 사람의 경험을 대신하는 듯한 느낌을 주게 된다. 하지만 일단 그런 위험이 제기되면 사업의 과정은 다시 매우 익숙한 것이 되어버린다. 멘토들은 어렵게 얻은 전문지식을 공유하기를 원하고 그들의 제자들이 성공하는 것을 보고 싶어 하며 사업이라는 도박에서 재미를 찾고 싶어 한다(대부분의 멘토들은 지분을 얻게 되고 초기 사업단계에 그들의 자본을 투자한다).

3컴의 빌 크라우스는 멘토가 된 이유를 이렇게 설명했다. "저는 20살에 대학에서 전기공학 전공으로 졸업을 했습니다. 그때 저는 65세까지 일하게 된다면 15년 단위로 경력을 나눠 써야겠다고 생각했습니다. 처음 15년은 다음 단계를 위해 배우는 기간이고 다음 단계는 돈을 벌고 사업을 세우는 기간으로 잡았습니다. 마지막 단계에서는 사회에 공헌할 수 있는 일을 하고 싶었습니다. 실제로 저는 휴렛패커드에서는 일을 배웠고 3컴에서는 사업을 설계했고 지금은 봉사하는 단계입니다. 당신이 두 번째 단계를 잘 해낼수록 세 번째 단계에서 더 많은 일을 할 수 있을 것입니다."

그와 유사하게 우리가 얘기하는 대부분의 멘토들은 결코 단기에 수익을 얻을 만한 가치를 얻기 위해 회사를 대충 만들어내는 데에는 관심이 없다. 넷스케이프(Netscape Netcenter)의 이사를 역임한 마이크 호머(Mike Homer)는 "좋은 벤처기업은 지속적인 가치를 가지고 무엇인가를 사회에 환원해야 한다. 우리는 기업가들이 지속적인 기업을 만들도록 돕고 있다"라고 말한다.

2장 멘토(Mentor)는 무엇을 하는 사람인가?

우리는 사업을 시작하는 사람들이 멘토로부터 7가지 유형의 전문지식들은 내부적으로는 조직을 형성하고 영업을 수행하는 데 사용되고 외부적으로는 잠재투자자, 고객, 법률가들과 관계를 유지하는 데 사용된다. 대부분의 회사들이 매우 초기 상태이고 대외적으로 인식되기 전이기 때문에 내부의 역할이 더 중요한 경향이 있긴 하지만 멘토들은 외부 세계와의 중재자로서 매우 중요한 역할을 한다.

대부분의 멘토들은 각 역할에 익숙해지기 위한 몇 년간의 기간이 주어진다고 해도 7개 중 최대 3~4개 유형의 전문지식을 얻게 될 뿐이다. 이 점을 생각해서 멘토들은 자신이 맡지 못하는 다른 역할을 위해 동료들을 팀에 끌어들이게 된다.

1. 사업설계자(Sculptor)

모든 새로운 것은 발전하게 마련이고 새로운 기업에도 예외는 없다. 기업가의 원래 사업개념은 종종 시장에서의 최종 가치부문과 매우 다르게 된다. 조각가가 선으로 뼈대를 세우고 겉에 진흙으로 층을 덮은 다음 마지막 형태를 위해 작업을 해 나가듯이 멘토들은 기업가의 기초 아이디어를 가지고 대략적인 방향을 결정한 다음 벤처자본가에서 보여 줄 원형을 만들어 나가게 된다.

여기서 조각을 한다는 것은 개발과 여러 대안에 대한 탐색을 반복하는 과정이며 그중 지속적으로 우위를 가질 만한 한두 개에 중점을 두는 것이다. 사업 초기 단계에서 멘토들은 최종 가치부문과 가능성 있는 시장을 선택하기 위해 높은 단계의 전략적인 개념을 고안하는 데 온 힘을 기울인다. 그리고 나서 그들은 실제 상품을 최적화하기 위해 시장으로부터의 반응을 이용한다.

멘토인 프레드 기븐스(Fred Gibbons)이 액티브포토(Active Photo)사와 같이 일할 때 사업팀의 아이디어는 웹상에서 소비자에게 즉각적인 무선 사진 전송을 할 수 있는 하드웨어와 소프트웨어를 개발하는 것이었다. 프레드 기븐스는 그 아이디어를 무조건 반박하지는 않았지만 다른 기업가 잭 멜처(Jack Melchor)와 함께 그 팀의 구성원들이 다른 사업분야로 갈 수 있는 자기 테스트를 하도록 도왔다.

액티브 포토는 하드웨어를 새롭게 개발하는 아이디어를 포기하고 B2B(Business – to – Business) 중심으로 사업을 재설계했다. 최고경영자(CEO)인 셰인 데어(Shane Dyer)는 그를 이렇게 평가했다. "프레드는 핵심 이슈를 뽑아내는 데 매우 탁월합니다. 무엇이 가장 중요한지를 이해하려고 노력합니다. 무선을 선택하는 이유는? 소프트웨어를 선택하는 이유는? 이 기업의 방향은? 이런 문제에 대해 말입니다."

처음의 아이디어를 마음에 들어 했던 공동설립자 밸러리 스미스(Valerie Smith)에게 사업의 중심 이동은 매우 힘든 것이었다. 그녀는 B2C(Business – to – Customer) 모델로 가는 것이 말도 안 된다는 결론에 도달한 것을 안타깝게 생각했다. 거기에다가 프레드와 멜처는 즉시 새로운 사업에 집중하라고 지시했다. 밸러리 스미스는 "저는 그들이 너무 냉정하다고 생각했습니다. 더구나 잭 멜처는 방향을 잡으라고 우리를 꾸짖기도 했습니다. 그는 모든 시장을 동시에 잡을 수는 없다고 말했습니다"라고 그때를 회상했다.

일단 기업가들이 기본 전략을 (예를 들면 B2B 또는 B2C) 세우고 잠재적인 고객과 시장을 인식하면 멘토는 그 개념을 더욱 발전시키기 위해 시장에서 그 개념을 테스트해 보라고 요구하게 된다. 프레드 기븐스와 빌 크라우스는 액티브포토 측에 다양한 고객그룹의 취향을 알아보고 초기 사업 디자인을 발전시키기 위해 몇 개의 시장에 원형을 제시해 보라고 했다. 팀이 시작품을 대중시장에 테스트하기 위해 내놓았을 때 카메라의 플래시가 부적당하다고 판명되었고 팀원들은 경영자와 투자자들에게 일이 잘못되었다고 보고하는 것에 대해 걱정을 하고 있었다.

■ 평범한 사람들의 성공

엑스마크스더스폿의 최고경영자인 스콧 로직같이 되고 싶어 하는 많은 기업가들이 왜 실리콘밸리를 향하고 있을까? 그 이유는 왜 윌리 수튼(Willie Sutton)이 은행을 털었는가의 이유만큼 확실하다. 거기에는 돈을 벌 수 있는 기회가 있기 때문이다. 하지만 실제로 문제는 이것보다 복잡하다.

생리학자인 가렛 하딘(Garret Hardin)은 자신의 이성과 흥미에 따라 행동하는 사람들이 그들의 생활을 위해 필요한 자원들을 파괴하는 과정을 일컫는 평범한 사람의 비극이라는 용어를 만들어 냈다. 실리콘밸리의 문화가 이 시스템을 가져왔다. 전문지식의 집합은 평범한 사람들의 승리를 대변하는 것이다. 자원은 추출되어 자기 규제적이고 효율적인 방법으로 지속적으로 보충된다. 이러한 승리는 실리콘밸리의 독특한 지리·역사·문화가 되었다.

■ 승리란?

샌프란시스코 공항의 비행기에서 실리콘밸리를 본다면 그 작의 규모에 놀라게 될 것이다. 벤처로 그룹(Venture Law Group)의 크레이그 존슨은 이렇게 말했다. "실리콘밸리는 가스를 압축시켜 놓은 것과 같습니다. 점점 뜨거워지고 있고요." 이곳의 종족들은 사회적으로나 전문적으로 업무 규율(소프트웨어 엔지니어)과 대기업의 계열사(휴렛패커드), 배경(스탠퍼드의 MBA나 남아시아 이민자) 등의 공통점을 가지고 있다. 이곳의 유능한 사람들은 거래를 하기 위해서나 직업을 바꾸고 업무 파트너를 찾기 위해 멀리 갈 필요가 없다.

존 도어(John Doer)는 실리콘밸리가 주차장을 옮길 필요도 없이 직업을 바꿀 수 있는 곳이라고 말했다. 공유된 가치는 실리콘밸리 사람들을 오랜 시간 동안 결속해왔다. 여기서 특별하게 성공하는 사람이 된다는 것은 이 공동체 안의 모든 사람들이 알 수 있는 일이다. 빌 휴렛과 데이빗 패커드는 전 세대 사람들에게 직접적인 영향을 주었고 다음 세대가 기업가들에게는 성공의 지표를 만들어 주었다.

이전 고용인들을 보살피는 것은 전통이며 문화다. 선배 멘토들은 빌 휴렛이 그들이 HP를 떠날 때 어떻게 격려해주었으며 어떻게 HP의 엔지니어들이 기업가 정신을 키우는지에 대해 설명해준다. 전 인텔리코프(Intellicorp)의 최고경영자, 브랜스컴(K.C Branscomb)은 그녀를 위해 일했던 사람들을 도우려고 애쓴다. "나는 그들을 위해 벤처 자본가를 부릅니다. 아마 제가 자금을 대는 것을 도와준 회사가 대여섯 개 정도 있을 것"이라고 말했다. 마이크 호머(Mike Homer)도 비슷하게 얘기했다. "나는 나를 위해 일했던 사람들에게 매우 충실합니다. 만약 누군가가 와서 도움을 요청한다면 그것을 다 주지는 못해도 어떻게 하면 그들이 필요한 것을 얻을 수 있는지에 대해 가르쳐줄 것입니다."

■ 평범한 사람들의 일하는 방식

멘토들은 비공식적인 조합에서 활동한다. 현재의 고용인들이 내일의 사장이 될 수도 있고 현재의 경쟁자가 내일의 파트너가 계열사가 될 수도 있다. 만약 당신이 경험 있고 존경받는 멘토 조합원이라면 전문지식을 만들어내야 할 것이다.

가끔 지식의 교환은 일대일 작업으로 이루어진다. 전이된 지식은 후에 다른 사람들로부터 다른 형태로 돌아오게 된다. 존슨이 설명한다. "당신은 전이된 지식이 돌아오는 것을 볼 수 있습니다. 마치 풀뿌리처럼 말입니다. 나는 이런 프로젝트에서 누가 나를 도울까 하고 생각했지만 나는 개인적으로 모르는 바쁘고 성공적인 사람들을 부를 수도 있고 거기에 응하게 할 수도 있습니다. 그게 내 경우에만 해당되는 것은 아닙니다. 그것은 게임의 에티켓입니다."

하지만 신뢰가 없이는 조합에 들어갈 수 없다. 가장 잘 알려진 멘토는 그들 자신이 사업을 시작했거나 네스케이프나 오라클 같은 차고에서 시작해서 거대해진 실리콘밸리 기업들의 경영진이다. 사실 그런 상처는 용기의 상징이다.

크레이너 퍼킨스의 중요한 멘토인 비노드 코슬라는 "그 사람들은 기업가들에게 충고할 권한을 얻게 되는 것입니다. 그들은 그런 일을 하도록 자격을 받았고 실제로 그것을 제대로 수행하기도 하고 제대로 수행하지 못하기도 합니다. 하지만 그들은 그 차이를 알고 있습니다." 조합원들은 잠재력 있는 기업가들을 선별하기 위해 서로에게 의존한다. 투자위험을 체크하는 매 시간들이 돈과 같은 것이다. "나는 나에게 오는 모든 기업가들에 대한 기본정보를 얻을 수 있습니다. 우선 스스로 자체심사를 해서 벤처 자본가가 될 수 있습니다. 하지만 그건 매우 많은 시간을 요구되는 작업입니다." 존슨은 "우리는 이런 때 서로를 심사자로 이용하고 여기서는 실리콘밸리 사람들의 비공식적인 심사등급이 이용되기도 합니다"라고 말한다.

파운데이션 캐피털사의 마이크 슈허(Mike Schuh)는 멘토의 이런 가치를 뒷받침한다. "제가 매우 보는 수백 가지 것들 중 만약 내가 아는 멘토의 이름이 있다면 더 이상 볼 필요가 없을 것입니다. 나는 그냥 즉시 약속을 잡을 것입니다."

세바스찬 튜러롤(Sebastian Turyllols)은 프레드 기브스에게 테스트 결과에 대해 말하던 때를 기억하고 있다. 그때 프레드 기브스는 예상하지 못한 반응을 했다. 그런 경험은 상품을 신속하게 생산되도록 했으며 시장과 시장 반응에 대해 알려 주므로 대단한 가치가 있다는 것이었다.

2. 상담 심리학자

회사를 시작한다는 것은 기업가의 가족을 포함해 관련된 모든 사람들에게 매우 스트레스를 주는 일이다. 많은 멘토들은 정신적 고통의 시간으로 인해 행복과 공포 사이를 왔다 갔다 하던 시간들을 기억하고 있다. 그런 경험이 있었기에 많은 지도자들은 인간행동에 대한 깊은 이해를 하고 있고 그가 지도해야 하는 팀에게 거의 치료사가 되어 줄 만한 대화능력을 갖추고 있다. 멘토와 성장의 고통을 겪고 있는 많은 회사들은 이런 사정을 알고 있다. 그들은 기업가에게 위기가 극복될 것이라는 것을 확인시켜 주고 그 후에 그들이 평범한 기업 이상이 되도록 돕는다. 멀스먼의 제자들 가운데 몇몇은 그 영향력에 대해 언급하고 있다. 스페셜리티 MD의 창립자인 애쉬 문쉬는 그에 대해 좋은 대화상대이며 상담자이고 기댈 만한 사람이라고 말했다.

멀스먼은 그에게 회사를 시작한다는 것은 감정의 롤러코스터가 되는 것이라는 얘기를 했다. "그는 저에게 저의 그런 생활이 가족에게 영향을 주지 않도록 해야 한다고 일러 주었습니다. 저는 잘될 수도 있고 안 될 수도 있었습니다. 하지만 저는 가족을 위해 일하고 싶었고 그래서 가족에게 걱정을 미치지 않도록 계획하고 있는 일에 신중을 기했습니다." 멘토들은 기업가들이 시야를 넓히는 것을 도와줄 뿐만 아니라 자신감을 갖도록 도와준다. 열정적이라 해도 기업가들은 보통 쉽게 좌절하게 마련이다. 잠재적 투자자들은 기업가들이 철저한 분석에 의존해서 결정한다고 하지만 현실적으로 그들은 열정 하나에 모든 것을 맡길 때가 많이 있다.

사업 시작팀이 세상에 용감하게 도전하는 것을 보여 주는 것은 매우 중요한 일이다. 그래서 멘토들은 그들의 힘과 낙관성을 넘겨주려 한다. 네파스타일의 최고경영자(CEO)인 마이클 치렐로(Michael Chiarello)는 그의 멘토인 펜 멘들벰에 대해 이렇게 말했다.

제가 벤처 자본가를 만나려고 일정을 잡았을 때 그녀가 저에게 전화로 메시지를 남겼습니다. '당신은 최고입니다. 가서 원하는 것을 얻으세요. 당신의 신념을 잊지 마시고요. 대답은 15초 정도로 짧게 하시고, 어떻게 일이 되어 가는지 저에게도 말씀해 주십시오.' 몬도미디어의 더글러스 케이(Douglas Kay)는 멘토인 랜디 코미설(Randy Comisar)의 낙관성을 이렇게 평가했다.

"그는 이렇게 말하곤 했습니다. **큰 그림과 비전을 기약하십시오. 성패의 요소는 운과 시간일 뿐, 당신의 능력과는 관계가 없습니다.** 만약 사업이 잘 안 되더라도 당신이 노력을 했다면 또 다른 기회가 있을 것입니다."

3. 중재자(Dipromat)

사업 초기에 직면하게 되는 가장 큰 문제 중 하나는 여러 종류의 성격과 전문성을 가진 사람들을 다루는 일이다. 멘토들은 사람들 사이를 오가며 **중재자 역할**을 많이 한다. 사업을 설명하고 전문용어들을 번역해준다. 한 멘토는 자신이 매우 다른 접근방식을 가진 최고경영자와 업무최고 결정자 사이에서 중재를 하고 있음을 알았다. 양측의 주장을 들은 후에 그녀는 최고경영자가 업무 최고결정자의 머리를 무는 만화를 그려 최고경영자에게 선물했다. 그 최고경영자는 그 그림을 벽에 걸고 충돌이 생길 때마다 그것을 보며 감정을 조절했다.

중재자로서 멘토는 회사외부의 주요 이해관계자들과 중재와 협상을 하지만 막후에서 직접 협상을 하기도 한다. 한 기업가는 스탠 멀스먼에게 누군가 그의 회사를 사려고 8,000만 달러를 제시했다고 얘기했다. 멀스먼은 그 기업가에게 정말 회사를 팔고 싶은지 물었고 그는 만약 1억 달러를 받는다면 팔고 싶다고 대답했다. 하지만 회사를 사고자 하는 사람은 8,000만 달러가 최고상한가라고 말했다. 멀스먼은 그 기업가에게 다시는 그런 기회가 없을 것이라고 얘기했다. 다른 회사들도 그 회사를 사고 싶어 할지 생각해보니 두 개 정도의 회사가 예상되었다. 나는 그에게 할 일을 일러주었습니다. 두 회사들에게 그가 지금 일을 진행 중이며 제안을 받고 있지만 이 두 회사의 제안도 평가하고 싶다는 것을 알려주라고 했다. "결국 그는 어느 한 회사로부터 서면 제안을 받아 일을 끝냈습니다. 결국 그는 처음 제안을 했던 회사로부터 1억 3,000만 달러를 받고 회사를 팔았습니다"라고 멀스먼이 말했다.

4. 인재 육성자(Kingmaker)

회사는 강한 경영관리팀 없이 생존하기 힘들고 경험 많은 경영자의 수요는 공급을 초과하고 있다. 우리가 인터뷰한 많은 멘토들은 그들이 최고경영자를 만들어 내야만 하며 만약 설립자가 최고경영자로 성장하지 못한다 해도 그는 다음 기회를 갖게 될 것이라고 말한다. 일단 교육의 강도와 범위가 결정되어야 한다. 어떤 멘토들은 경영자들에게 발표하는 기술을 가르치는 표면적인 것에서부터 리더십 문제를 해결하는 문제 전반에 대해 가르친다.

브랜스컴(K.C Branscomb)의 제자로 현재 멘토이자 인텔리코프(IntelliCorp)사 최고경영자를 역임한 한 경영자는 사업초기에 투자자들에게 과도한 책임을 지우지 말라고 가르침을 받았다. 훌륭한 코치는 설립자가 초기 팀이나 초기 투자자, 초기 소비자들에게 높은 책임의식을 갖게 함으로써 최고경영자로 변화시킬 수 있어야 한다고 강조한다.

가끔 설립자들은 인재를 망치기도 한다. 많은 설립자들, 특히 젊고 경험이 없는 이들은 회사가 성장할 때까지 도움을 받아야만 한다. 작은 회사를 시작하는 데 필요한 열정과 에너지는 수천 명의 사람을 고용하는 회사에서 요구되는 리더십과는 다르다. 보통 벤처 자본가와 멘토들은 초보 기업가들에게 새로운 회사를 만들 자금을 형성하기 전에 이런 능력에 대해 교육시킨다. 브랜스컴뿐만 아니라 다른 사람들도 경영자가 CEO로 남을 수 있는가가 어느 이사회에서든 언제든지 의문시될 수 있는 문제라는 점에 인식하고 있다.

5. 인재 발굴자(Talent Magnet)

인재획득 경쟁이 치열한 세계에서 멘토의 역할은 사업 초기에 매우 중요하다. 숙련된 경영자들이 안전 한계를 넘어 100% 아니면 0%의 인터넷 게임에 뛰어들고 있지만 그럼에도 불구하고 경험이 있는 경영자는 매우 부족한 상태다. 마이크 호머(Mike Homer)는 "인재를 얻는 것이 가장 중요한 일입니다. 초기 사업을 키우는 데 유능한 사람들은 인재채용에 많은 노력을 합니다"라고 말한다. 멘토들은 세 가지 방법으로 인재들을 모으고 있다. 전문적인 헤드헌터들을 설득해서 찾는 방법과 그들의 네트워크 내에서 실제 지원자를 발굴하는 방법, 그리고 마지막으로 지원자를 인터뷰하는 방법이다. 존경받는, 설득력을 갖춘 멘토들은 초기 사업자가 바람직한 직원을 채용할 때 신뢰를 줄 수 있다.

베네피트포인트사의 설립자인 커트 드그로즈(Kurt DeGrosz)는 회사가 강력한 최고경영자를 필요로 하는 것을 느꼈다. 멘토이자 IVP 버산트의 벤처자본가인 샘 코렐라(Sam Colella)는 최고경영자를 구해주려고 나섰다. 그는 맥케슨(McKesson)의 최고경영자였던 마크 풀리도(Mark Pulido)가 적당하지만 그가 100개 이상의 취업 제안을 받고 있다는 사실을 알았다. 코렐라는 풀리도를 만나서 베네피트포인트사의 일이 그의 능력을 더 키워줄 것이라는 것을 확신시켜 주었고 그는 제안을 받아들였다.

6. 프로세스 엔지니어(Process Engineer)

기업가적인 열정은 회사에 대한 애정과는 별개 문제다. 만약 기업가들이 일을 원활하게 수행하고 싶어 한다면 잘 모르는 일에 그냥 착수하지는 않을 것이다. 막 새로운 기업의 일원으로 끌어들여진 대학졸업생에게는 단순히 회의날짜와 안건을 정하는 것조차 신기한 일일 수 있다. 더 경험이 많은 기업가들은 우선순위를 결정하고 계층을 정립하고 역할과 책임을 분류하라고 재촉받기도 한다. 멘토들은 그들의 직접 경험을 성장하기를 원하는 기업의 시스템과 프로세스를 창출하는 데 사용한다. 하지만 그들은 힘든 상부구조하의 작은 기업들을 압박하는 데 있어서 매우 신중하다.

멘토인 리치 젤리스크(Rich Zalisk)는 비생산적인 활동과 혼란, 계속적인 방해물, 쓸모없는 재평가 같은 요소들은 제거되어야 한다고 말한다. 경험이 없는 팀들은 심사숙고해서 현실적인 목표를 잡는 것을 도움받고 있다. 그는 이렇게 말한다. "그런 팀들은 와서 '뭔가가 달라졌습니다'라고 말합니다. 그러면 나는 '아니, 달라지지 않았습니다' 하고 말하죠. 두세 번 후에 당신은 다시 반복할 필요가 없는 매우 높은 수준의 무엇인가를 얻게 됩니다. 중요한 것은 팀이 과정이 아니라 결과에 집중하게 만드는 것입니다."

7. 기적을 만드는 사람(Rainmaker)

멘토들은 초기 자본을 구하는 데 그들 자체의 네트워크를 사용한다. 또한 벤처 자본가로부터 어떻게 자본을 구하는지 알고 있다. 우리가 지금까지 연구한 대부분의 신생 회사에서 멘토들은 엔젤 자본가들에게 투자를 하게 만들었다. 나중에 기업가들을 벤처 자본가와 연결시켜 준다.

ROLM의 공동 창립자인 밥 맥스필드(Bob Maxfield)는 스냅트랙이라는 회사가 처음에 어떻게 자금을 마련했는지에 대해 설명했다. "그들은 대단한 기술을 가지고 있었습니다. 나와 두 명의 다른 사람들이 자본을 투자해서 그 기술이 어떻게 활용되는지를 확인시켜 주고 사업팀이 몇 달에 걸쳐 그걸 증명해줬습니다. 다른 사람 중 하나가 그 팀을 벤치마크사에 소개시켜 주었습니다. 나는 내 친구들 가운데 유망한 벤처 회사를 갖고 있는 사람들을 불렀습니다. 그들은 한 번의 모임을 갖고 나서 매우 흥미 있어 했습니다. 하지만 결정을 내리기 전에 벤처마크사가 와서 우리가 모든 것을 걸겠다고 말했죠. 그리고 거래가 성사되었습니다. 그 회사는 나중에 퀄컴에게 10억 달러에 팔렸습니다."

요약하자면 멘토들은 기업가들에게 성공적인 기업을 만드는 데 대한 실시간적이고 강력한 지도를 하는 것이다. 그들은 오랜 기간에 걸쳐 만들어진 뛰어난 전문지식을 공유하고 적당한 시기에 적당한 만큼 그것을 실제로 수행하는 것이다. 그들은 계속적으로 사업 모형을 바꿔 나가고 인재를 끌어오며 자금을 만들고 논리적이고 효율적인 조직을 만드는 데 깊이 관여하고 있다.

3장 멘토(Mentor)로서 교육 스타일

우리가 인터뷰한 멘토들은 기업가들을 위해 결정하지 않는다는 한 가지 공통점을 가지고 있었지만, 그들의 교육 방법은 매우 다양했다.

1. 실전 교육(Learning by Doing)

네파스타일(Napastyle)의 창립자이자 최고경영자인 마이클 치렐로는 캘리포니아 네파 밸리의 자유롭지만 정돈된 라이프스카일을 생각하면서 미디어 인터넷 회사의 아이디어를 개발하고 있었다. 그의 Mentor인 펜 맨들벰은 다른 미국인들이 그의 네파 개념에 공감할 수 있을지 질문했다. "저는 '펜, 그것이 뭘 의미하는지 말해 드리죠'라고 생각하고 있는데 그녀가 말했습니다. '저는 마이클 당신을 진심으로 믿지만 모든 미국인이 당신을 믿을지는 모르겠군요. 당신이 취하는 모든 행동이 타당해야 합니다." 그래서 치렐로는 시장조사를 했다. "우리 중의 다섯 명이 친구 10명에게 네파가 그들에게 어떤 의미가 있는지 묻는 질의서를 이메일로 보냈습니다. 우리는 네파의 의미에 대해 그런 식으로 응답을 조사했습니다."

2. 문답 교육(Socratid Learning)

스콧 로직은 실리콘 그래픽스의 최고 재무담당자인 스탠 멀스먼이 그에게 물었던 것을 회상했다. "그래서 '스콧, 회사가 하려는 것을 두 문장 정도로 말하면 무엇입니까?'라고 그가 물어서 대답을 하면 '뭐 특별한 것은 없군요, 경쟁력을 갖춘 무언가가 있어야 합니다' 하거나 '경쟁력 있는 장점은 뭐죠?'라고 묻습니다. 그러고 나서 그는 괜찮게 들리는 두 개 정도의 회사를 뽑아내고 나서 이렇게 묻습니다. '엑스마크스더스폿사의 특별한 기술은 무엇입니까? 투자를 받기를 원하는 많은 회사들이 있습니다. 당신의 회사에 뭔가 특별한 기술이 있기는 한 것 같은데 그걸 어떻게 발전시킬 거죠?' 이렇게 말입니다."

3. 훈육에 의한 교육(Stories with a Moral)

액티브포토의 회의에서 공동설립자 세바스찬 튜토럴(Sebastien Turullols)은 신생 기업의 자유로운 유동성을 어떻게 다루어야 할지에 대해 보고하고 있었다. 전 3컴의 사장인 빌 크라우스는 조심스럽게 대답했다. "몇 년 전에 최고 재무결정자가 거기에 높은 고이자율, 고위험 채권으로 투자를 하기를 원했습니다. 고위자 하나가 그에게 말하더군요. 아무도 당신이 만들어내는 1.5%의 이자를 기억하지는 않을 겁니다. 하지만 그들은 당신이 1,000만 달러를 잃는 것은 분명히 기억할 겁니다."

4. 경험 법칙(Rules of Thumb)

가상적으로 무리가 인터뷰한 모든 팀은 집중, 집중, 집중이라는 강한 원칙을 가지고 있었다. 그러나 멘토들은 언제 그 법칙을 적용하고 적용하지 않을지를 알고 있다. 프레드 기븐스는 액티브포토팀에게 하나 이상의 시장을 탐색해야 할 필요가 있을 때에는 과감히 그 원칙을 포기하라고 했다. 하지만 그는 두 개 이상의 집중 대상은 갖지 말라고 주의를 주었다.

5. 상술 교육(Specific Directives)

실리콘 그래픽스의 부사장이자 많은 기업인들의 멘토인 켄 콜먼(Ken Coleman)은 그가 판매사원을 해고하고 싶어 하는 관리자들에게 어떻게 대처하는지 보여 주었다. 고객은 그 사원을 좋아하지만 그는 내부적으로 그리 큰 실적을 내지 않았다. "여기에 바람직한 결론이 있습니다. 긍정적인 결과로 이 사람을 전근시키는 것입니다. 첫째, 즉각적인 답변을 피하십시오. 주의 깊게 생각하십시오. 충고를 얻으십시오. 당신은 이 사람에 대한 훌륭한 해고전략을 세울 수가 있습니까? 서로에게 승리하는 상황을 만들 수가 있습니까? 아마 고객이 그를 고용하게 될 것입니다."

6. 관찰 교육(Learning by Observing)

미디어텔(Media Tel)의 최고경영자인 산지브 맬라니(Sanjeev Malaney)는 그의 멘토인 리치 젤리스크(Rich Zalisk)로부터 삼투의 원리를 배웠다고 말했다. 예를 들어 젤리스크는 다음 해의 목표를 위한 이틀간의 계획 회의를 열었다. 멜라니는 젤리스크가 우선순위와 예산을 세우며 팀 구성원을 얻는 것을 보며 배웠다. "나는 어떻게 운영을 하고 분쟁을 조정하는지를 배웠습니다"라고 그녀는 얘기하고 있다.

4장 멘토(Mentor) 성공 모델

실리콘밸리에서 멘토들은 효험 있는 혁신주기에 전반적이지만 매우 강력한 영향력을 행사하고 있다. 그들은 창업 초기의 기업가들을 교육함으로써 전문가적인 지식을 배양하고 지역대학으로부터 인재들을 배양하고 지역대학으로부터 인재들을 뽑아서 키우고 있다(어떤 멘토들은 실제로 대학교수이자 초빙강사가 되기도 한다). 이미 비공식적인 조합을 형성해온 멘토들은 그들 네트워크 안의 사람이나 성공할 가능성이 있는 기업가에게만 충성한다. 그들은 결속해서 그들의 전문지식을 유망한 프로젝트에 집중시킨 다음 문제없이 해체된다.

그들은 영원한 것을 바라는 것이 아니라 기업 생리의 다원적 견해나 성공은 일시적이라는 믿음을 갖고 있다고 할 수 있다. 현재에 훌륭한 것이 미래에는 아닐 수도 있다. 변화하는 환경은 새로운 것을 만들어낼 수 있는 여지를 주기 때문이다. 실리콘밸리의 이런 멘토들은 쉽게 만들어질 수 없다. 이런 특별한 집단은 개발되는 데에 30년쯤을 걸릴 지식들을 만들어 내며 집단의 요소는 하루아침에 만들어지는 것이 아니다. 하지만 이미 완벽하게 연계되어 전문지식을 가진 네트워크는 실제로 엄청난 혁신을 만들어낼 수 있다.

예를 들어 실리콘밸리에서 크게 성공한 남아시아 기업가들로 구성된 인듀스 엔터프레뉴어스(Indus Enterpreneurs)라는 조직은 미국의 태평양 연안 지역과 인도로 영향력을 넓혀가고 있다. 멘토 조합들이 경쟁하는 것과는 상관없이 그들의 감각은 사업을 시작하려는 사람들에게 필수적이다. 경험이 없는 기업가는 멘토를 필요로 한다. 여기저기에서 벤처 자본가들은 자신의 역할을 재조정하고 있을 것이다.

그들이 빠져나간 부분에는 스마트 머니(Smart Money) 엔젤 투자가와 멘토가 들어오게 될 것이다. 멘토들은 서로의 기술을 완성하고 다른 사람들의 실패, 성공, 가르치는 방법으로부터 배워 나가기 위해 고도의 네트워크를 형성할 필요가 있다. 그들은 새로운 사업이 만들어지는 과정을 견뎌내고 이끌 수 있는 능력을 갖춰야 한다. 그들은 능력 있는 교사가 되어야 하고 초보자들의 성공에서 느껴지는 스릴에 흥미를 느껴야 한다. 결국 그들은 초기 사업자들의 열정과 영감을 같이 느껴야 하고 기업가와 멘토 모두 서로에게 열정을 가져야만 한다.

우리는 원래 멘토에 대한 연구를 하려던 것이 아니었다. 그보다는 어떻게 재능 있고 창조적인 기업가들이 전문지식을 얻어 사업을 성공시키는가에 대해 연구해 보려고 했다. 하지만 멘토를 우연히 만나게 되면서 이들이 초기 사업자의 성공에 얼마나 중요한지를 알고 놀라게 되었다.

그곳에도 지식사회의 작은 세계가 있으며 기술적인 요소들을 기업적인 지식과 결합해서 모두에게 멋진 기회를 안겨주는 연금술이 있다. 지식은 이 세계에서 핵심요소이며 이 요소의 희소성은 그 가치를 엄청나게 높여 주고 있다.

실리콘밸리가 물론 이런 지식들이 가치를 발휘하는 유일한 곳은 아니다. 미국 각지의 현인들의 젊고 지혜가 없는 이들을 위한 신경제 사회의 마술을 만들어내고 있다. 정확한 의미의 경험은 점점 더 그 의미가 축소되고 있다고 할 수 있다.

전 국민 한마음 공동체 구축

희망 대한민국
멘토링
프로젝트

초판인쇄 | 2012년 6월 1일
초판발행 | 2012년 6월 1일

지 은 이 | 류재석
펴 낸 이 | 채종준
펴 낸 곳 | 한국학술정보㈜
주   소 | 경기도 파주시 문발동 파주출판문화정보산업단지 513-5
전   화 | 031) 908-3181(대표)
팩   스 | 031) 908-3189
홈페이지 | http://ebook.kstudy.com
E-mail | 출판사업부 publish@kstudy.com
등   록 | 제일산-115호(2000. 6. 19)

ISBN   978-89-268-3337-7 03320 (Paper Book)
          978-89-268-3338-4 08320 (e-Book)

이담
books 는 한국학술정보(주)의 지식실용서 브랜드입니다.